PREMIER DICTIONNAIRE EN IMAGES

"DE LA LANGUE A LA CIVILISATION FRANÇAISE"

Pierre FOURRÉ

Directeur du Centre d'Etudes et d'Information sur l'Education de base
Membre de la Commission du français élémentaire

PREMIER DICTIONNAIRE EN IMAGES

Les 1.300 mots fondamentaux du français

Illustrations de René Alliot

DIDIER
4 et 6 rue de la Sorbonne
PARIS Ve

Imprimé en France

Ce dictionnaire en images présente les principaux sens des 1 300 mots qui constituent le vocabulaire du « Français Élémentaire » Premier Degré.

Il fait partie de notre collection générale « De la langue à la civilisation française » qui s'adresse à tous ceux dont le français n'est pas la langue maternelle et qui les conduira graduellement à une connaissance approfondie de la langue parlée et écrite, classique et moderne.

Ce dictionnaire a été conçu pour apprendre rapidement le vocabulaire le plus utilisé du Français et pour permettre de retrouver la signification et la construction de termes précédemment étudiés. En outre, sa présentation illustrée facilite, à tous ceux qui ont déjà appris le français, une révision agréable et systématique des connaissances fondamentales.

Les 1 300 mots qu'on trouvera dans ces pages sont, en effet, les plus employés de la langue française. Leur choix repose sur les études scientifiques modernes entreprises par la Commission du Français Élémentaire. Si l'on veut bien se rappeler que ce premier vocabulaire ne représente qu'*une étape* dans l'étude du français et qu'il n'est question, en aucune façon, de limiter la connaissance de notre langue aux mots et formes grammaticales retenues, on conviendra que la Commission a fait là une œuvre utile, pour laquelle nous lui exprimons notre gratitude.

Nos remerciements vont aussi à tous ceux qui ont bien voulu nous aider dans notre travail et tout spécialement à Messieurs Brunsvick, Ginestier, Quémada et Rivenc.

ABRÉVIATIONS

Adj.	=	adjectif	
Adj. dém.	=	—	démonstratif
Adj. indéf.	=	—	indéfini
Adj. inter.	=	—	interrogatif
Adj. num.	=	—	numéral
Adj. poss.	=	—	possessif
Adv.	=	adverbe	
Adv. inter.	=	—	interrogatif
Art.	=	article	
Compl.	=	complément	
Conj.	=	conjonction	
f.	=	féminin	
m.	=	masculin	
n.	=	nom	
pl.	=	pluriel	
poss.	=	possessif	
prép.		préposition	
pr.	=	pronom	
pr. dém.	=	—	démonstratif
pr. indéf.	=	—	indéfini
pr. inter.	=	—	interrogatif
pr. pers.	=	—	personnel
sing.	=	singulier	
v.	=	verbe	

RÈGLES

I. Devant les mots féminins commençant par une voyelle (a, e, i, o, u), ou un « h » muet (habitude, herbe, histoire,huile),

« mon, ton, son » remplacent « ma, ta, sa ».

II. Devant les mots commençant par une voyelle ou un « h » muet, (habiller, habit, habiter, habitude, herbe, histoire, hiver, homme, hôpital, hôtel, huile),

de, je, jusque, la, le, me, ne, que, se, te,
s'écrivent :
d', j', jusqu', l', l', m', n', qu', s', t'.

III. Devant les mots masculins commençant par une voyelle ou un « h » muet,

« nouveau, beau, vieux » s'écrivent « nouvel, bel, vieil »
« cet » remplace « ce ».

IV. Devant les mots masculins commençant par une consonne (b, c, d, f, g, j, k, l, m, n, p, q, r, s, t, v, w, x, z) ou par un « h » aspiré (haut, huit)

on dit « au » et « du »
et non pas « à le » et « de le ».

V. « Ce » s'écrit « c' » devant « en » et devant le verbe « être » aux temps simples ou composés, quand ce verbe commence par « e » ou « a ».

Les verbes terminés par **er** se conjuguent comme « parler » (v. p. 252).

Les verbes terminés par **ir** se conjuguent comme « grandir » (v. p. 255) sauf ceux dont les temps sont donnés dans le cours du Dictionnaire.

Pour faciliter l'étude de la prononciation du français, nous avons adopté dans tous les volumes de notre collection le système des mots clefs.
Ces mots : lit, nez, balai, sac etc. se trouvent dans les pages qui suivent imprimés sur fond gris.

LA PRONONCIATION FRANÇAISE

VOYELLES ET CONSONNES

Les sons étudiés ci-dessous sont reproduits en un disque de 45 Tours F E 20, à commander directement à la Librairie Marcel Didier, 4 et 6, Rue de la Sorbonne, Paris Ve.

I

LES VOYELLES

DURÉE : Les voyelles françaises sont, en général, de durée moyenne : elles sont dites *brèves*. Devant certaines consonnes finales prononcées, par exemple, elles s'allongent et sont dites alors *longues*.

Il faut donc opposer :

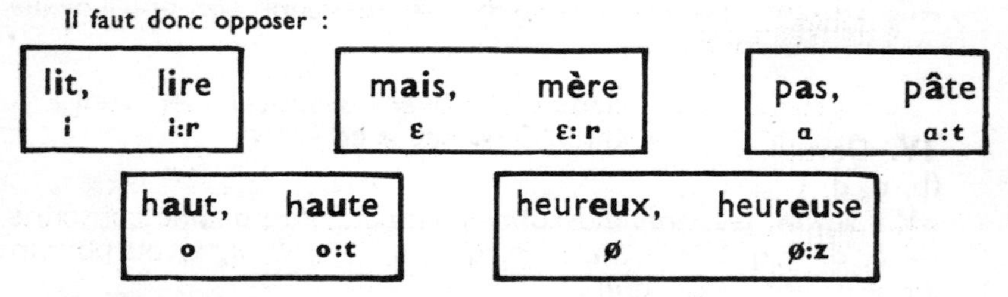

lit,	lire
i	i:r

mais,	mère
ɛ	ɛ: r

pas,	pâte
ɑ	ɑ:t

haut,	haute
o	o:t

heureux,	heureuse
ø	ø:z

TIMBRE : Les voyelles françaises sont caractérisées par :

- **la *douceur* de leur attaque**
- **la *netteté* de leur timbre**
- **leur *grand nombre*.**

On distingue 16 voyelles fondamentales. Elles sont réparties en trois groupes.

1er groupe.

[i] [e] [ɛ] [a] [ɑ] [ɔ] [o] [u]

[i]	lit	ami	lire
	i	i	i:
	Philippe lit un livre difficile		
	i i i i: i i i		

<table>
<tr><td rowspan="2">[e]</td><td>nez idée préférer
e e e e e</td></tr>
<tr><td>Bébé a déchiré les papiers
e e e e e e</td></tr>
<tr><td rowspan="2">[ɛ]</td><td>balai sec fête
ɛ ɛ ɛ:</td></tr>
<tr><td>Le père et la mère aiment le lait
ɛ: e ɛ: ɛ ɛ</td></tr>
<tr><td>[e/ɛ]</td><td>Mon frère préfère le café au lait (phrase d'exercice)
ɛ: e ɛ: e ɛ</td></tr>
<tr><td rowspan="2">[a]</td><td>sac madame gare
a a a a:</td></tr>
<tr><td>Papa est malade
a a a a</td></tr>
<tr><td rowspan="2">[ɑ]</td><td>âne bas pâte
ɑ: ɑ ɑ:</td></tr>
<tr><td>Ne passe pas dans le bois
ɑ ɑ ɑ</td></tr>
<tr><td>[a/ɑ]</td><td>La radio de Papa ne marche pas
a a a a a ɑ</td></tr>
<tr><td rowspan="2">[ɔ]</td><td>homme octobre effort
ɔ ɔ ɔ ɔ:</td></tr>
<tr><td>Notre joli porte monnaie
ɔ ɔ ɔ ɔ</td></tr>
<tr><td rowspan="2">[o]</td><td>eau auto côte
o o o o:</td></tr>
<tr><td>Un seau d'eau chaude
o o o:</td></tr>
<tr><td>[ɔ/o]</td><td>Encore un effort! C'est le haut de la côte
ɔ ɔ: o o:</td></tr>
</table>

[u]	poule	août	douze
	u	u	u:
	Il court toujours dans la cour u u u: u:		

2e groupe.

[œ] [ə] [ø] [y]

[œ]	œil	seul	moteur
	œ	œ	œ :
	Qui vole un **œuf** vole un b**œuf** ɔ œ ɔ œ		

[ə]	genou	demi	premier
	ə	ə	ə
	Le repas de vendredi ə ə ə ə		

[ø]	feu	deux	heureuse
	ø	ø	ø ø:
	H**eu**r**eu**x ou malh**eu**r**eu**x au j**eu** ø ø ø ø ø		

[œ,ə,ø]	L'aveugle et le boiteux ont peur du feu œ ə ø œ ø

[y]	lune	juste	figure
	y	y	y:
	Les légumes sont brûlés y y		

3e groupe.

[ɛ̃] [ɑ̃] [õ] [œ̃]

[ɛ̃]	main	bien	cinq
	ɛ̃	ɛ̃	ɛ̃:
	Le tr**ain** part dem**ain** mat**in** ɛ̃ ɛ̃ ɛ̃		

[ɑ̃]	dent ɑ̃	blanc ɑ̃	lampe ɑ̃:
	L'enfant est en vacances en France ɑ̃ ɑ̃ ɑ̃ ɑ̃: ɑ̃ ɑ̃:		

[õ]	pont õ	bonbon õ õ	onze õ:
	mon bâton est rond õ õ õ		

[œ̃]	un œ̃	chacun œ̃	parfum œ̃
	un parfum pour chacun œ̃ œ̃ œ̃		

Diphtongues. — Les diphtongues (deux éléments vocaliques dans une même syllabe, prononcés en une seule émission de voix) sont composées :

— d'une voyelle
— d'un élément semi-vocalique qui peut être :

[je] [we] [ɥe]

[je]	billet je	pied jɛ	feuille œ:j
	Des avions dans le ciel jõ jɛ		

[we]	toit wa	oui wi	s'asseoir wa:	poêle wa	moyen waj
	boire sans soif wa: wa				

[ɥe]	nuit ɥi	juin ɥɛ̃	tuer ɥe	nuage ɥa:
	La cuisinière a besoin d'huile ɥi jɛ: wɛ̃ ɥi			

On distinguera au contraire deux voyelles, donc deux syllabes différentes, dans d'autres mots tels que :

cri/er	trou/er	cru/el	po/ésie
i je	u e	y ɛ	ɔ e

II

LES CONSONNES

Les consonnes françaises sont caractérisées par :

— leur netteté
— la force de leur articulation
— l'opposition très marquée entre les consonnes *sourdes*, (ex. : p) et les consonnes *sonores* (ex. : b).

Elles sont réparties en trois groupes :

1er groupe.

[m] [n] [ñ] [l] [r]

[m]	mouton m	ma m		même m m
	Maman m'a mis mon manteau m m m m m m			
[n]	nid n	ananas n n		dîne n
	Une bonne journée n n n			
[ñ]	peigne ñ	gagner ñ		ligne ñ
	Il se baigne à la campagne ñ ñ			
[l]	livre l	millier l		ville l
	Laver les légumes l l l			
[r]	rond r	rare r r	arbre rbr	quatre tr
	L'air qui entre par la porte r tr r rt			
	C'est très triste tr tr			

[l/r]	
	La voiture roulait dans la rue l r r l l r
	Paris est la plus grande ville de France r l gr l fr

2e groupe.

[p] [b] [t] [d] [k] [g]

[p]			
	pipe p p	paille p	papier p p
	Papa n'a pas perdu sa pipe p p p p p p		

[b]			
	bâton b	beau b	robe b
	Un bien beau bas b b b		

[p/b]	
	Papa a bu un pot de bière p p b p b

[t]			
	table t	thé t	tête t t
	Tu te tais toujours t t t t		

[d]			
	dos d	dedans d d	décide d d
	La dame demande son dîner d d d d		

[td]	
	Tu donnes du thé à toutes les dames t d d t t t d

[k]				
	camion k	coq k k	qui k	quelque k k
	Quatre clients quittent le café k k k k			

[g]	
	bague — gai — langue g g g
	Le garçon regarde les gâteaux et les glaces g g g g

[k/g]	Le quai de la gare — du chocolat glacé k g k g

3e groupe.

[f] [v] [s] [z] [ʃ] [ʒ]

[f]	
	fumée — fille — photographe f f f f
	Il faut fermer la fenêtre f f f

[v]	
	valise — wagon — lave v v v
	Venez voir votre vieux voisin v v v v v

[s]	
	soleil — scie — essence s s s s
	Une sauce sans sel s s s s

[z]	
	maison — gaz — deuxième z z z
	onze douze treize quatorze quinze z z z z z

[ʃ]	
	chèvre — chaque — dimanche ʃ ʃ ʃ
	je cherche une chambre pour coucher ʃ ʃ ʃ ʃ

[ʒ]	jambe ʒ	âge ʒ	juge ʒ ʒ
	Une jolie jupe jaune et rouge ʒ ʒ ʒ ʒ		

[ʒ/ʃ]	Je cherche un joli chat ʒ ʃ ʃ ʒ ʃ

Consonnes doubles.

Les consonnes doubles se prononcent, en français, dans la plupart des cas, comme une consonne simple.

Ex. : Différence (f) — Sommeil (m) — Personne (n)

Envelopper (p) — Attacher (t)

On opposera pourtant :

Village	villa
vi/la:ʒ	vil/la

Intelligent	syllabe
ɛ̃te/liʒɑ̃	sil/lab

Groupes de consonnes.

Exercice d'articulation

disque sK	exemple gz
boxe Ks	examen gz
expliquer Kspl	

A

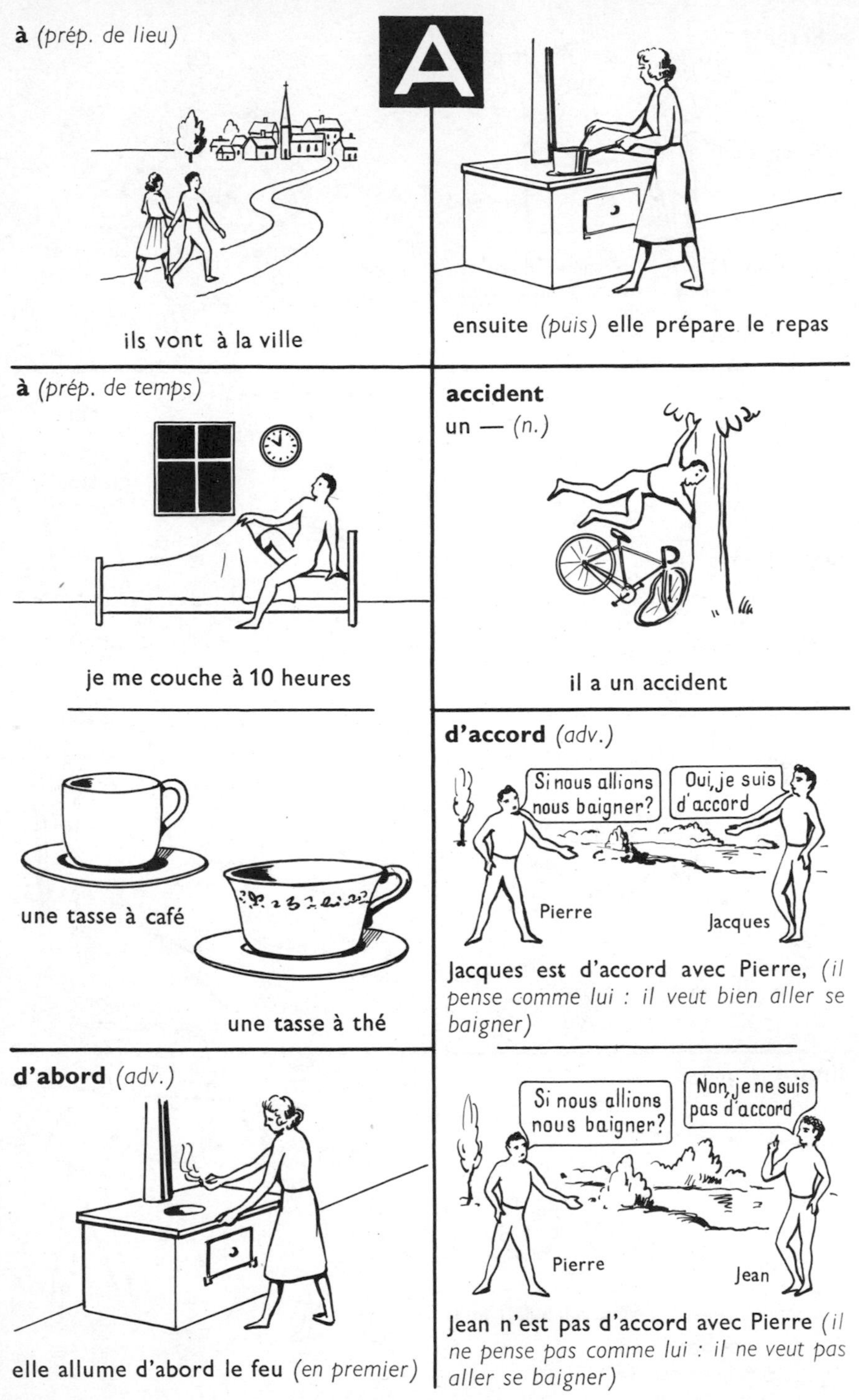

à *(prép. de lieu)*

ils vont à la ville

à *(prép. de temps)*

je me couche à 10 heures

une tasse à café

une tasse à thé

d'abord *(adv.)*

elle allume d'abord le feu *(en premier)*

ensuite *(puis)* elle prépare le repas

accident
un — *(n.)*

il a un accident

d'accord *(adv.)*

Jacques est d'accord avec Pierre, *(il pense comme lui : il veut bien aller se baigner)*

Jean n'est pas d'accord avec Pierre *(il ne pense pas comme lui : il ne veut pas aller se baigner)*

acheter

aujourd'hui, j'achète, tu achètes, il achète, nous achetons, vous achetez, ils achètent.

hier, j'ai acheté demain, j'achèterai

il a acheté cette bicyclette 12 000 francs,

il a fait une mauvaise affaire

(il a payé trop cher)

adroit *(adj.)*

il a bien fait le banc,

(il est adroit)

il a mal fait le banc

(il n'est pas adroit)

affaire — une — *(n.)*

il a acheté cette bicyclette 1 500 francs,

il a fait une bonne affaire

(il n'a pas payé cher)

affaires — les — *(n. pl.)*

voici les affaires de l'écolier

âge — un — *(n.)*

agent de police — un — *(n.)*

aiguille — une — *(n.)*

une aiguille à coudre

les aiguilles de la montre

agréable *(adj.)*

se reposer est agréable *(ça fait plaisir)*

travailler au soleil n'est pas agréable *(ça ne fait pas plaisir)*

aile — une — *(n.)*

les ailes de l'oiseau

les ailes de l'avion

aimer *(v.)*

la mère aime son enfant

il aime les fruits

aider *(v.)*

l'homme aide le petit enfant à monter

aujourd'hui, j'aide
hier, j'ai aidé
demain, j'aiderai

il n'aime pas le médicament

les enfants aiment courir *(ils sont contents de courir)*

aujourd'hui, j'aime
hier, j'ai aimé
demain, j'aimerai

ainsi *(adv.)*

c'est ainsi *(de cette façon)* qu'il faut tenir un marteau

et non pas ainsi

air — l' — *(n. m.)*

il y a de l'air dedans

les avions, les oiseaux volent dans l'air

elle a l'air triste

elle a l'air gai

ajouter *(v.)*

elle ajoute de l'eau *(elle met un peu plus d'eau)*
aujourd'hui, j'ajoute hier j'ai ajouté
demain j'ajouterai

aller *(v.)*

l'homme va aux champs

on va à pied, à cheval, à bicyclette, en voiture, en auto, en bateau.

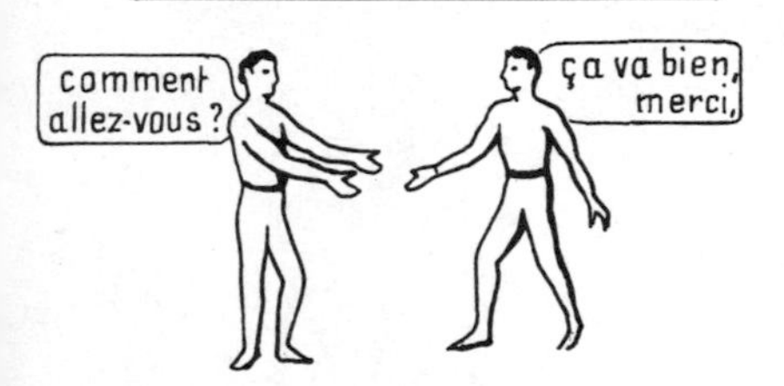

comment allez-vous ?
je vais bien, merci *(je ne suis pas malade)*

cet habit me va bien
(il n'est ni trop grand ni trop petit)

cet habit ne me va pas bien
(il est trop grand)

il y a des nuages noirs, il va pleuvoir *(il pleuvra bientôt)*,
aujourd'hui, je vais, tu vas, il va
nous allons, vous allez, ils vont
hier, je suis allé
demain, j'irai

s'en aller *(v.)*

elle s'en va *(elle part)*

aujourd'hui, je m'en vais, tu t'en vas, il s'en va, nous nous en allons, vous vous en allez, ils s'en vont
hier (ne s'emploie pas)
demain, je m'en irai

allumer *(v.)*

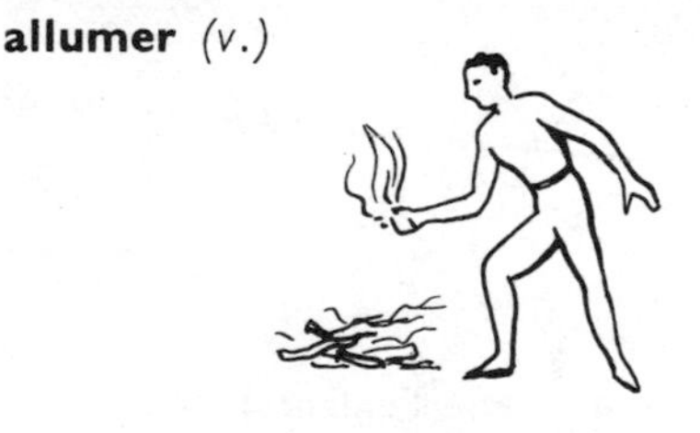

il allume le feu
aujourd'hui, j'allume
hier, j'ai allumé
demain, j'allumerai

allumette — une — *(n.)*

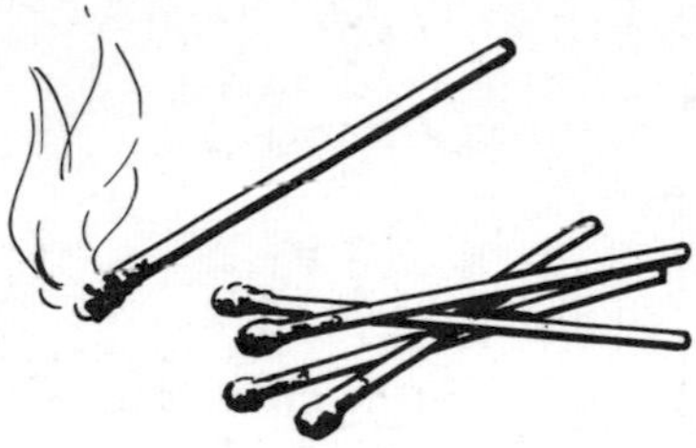

ami — un — *(n.)*, **une amie**

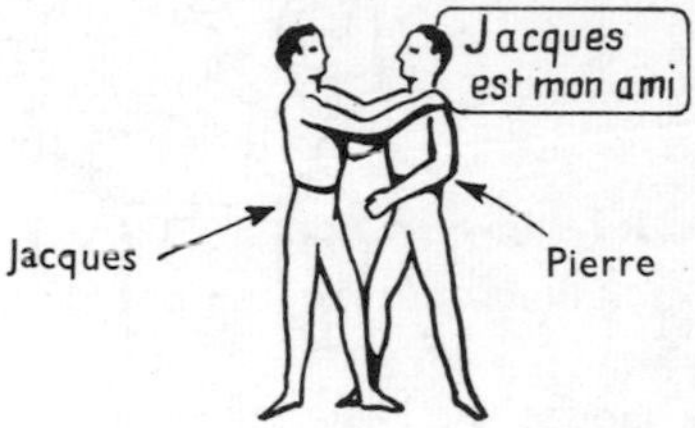

Pierre est l'ami de Jacques *(il aime être avec lui)*

ces soldats sont ennemis *(ils veulent se tuer)*

alors *(adv.)*

dans un quart d'heure, il sera midi, alors l'ouvrier s'en ira *(à ce moment là, l'ouvrier s'en ira)*

alphabet — un — *(n.)*

a, b, c, d, e, f, g, h, i, j, k, l, m, n, o,

p, q, r, s, t, u, v, w, x, y, z.

A. B. C. D. E. F. G. H. I. J. K. L. M. N.

O. P. Q. R. S. T. U. V. W. X. Y. Z.

amour
un — *(n.)*

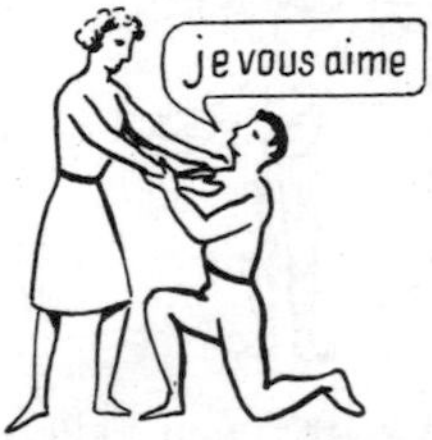

le jeune homme a de l'amour pour la jeune fille
(il aime la jeune fille)

amener *(v.)*

la mère amène l'enfant à l'école

aujourd'hui, j'amène, tu amènes, il amène, nous amenons, vous amenez, ils amènent.

hier, j'ai amené demain, j'amènerai

amuser *(v.)*
amusant *(adj.)*

le cinéma amuse les gens *(il fait rire les gens)*

le cinéma est amusant

aujourd'hui, j'amuse
hier, j'ai amusé
demain, j'amuserai

an — un — *(n.)* ou une **année**

dans une année il y a douze mois :

janvier, février, mars, avril, mai, juin, juillet, août, septembre, octobre, novembre, décembre.

c'est la fête du Nouvel An

ancien *(adj.)* **ancienne** *(f.)*

l'ancien pont *(le vieux pont)*

on a démoli l'ancien pont, voici le nouveau pont

âne — un — *(n.)* **une ânesse**

août (le mois d'août) *(n.)* voir **« année »**

apercevoir *(v.)*

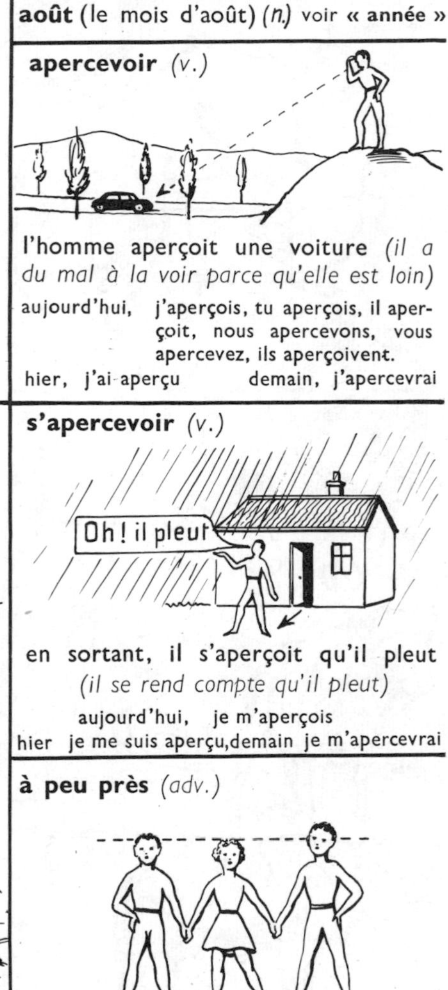

l'homme aperçoit une voiture *(il a du mal à la voir parce qu'elle est loin)*

aujourd'hui, j'aperçois, tu aperçois, il aperçoit, nous apercevons, vous apercevez, ils aperçoivent.
hier, j'ai aperçu demain, j'apercevrai

s'apercevoir *(v.)*

en sortant, il s'aperçoit qu'il pleut *(il se rend compte qu'il pleut)*

aujourd'hui, je m'aperçois
hier je me suis aperçu, demain je m'apercevrai

à peu près *(adv.)*

ils sont à peu près aussi grands *(ils sont presque aussi grands)*

animal — un — *(n.)* **des animaux**
(voir aussi à « **oiseau** » et à « **insecte** »)

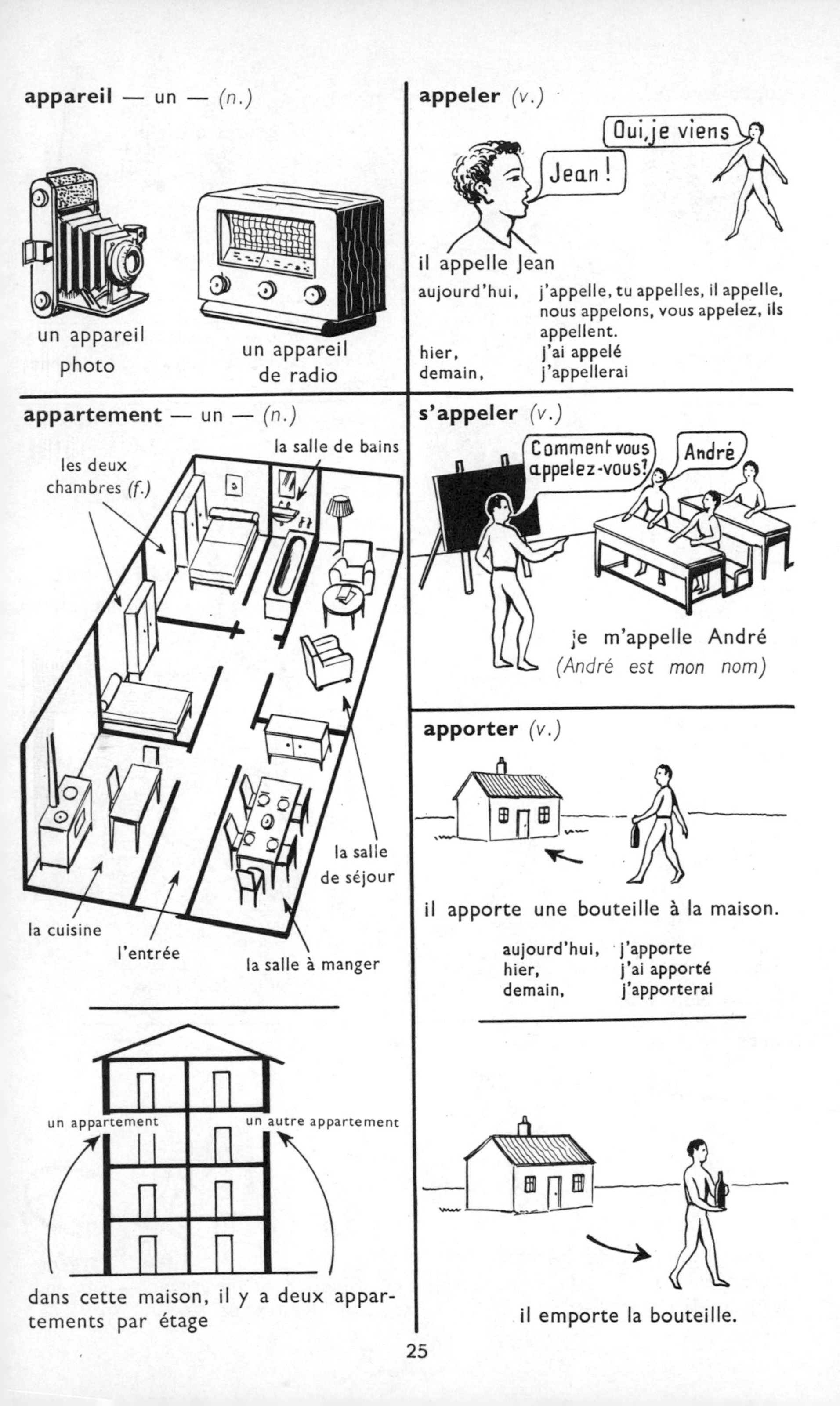

appareil — un — *(n.)*

appeler *(v.)*

il appelle Jean

aujourd'hui, j'appelle, tu appelles, il appelle, nous appelons, vous appelez, ils appellent.
hier, j'ai appelé
demain, j'appellerai

appartement — un — *(n.)*

s'appeler *(v.)*

je m'appelle André
(André est mon nom)

apporter *(v.)*

il apporte une bouteille à la maison.

aujourd'hui, j'apporte
hier, j'ai apporté
demain, j'apporterai

dans cette maison, il y a deux appartements par étage

il emporte la bouteille.

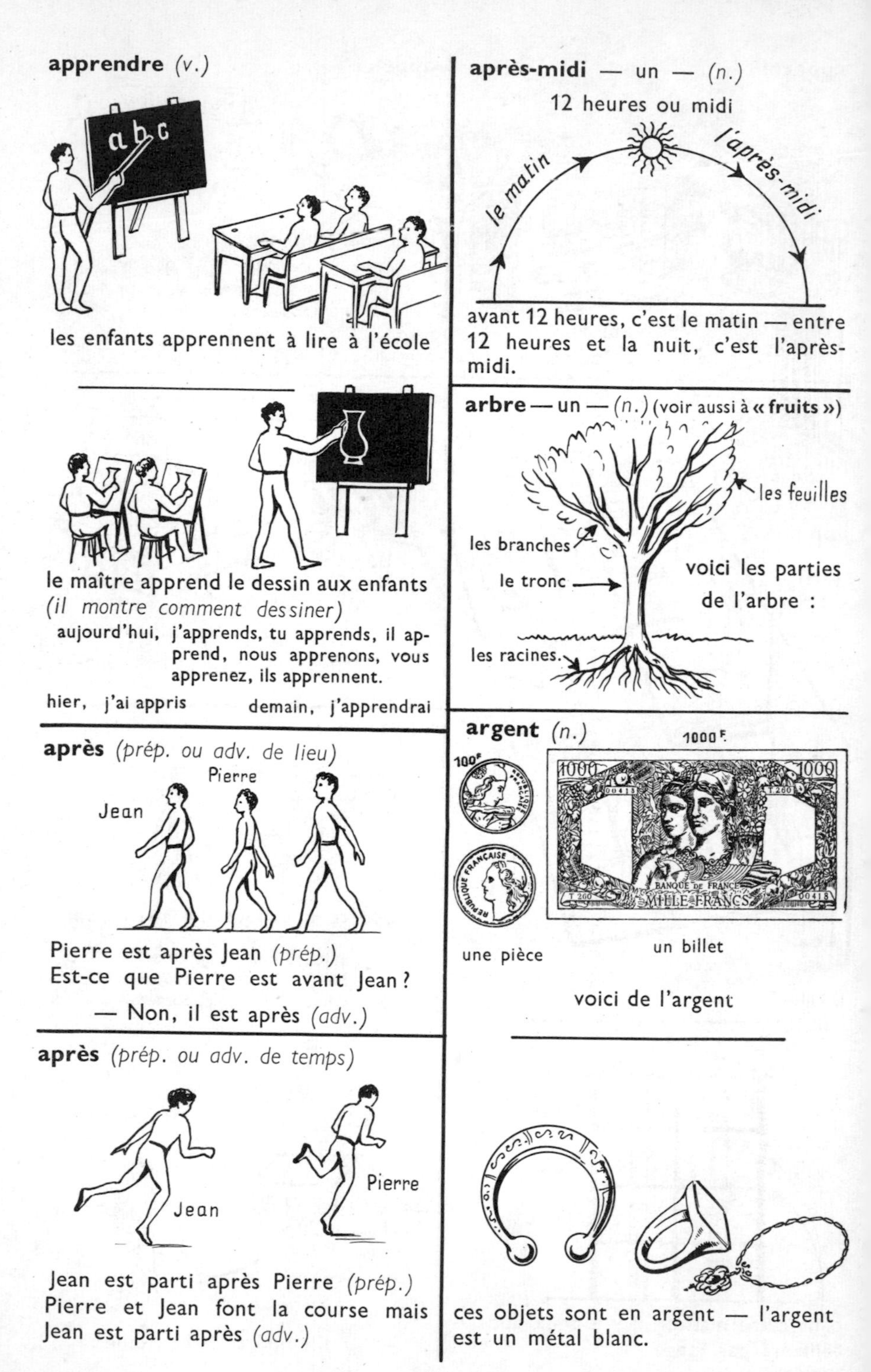

apprendre *(v.)*

les enfants apprennent à lire à l'école

le maître apprend le dessin aux enfants *(il montre comment dessiner)*

aujourd'hui, j'apprends, tu apprends, il apprend, nous apprenons, vous apprenez, ils apprennent.

hier, j'ai appris demain, j'apprendrai

après *(prép. ou adv. de lieu)*

Pierre est après Jean *(prép.)*
Est-ce que Pierre est avant Jean ?
— Non, il est après *(adv.)*

après *(prép. ou adv. de temps)*

Jean est parti après Pierre *(prép.)*
Pierre et Jean font la course mais Jean est parti après *(adv.)*

après-midi — un — *(n.)*

avant 12 heures, c'est le matin — entre 12 heures et la nuit, c'est l'après-midi.

arbre — un — *(n.)* (voir aussi à **« fruits »**)

voici les parties de l'arbre :

argent *(n.)*

une pièce un billet

voici de l'argent

ces objets sont en argent — l'argent est un métal blanc.

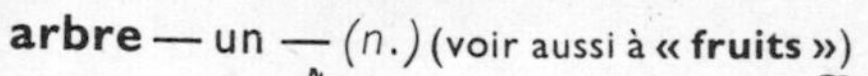
arbre — un — *(n.)* (voir aussi à « **fruits** »)

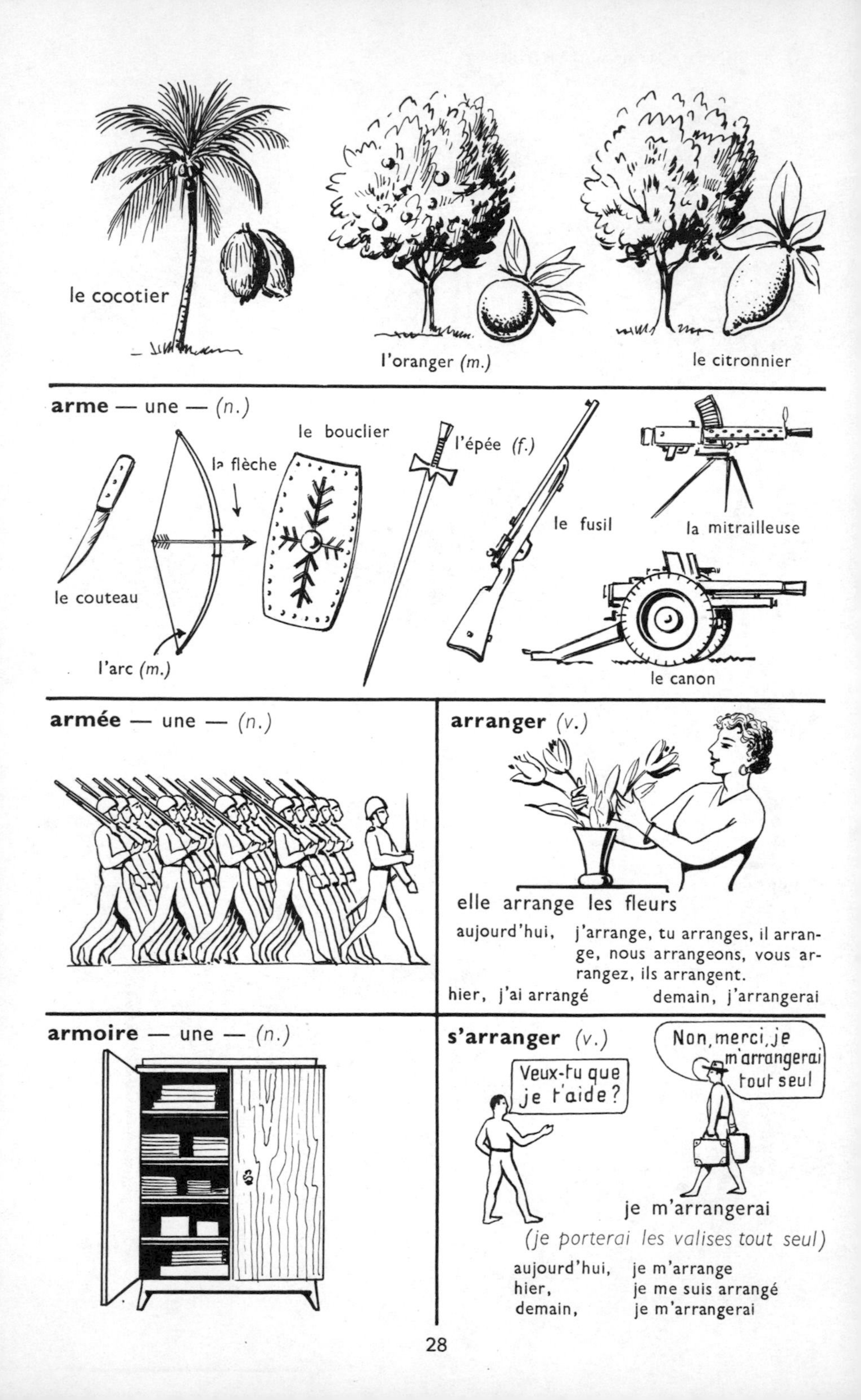
le cocotier
l'oranger (m.)
le citronnier
arme — une — (n.)
le bouclier
la flèche
l'épée (f.)
le fusil
la mitrailleuse
le couteau
l'arc (m.)
le canon
armée — une — (n.)
arranger (v.)
elle arrange les fleurs
aujourd'hui, j'arrange, tu arranges, il arrange, nous arrangeons, vous arrangez, ils arrangent.
hier, j'ai arrangé
demain, j'arrangerai
armoire — une — (n.)
s'arranger (v.)
Veux-tu que je t'aide?
Non, merci, je m'arrangerai tout seul
je m'arrangerai
(je porterai les valises tout seul)
aujourd'hui, je m'arrange
hier, je me suis arrangé
demain, je m'arrangerai

arrêter *(v.)*

l'agent arrête les voitures

l'agent arrête le voleur

aujourd'hui, j'arrête
hier, ——— j'ai arrêté
demain, ——— j'arrêterai

s'arrêter *(v.)*

le cheval avance

le cheval s'arrête *(il n'avance plus)*

il est midi, les ouvriers s'arrêtent de travailler *(ils ne travaillent plus)*

aujourd'hui, je m'arrête
hier, ——— je me suis arrêté
demain, ——— je m'arrêterai

arrière — un — *(n.)*

l'arrière du bateau

l'avant du bateau

il est assis à l'arrière

elle est assise à l'avant

arrière *(prép. ou adv. de lieu)*

la voiture sort en marche arrière

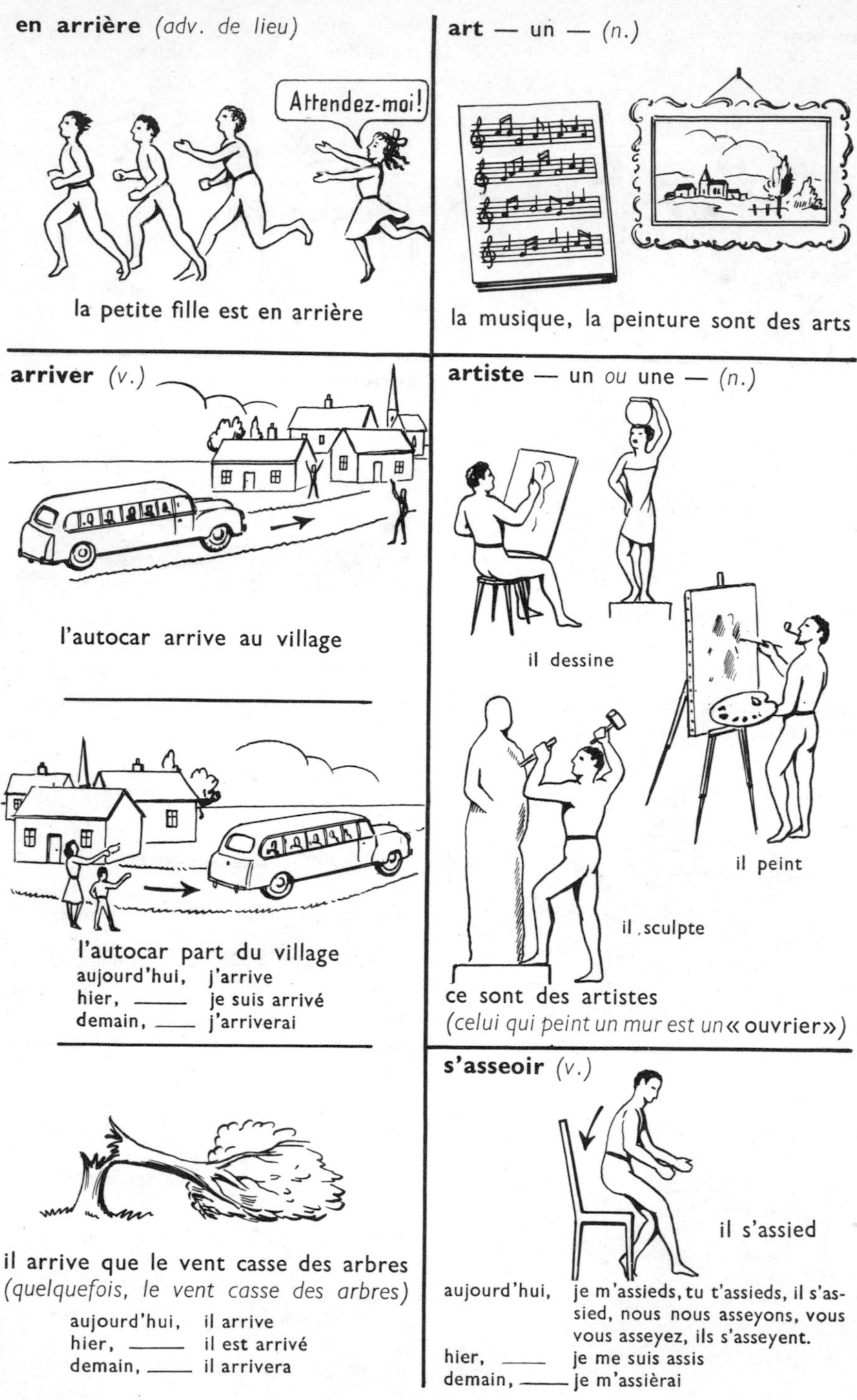

en arrière *(adv. de lieu)*

la petite fille est en arrière

arriver *(v.)*

l'autocar arrive au village

l'autocar part du village

aujourd'hui, j'arrive
hier, —— je suis arrivé
demain, —— j'arriverai

il arrive que le vent casse des arbres
(quelquefois, le vent casse des arbres)

aujourd'hui, il arrive
hier, —— il est arrivé
demain, —— il arrivera

art — un — *(n.)*

la musique, la peinture sont des arts

artiste — un *ou* une — *(n.)*

il dessine

il peint

il sculpte

ce sont des artistes
(celui qui peint un mur est un « ouvrier »*)*

s'asseoir *(v.)*

il s'assied

aujourd'hui, je m'assieds, tu t'assieds, il s'assied, nous nous asseyons, vous vous asseyez, ils s'asseyent.
hier, —— je me suis assis
demain, —— je m'assièrai

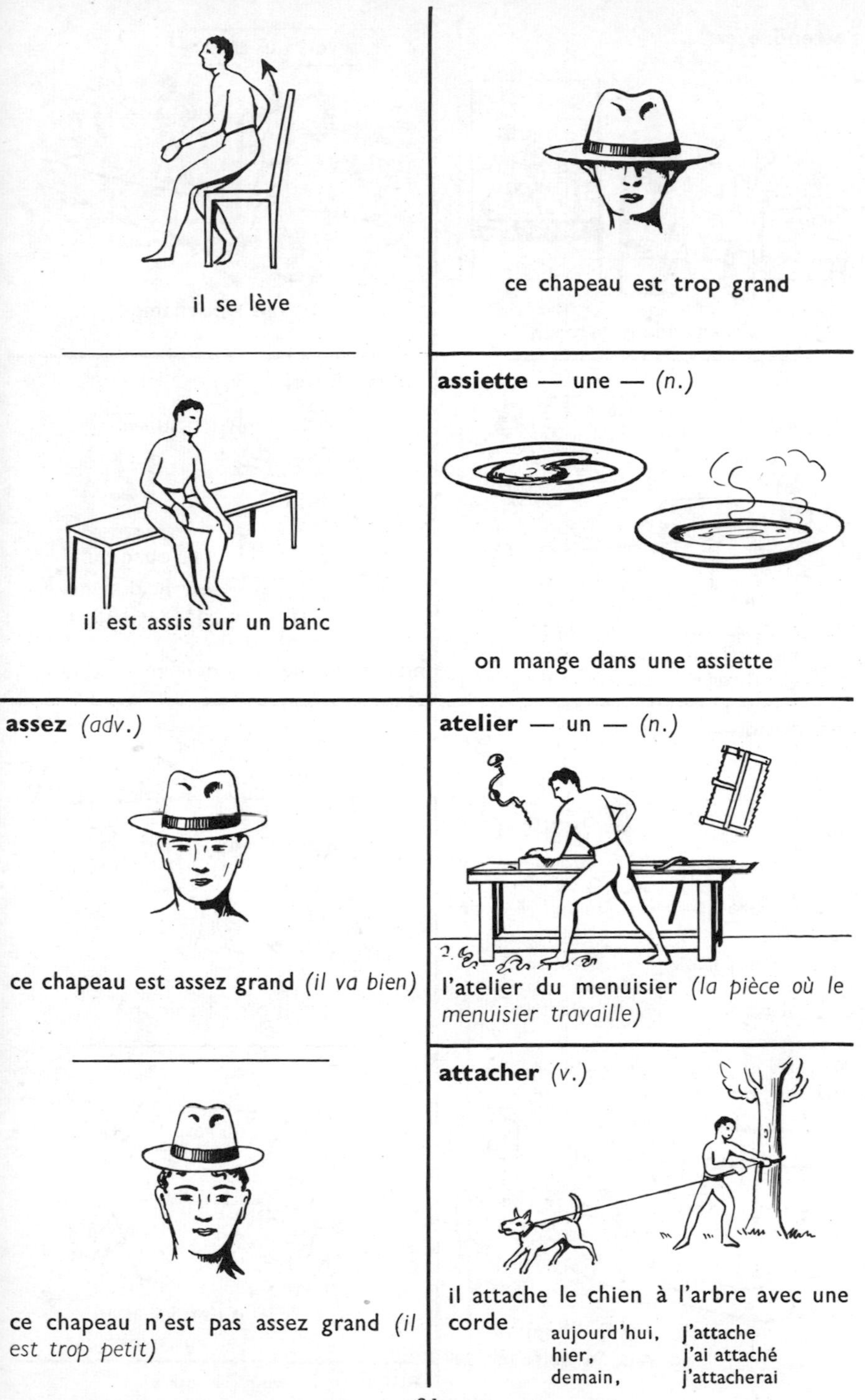

il se lève

ce chapeau est trop grand

il est assis sur un banc

assiette — une — *(n.)*

on mange dans une assiette

assez *(adv.)*

ce chapeau est assez grand *(il va bien)*

ce chapeau n'est pas assez grand *(il est trop petit)*

atelier — un — *(n.)*

l'atelier du menuisier *(la pièce où le menuisier travaille)*

attacher *(v.)*

il attache le chien à l'arbre avec une corde

aujourd'hui,	j'attache
hier,	j'ai attaché
demain,	j'attacherai

attendre *(v.)*

ils attendent le train

elle attend une lettre
(elle espère recevoir une lettre)

aujourd'hui, j'attends
hier, j'ai attendu
demain, j'attendrai

attention — l' — *(n.f.)*

il doit faire attention *(il doit regarder où il va)*

aujourd'hui, je fais attention
hier, j'ai fait attention
demain, je ferai attention

au *(art. m. sing.)* (voir règle n° 4, p. 7)
aux *(art. m. et f. pl.)*.
à + les = aux

je vais à l'hôpital
je vais au marché

je vais aux champs

aujourd'hui *(adv.)*

aujourd'hui,
c'est le dimanche
12 décembre

hier, c'était le 11 — demain, ce sera le 13.

au-revoir *(adv.)*

il arrive, il dit : bonjour

il s'en va, il dit :
au-revoir

aurai *(v.)* voir « **avoir** »

aussi *(adv.)*

qui veut un fruit?
moi moi aussi

qui veut du médicament?
je n'en veux pas, moi non plus

Jean est aussi grand que Françoise

Pierre est moins grand que Françoise

Jacques est plus grand que Françoise

autant *(adv.)*

il a autant d'argent que sa sœur

il a plus d'argent que sa sœur

il a moins d'argent que sa sœur

fais-en autant (fais comme moi)

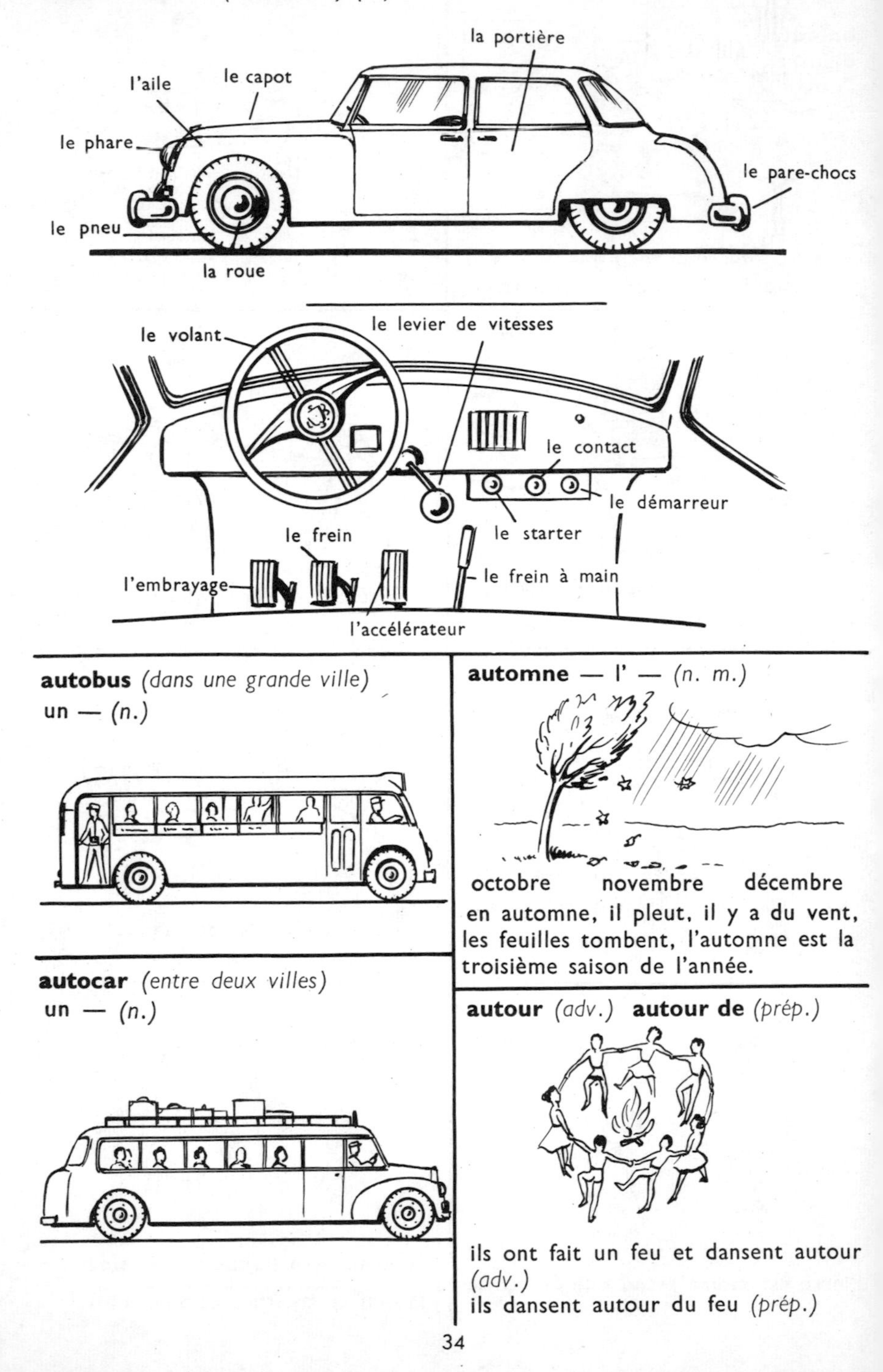
auto — une — (automobile) (n.)
la portière
l'aile
le capot
le phare
le pare-chocs
le pneu
la roue
le volant
le levier de vitesses
le contact
le démarreur
le starter
le frein
l'embrayage
le frein à main
l'accélérateur
autobus (dans une grande ville)
un — (n.)
automne — l' — (n. m.)
octobre novembre décembre
en automne, il pleut, il y a du vent, les feuilles tombent, l'automne est la troisième saison de l'année.
autocar (entre deux villes)
un — (n.)
autour (adv.) autour de (prép.)
ils ont fait un feu et dansent autour (adv.)
ils dansent autour du feu (prép.)

autre *(adj. indéf. m. ou f. sing.)* **autres** *(m. ou, f. pl.)*
un autre *(pr. indéf.)* — **une autre** — **d'autres** *(m. ou f. pl.)*
l'autre *(pr. indéf. m. ou f. sing.)*
les autres *(m. ou f. pl.)*

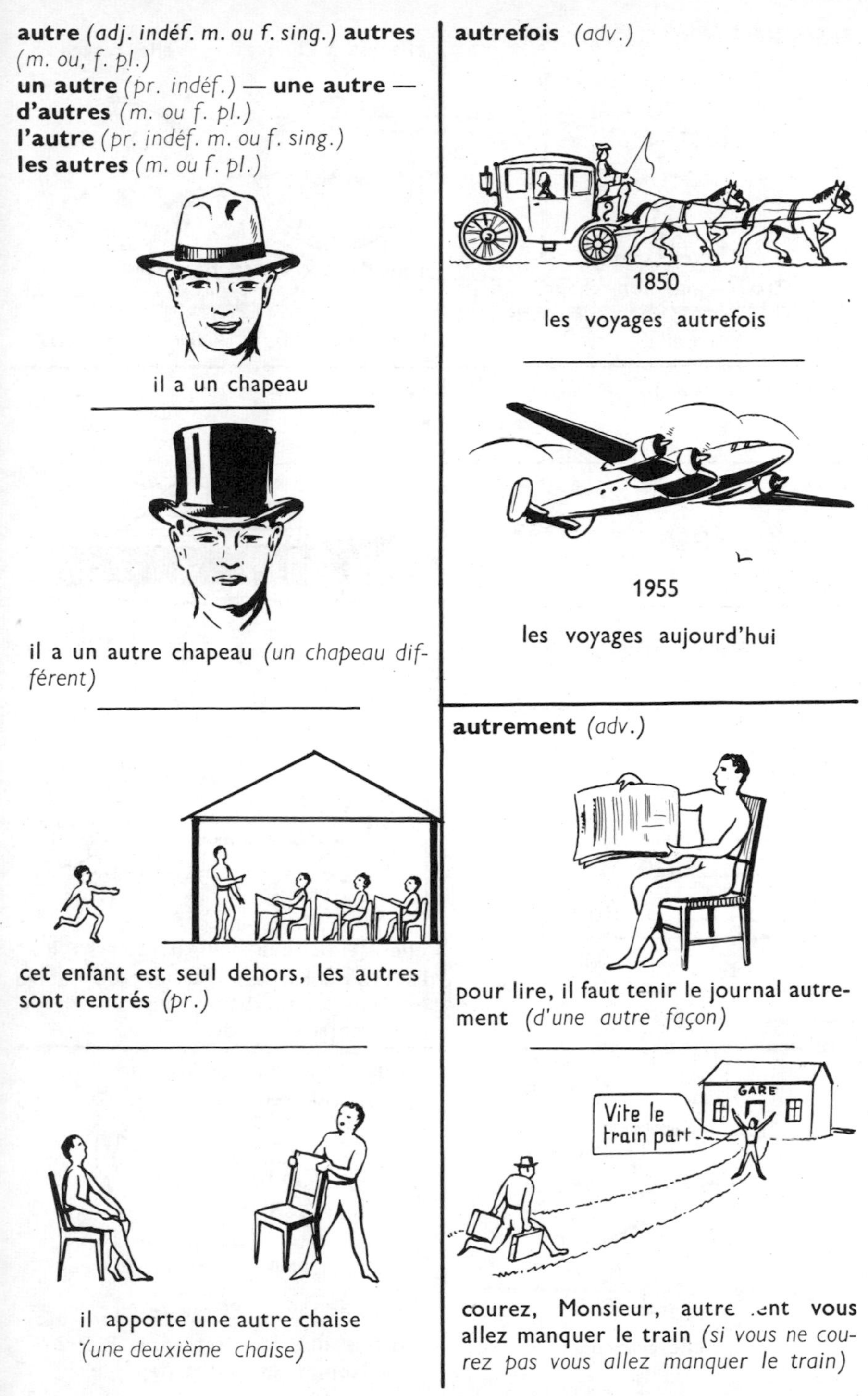

il a un chapeau

il a un autre chapeau *(un chapeau différent)*

cet enfant est seul dehors, les autres sont rentrés *(pr.)*

il apporte une autre chaise *(une deuxième chaise)*

autrefois *(adv.)*

1850

les voyages autrefois

1955

les voyages aujourd'hui

autrement *(adv.)*

pour lire, il faut tenir le journal autrement *(d'une autre façon)*

courez, Monsieur, autrement vous allez manquer le train *(si vous ne courez pas vous allez manquer le train)*

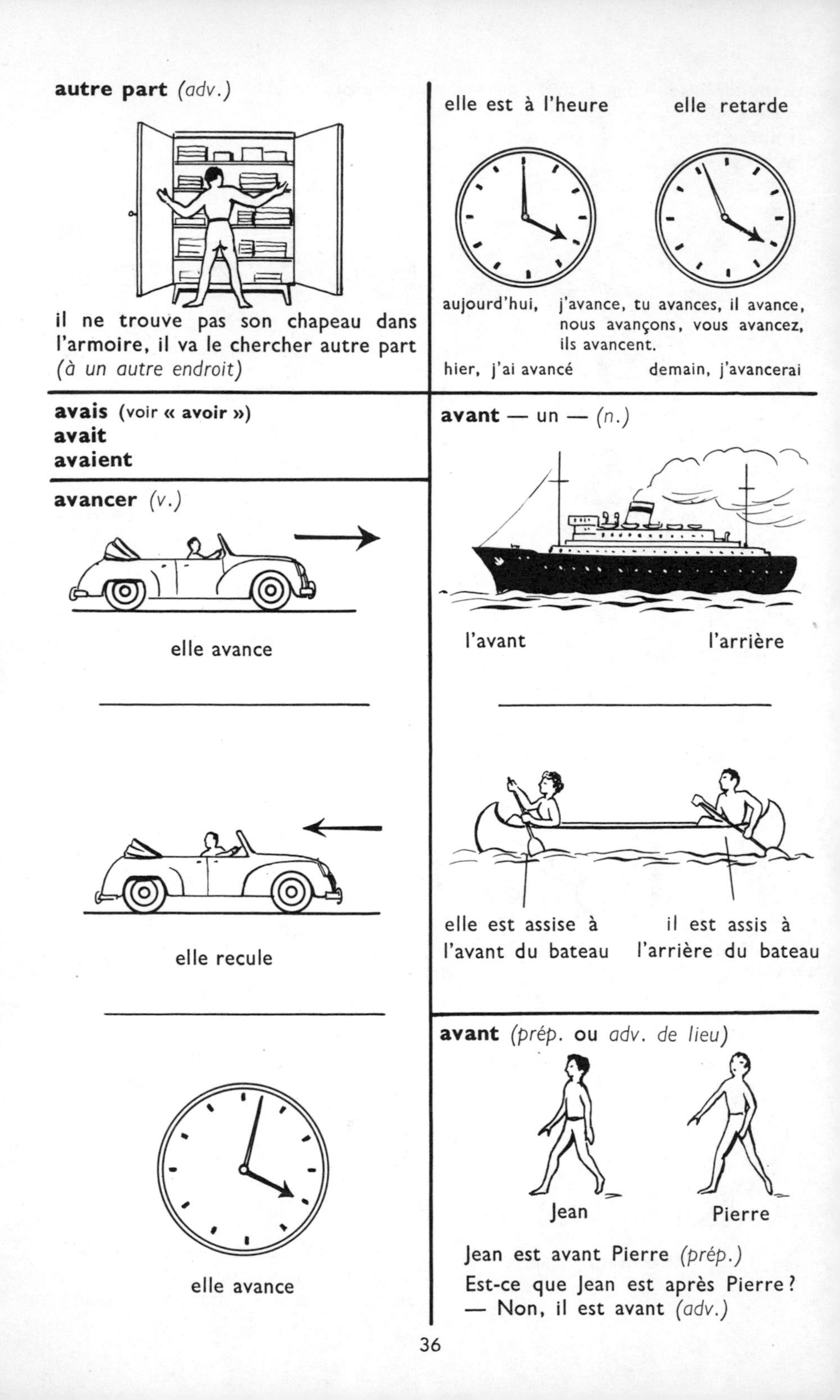

autre part *(adv.)*

il ne trouve pas son chapeau dans l'armoire, il va le chercher autre part *(à un autre endroit)*

avais (voir « **avoir** »)
avait
avaient

avancer *(v.)*

elle avance

elle recule

elle avance

elle est à l'heure

elle retarde

aujourd'hui, j'avance, tu avances, il avance, nous avançons, vous avancez, ils avancent.

hier, j'ai avancé

demain, j'avancerai

avant — un — *(n.)*

l'avant

l'arrière

elle est assise à l'avant du bateau

il est assis à l'arrière du bateau

avant *(prép.* ou *adv. de lieu)*

Jean

Pierre

Jean est avant Pierre *(prép.)*
Est-ce que Jean est après Pierre ?
— Non, il est avant *(adv.)*

avant *(prép. ou adv. de temps)*

Pierre est parti avant Jean *(prép.)*
Pierre et Jean font la course mais Pierre est parti avant *(adv.)*

Jean est parti sans son ami

en avant *(adv. de lieu)*

il court en avant

elle s'ouvre avec une clé

avant que *(adv.)*

il court pour être arrivé avant qu'il pleuve

aveugle — un — une — *(n.)*

aviez (voir « **avoir** »)

avec *(prép.)*

Jean part avec son ami

avion — un — *(n.)*

avions (voir « **avoir** »)

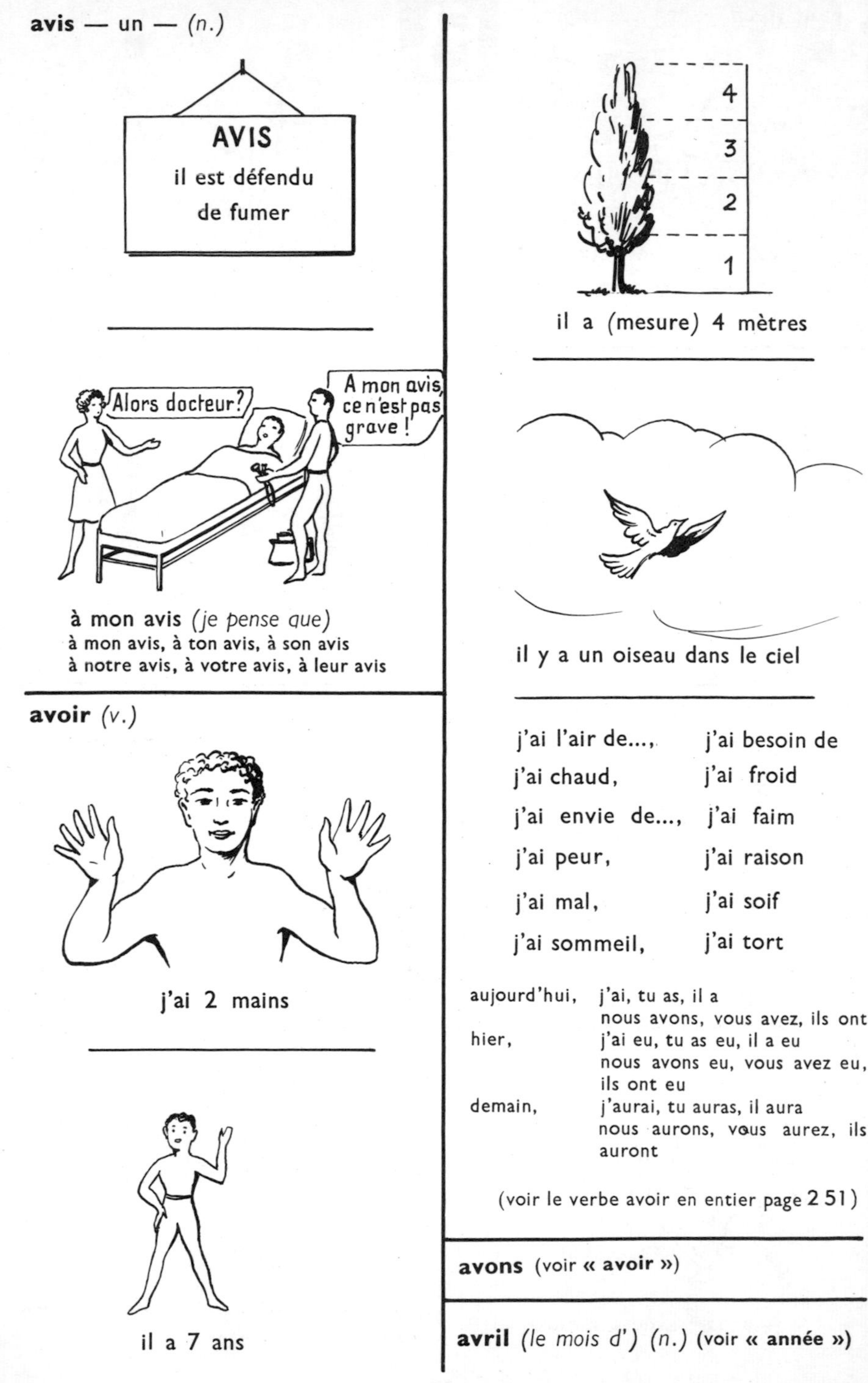

avis — un — *(n.)*

à mon avis *(je pense que)*
à mon avis, à ton avis, à son avis
à notre avis, à votre avis, à leur avis

avoir *(v.)*

j'ai 2 mains

il a 7 ans

il a (mesure) 4 mètres

il y a un oiseau dans le ciel

j'ai l'air de...,	j'ai besoin de
j'ai chaud,	j'ai froid
j'ai envie de...,	j'ai faim
j'ai peur,	j'ai raison
j'ai mal,	j'ai soif
j'ai sommeil,	j'ai tort

aujourd'hui,	j'ai, tu as, il a nous avons, vous avez, ils ont
hier,	j'ai eu, tu as eu, il a eu nous avons eu, vous avez eu, ils ont eu
demain,	j'aurai, tu auras, il aura nous aurons, vous aurez, ils auront

(voir le verbe avoir en entier page 251)

avons (voir « **avoir** »)

avril *(le mois d') (n.)* (voir « **année** »)

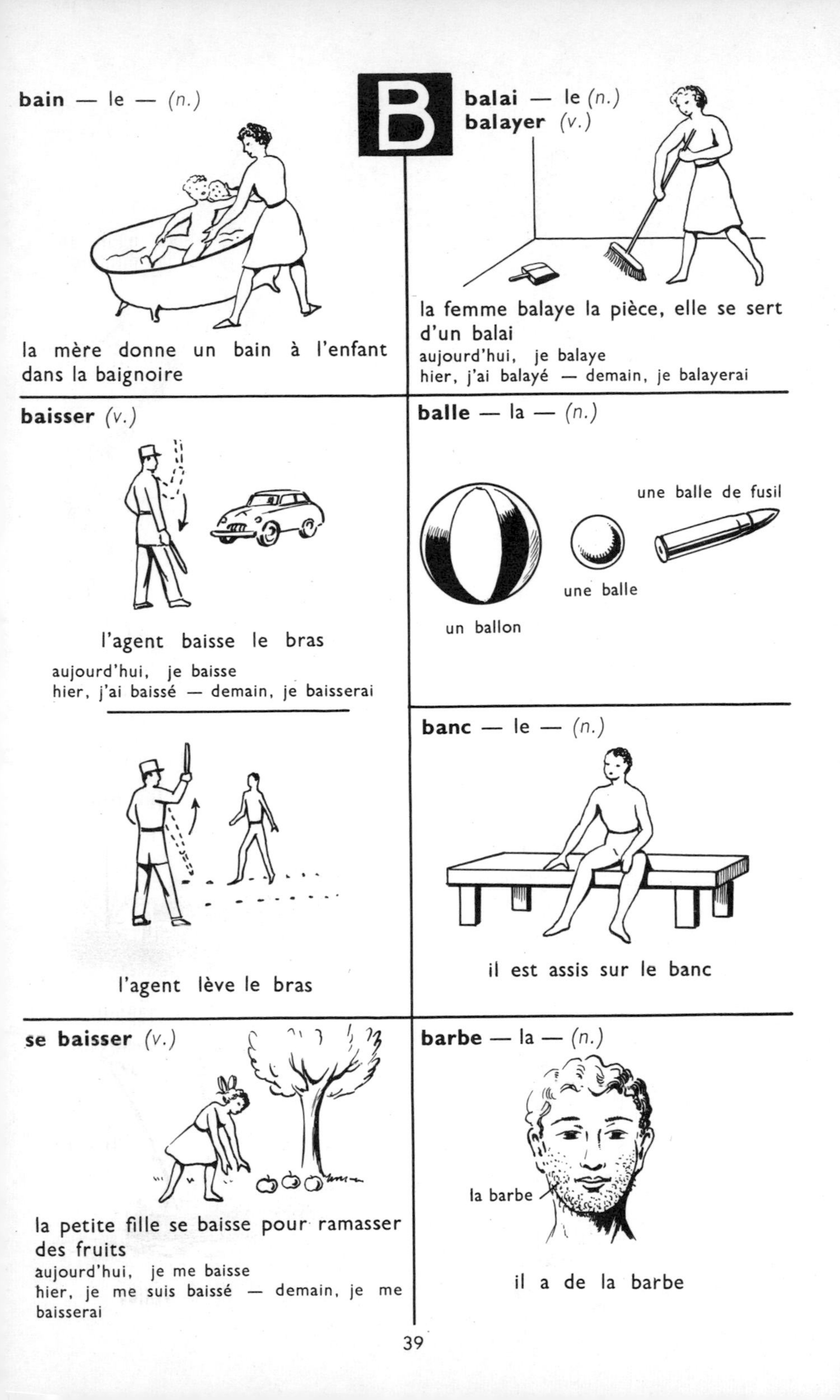

B

bain — le — *(n.)*

la mère donne un bain à l'enfant dans la baignoire

balai — le *(n.)*
balayer *(v.)*

la femme balaye la pièce, elle se sert d'un balai
aujourd'hui, je balaye
hier, j'ai balayé — demain, je balayerai

baisser *(v.)*

l'agent baisse le bras
aujourd'hui, je baisse
hier, j'ai baissé — demain, je baisserai

l'agent lève le bras

balle — la — *(n.)*

banc — le — *(n.)*

il est assis sur le banc

se baisser *(v.)*

la petite fille se baisse pour ramasser des fruits
aujourd'hui, je me baisse
hier, je me suis baissé — demain, je me baisserai

barbe — la — *(n.)*

il a de la barbe

il a une belle barbe
bas — le — (n.)
le haut de la montagne
le bas de la montagne
bas — le — (n.)
des bas
en bas (adv.)
en haut (adv.)
le petit garçon est en bas
la petite fille est en haut
bas (adj.) basse (f.)
cette maison est basse
cette maison est haute
bateau — le — (n.), les bateaux
un bateau à vapeur
le mât
la voile
un bateau à voiles

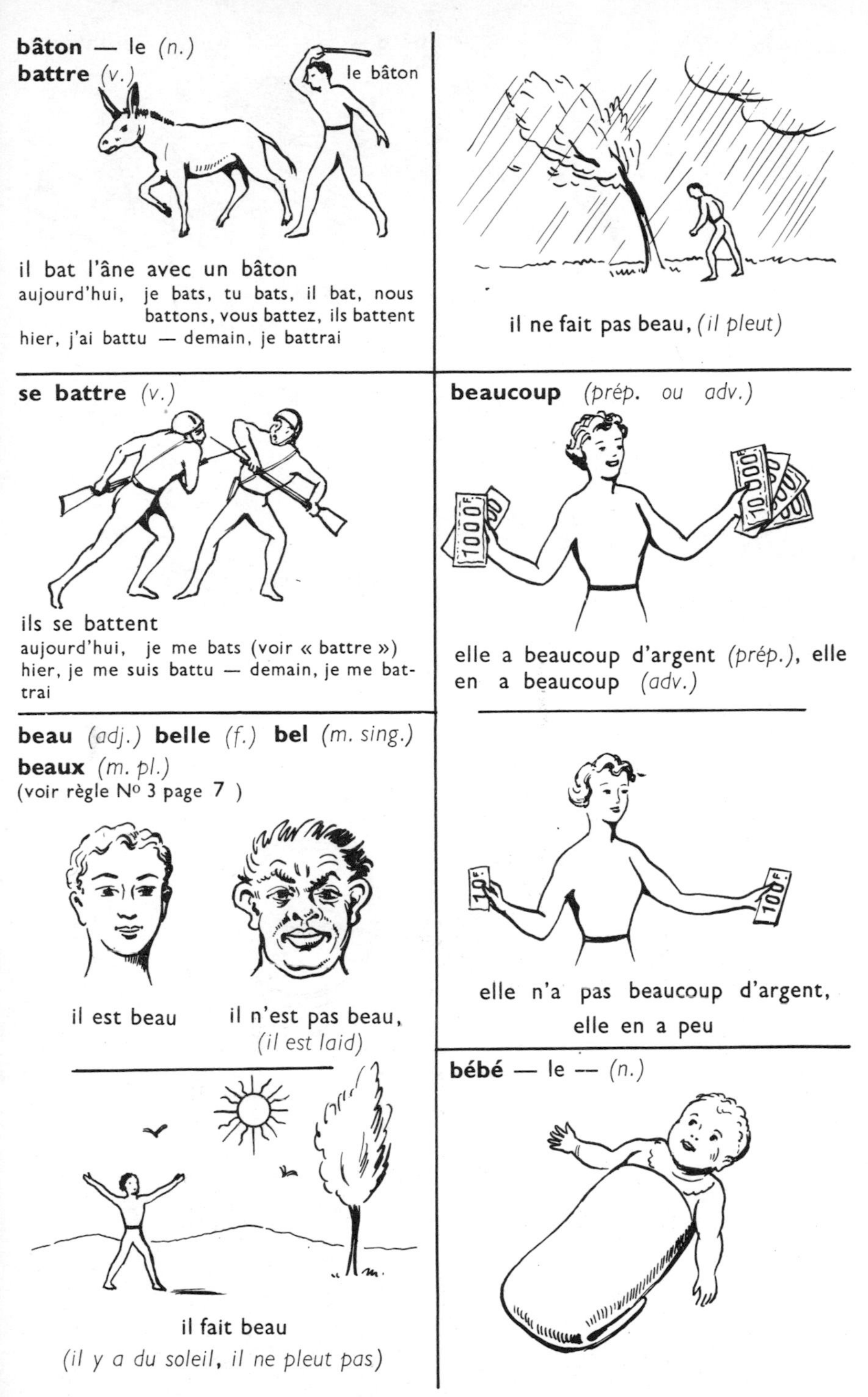

bâton — le *(n.)*
battre *(v.)*

il bat l'âne avec un bâton
aujourd'hui, je bats, tu bats, il bat, nous battons, vous battez, ils battent
hier, j'ai battu — demain, je battrai

il ne fait pas beau, *(il pleut)*

se battre *(v.)*

ils se battent
aujourd'hui, je me bats (voir « battre »)
hier, je me suis battu — demain, je me battrai

beaucoup *(prép. ou adv.)*

elle a beaucoup d'argent *(prép.)*, elle en a beaucoup *(adv.)*

beau *(adj.)* **belle** *(f.)* **bel** *(m. sing.)*
beaux *(m. pl.)*
(voir règle N° 3 page 7)

il est beau

il n'est pas beau, *(il est laid)*

elle n'a pas beaucoup d'argent, elle en a peu

il fait beau
(il y a du soleil, il ne pleut pas)

bébé — le — *(n.)*

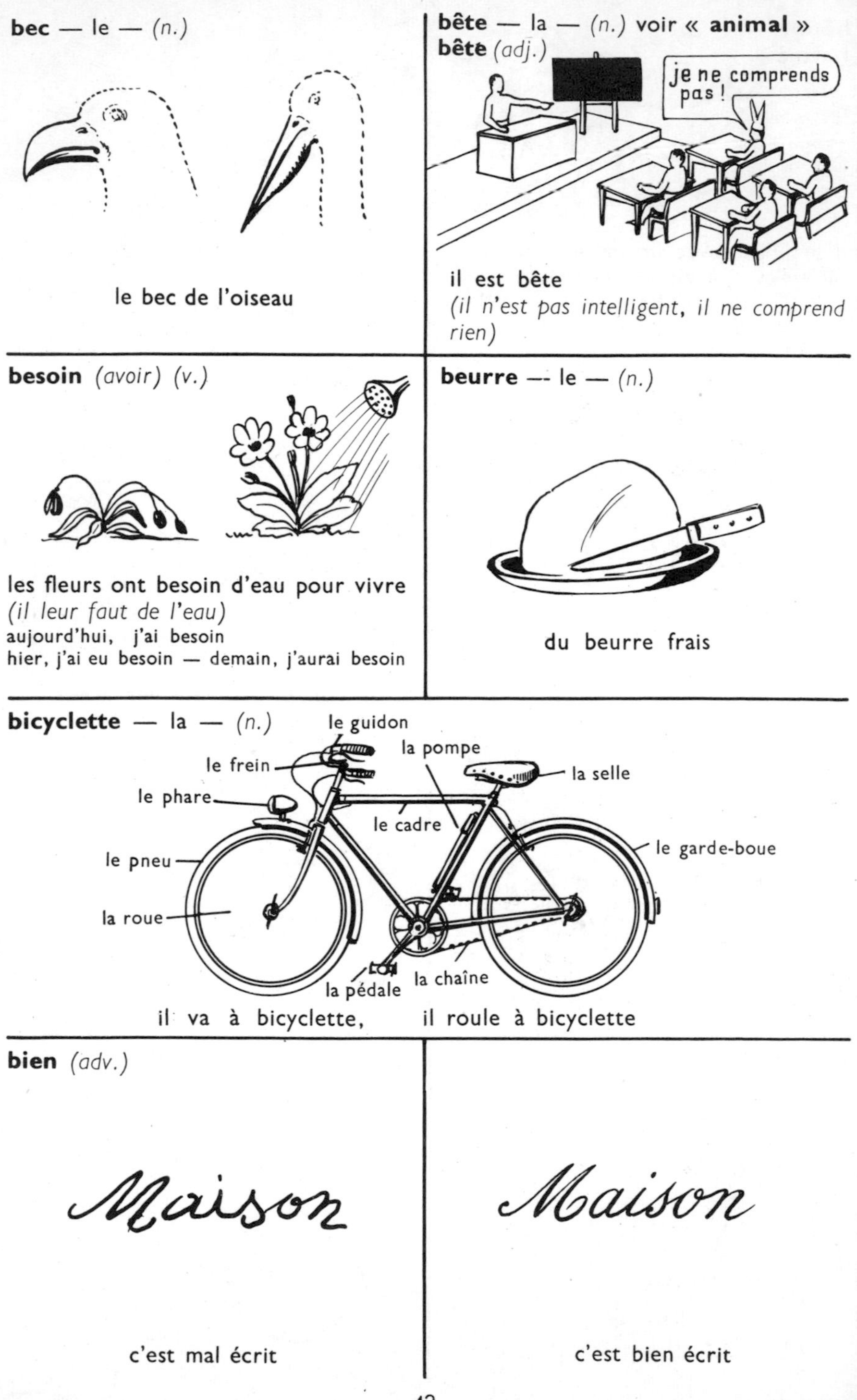

bec — le — *(n.)*

le bec de l'oiseau

bête — la — *(n.)* voir « **animal** »
bête *(adj.)*

il est bête
(il n'est pas intelligent, il ne comprend rien)

besoin *(avoir)* *(v.)*

les fleurs ont besoin d'eau pour vivre
(il leur faut de l'eau)
aujourd'hui, j'ai besoin
hier, j'ai eu besoin — demain, j'aurai besoin

beurre — le — *(n.)*

du beurre frais

bicyclette — la — *(n.)*

il va à bicyclette, il roule à bicyclette

bien *(adv.)*

c'est mal écrit

c'est bien écrit

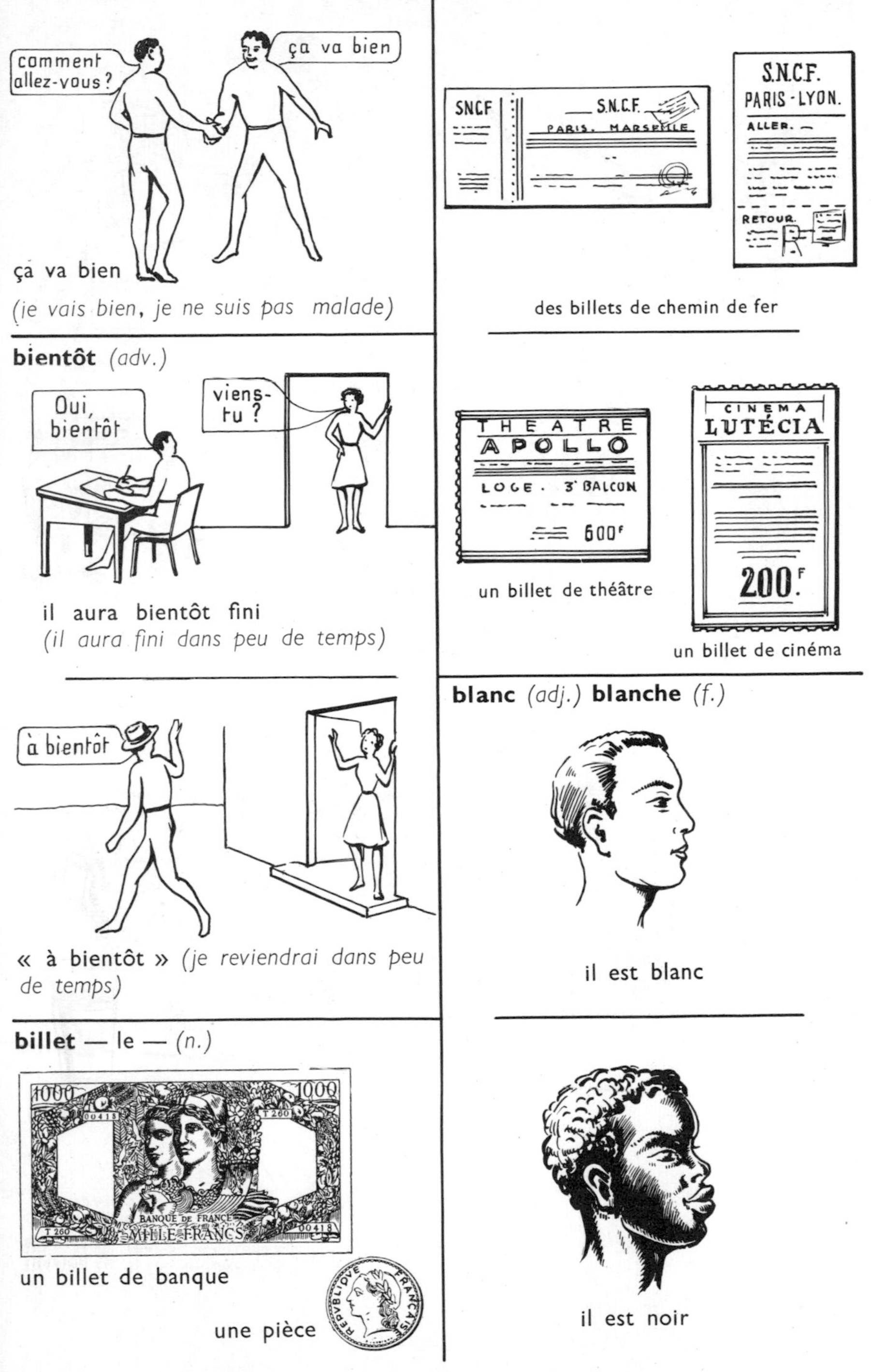

ça va bien
(je vais bien, je ne suis pas malade)

bientôt *(adv.)*

il aura bientôt fini
(il aura fini dans peu de temps)

« à bientôt » *(je reviendrai dans peu de temps)*

billet — le — *(n.)*

un billet de banque

une pièce

des billets de chemin de fer

un billet de théâtre

un billet de cinéma

blanc *(adj.)* **blanche** *(f.)*

il est blanc

il est noir

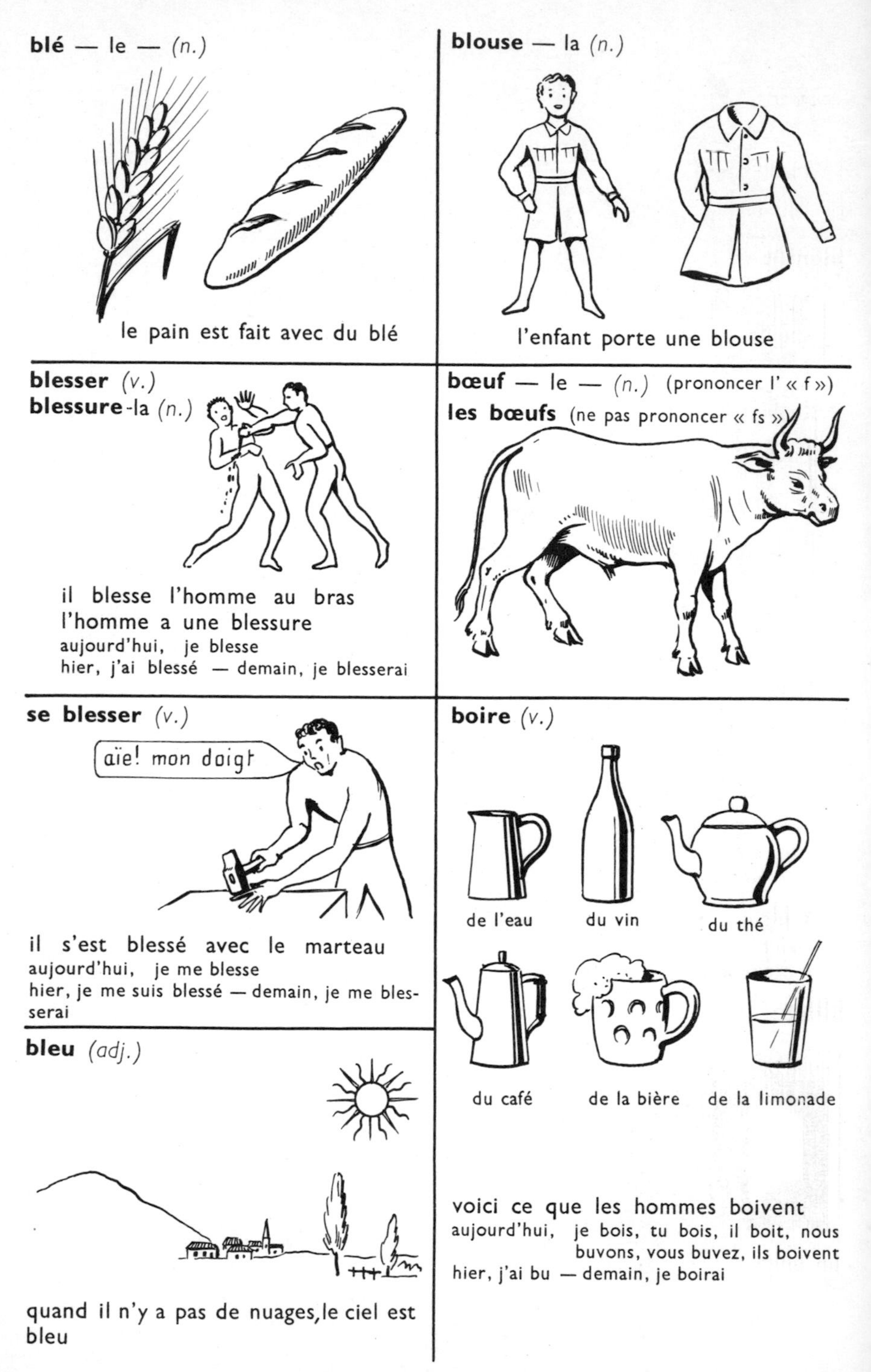

blé — le — *(n.)*

le pain est fait avec du blé

blesser *(v.)*
blessure -la *(n.)*

il blesse l'homme au bras
l'homme a une blessure
aujourd'hui, je blesse
hier, j'ai blessé — demain, je blesserai

se blesser *(v.)*

il s'est blessé avec le marteau
aujourd'hui, je me blesse
hier, je me suis blessé — demain, je me blesserai

bleu *(adj.)*

quand il n'y a pas de nuages, le ciel est bleu

blouse — la *(n.)*

l'enfant porte une blouse

bœuf — le — *(n.)* (prononcer l' « f »)
les bœufs (ne pas prononcer « fs »)

boire *(v.)*

de l'eau — du vin — du thé

du café — de la bière — de la limonade

voici ce que les hommes boivent
aujourd'hui, je bois, tu bois, il boit, nous buvons, vous buvez, ils boivent
hier, j'ai bu — demain, je boirai

bois — le — *(n.)*

un morceau de bois

un bois

boîte — la — *(n.)*

une boîte aux lettres

boiteux — *(adj. sing. ou pl.)* **boiteuse** *(f.)*

il est boiteux *(il a une jambe plus courte que l'autre)*

bon *(adj.)* **bonne** *(f.)*

c'est bon

ce n'est pas bon, c'est mauvais

bonjour — *(n.)*

il arrive, il dit « bonjour »

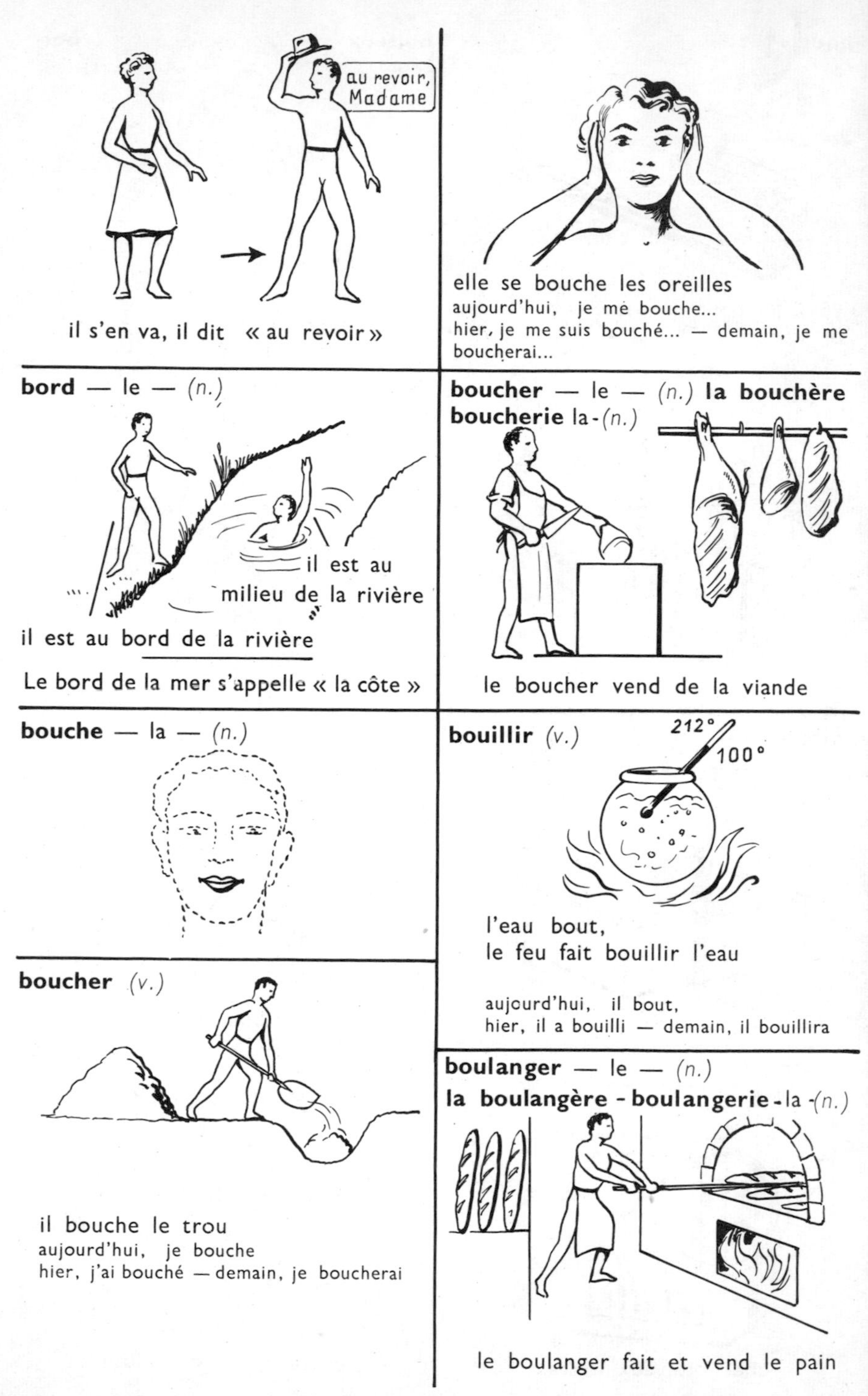

il s'en va, il dit « au revoir »

bord — le — *(n.)*

il est au milieu de la rivière

il est au bord de la rivière

Le bord de la mer s'appelle « la côte »

bouche — la — *(n.)*

boucher *(v.)*

il bouche le trou
aujourd'hui, je bouche
hier, j'ai bouché — demain, je boucherai

elle se bouche les oreilles
aujourd'hui, je me bouche...
hier, je me suis bouché... — demain, je me boucherai...

boucher — le — *(n.)* **la bouchère**
boucherie la - *(n.)*

le boucher vend de la viande

bouillir *(v.)*

l'eau bout,
le feu fait bouillir l'eau

aujourd'hui, il bout,
hier, il a bouilli — demain, il bouillira

boulanger — le — *(n.)*
la boulangère - boulangerie - la - *(n.)*

le boulanger fait et vend le pain

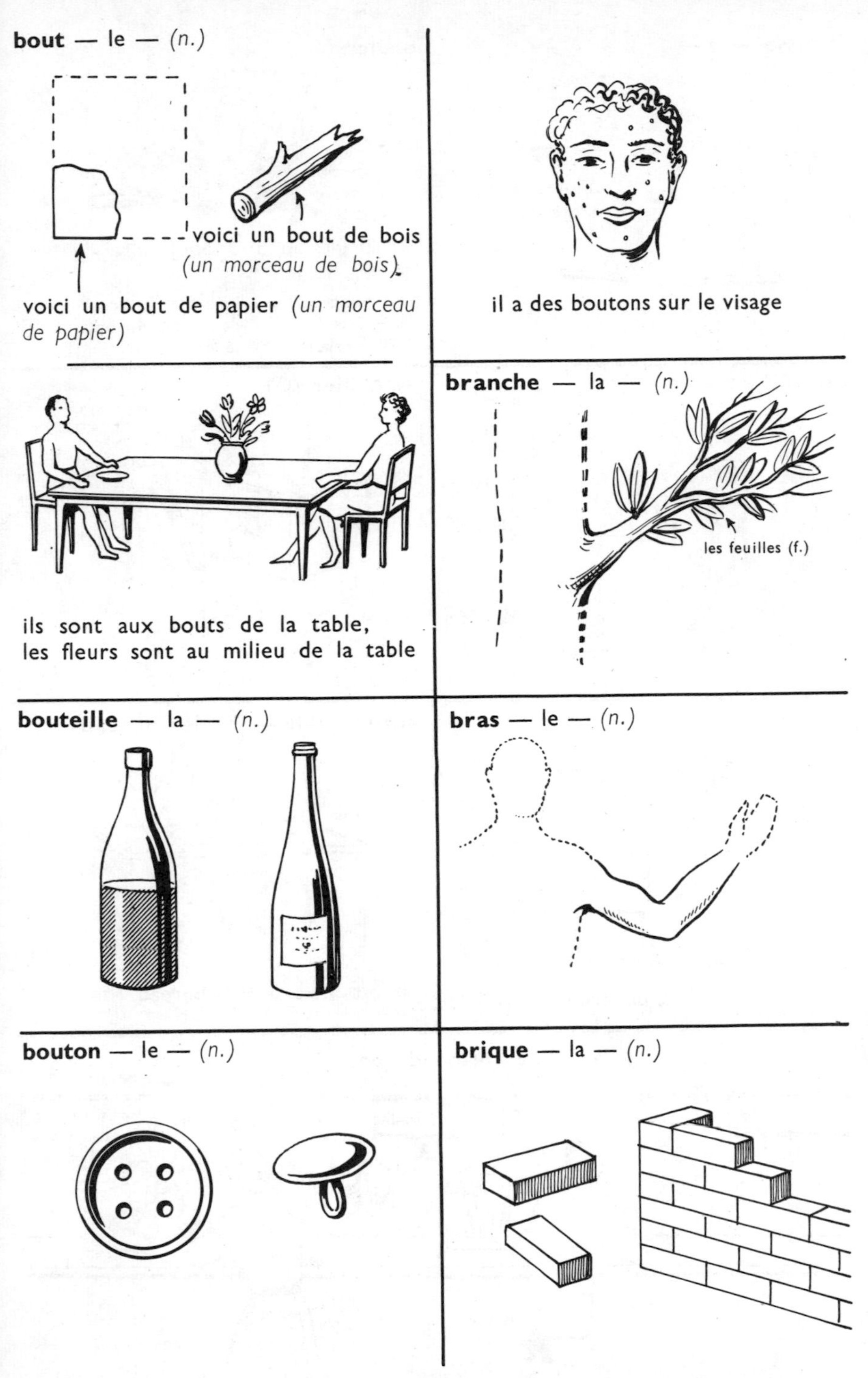
bout — le — *(n.)*
voici un bout de bois
(un morceau de bois)
voici un bout de papier *(un morceau de papier)*
il a des boutons sur le visage
ils sont aux bouts de la table,
les fleurs sont au milieu de la table
branche — la — *(n.)*
les feuilles (f.)
bouteille — la — *(n.)*
bras — le — *(n.)*
bouton — le — *(n.)*
brique — la — *(n.)*

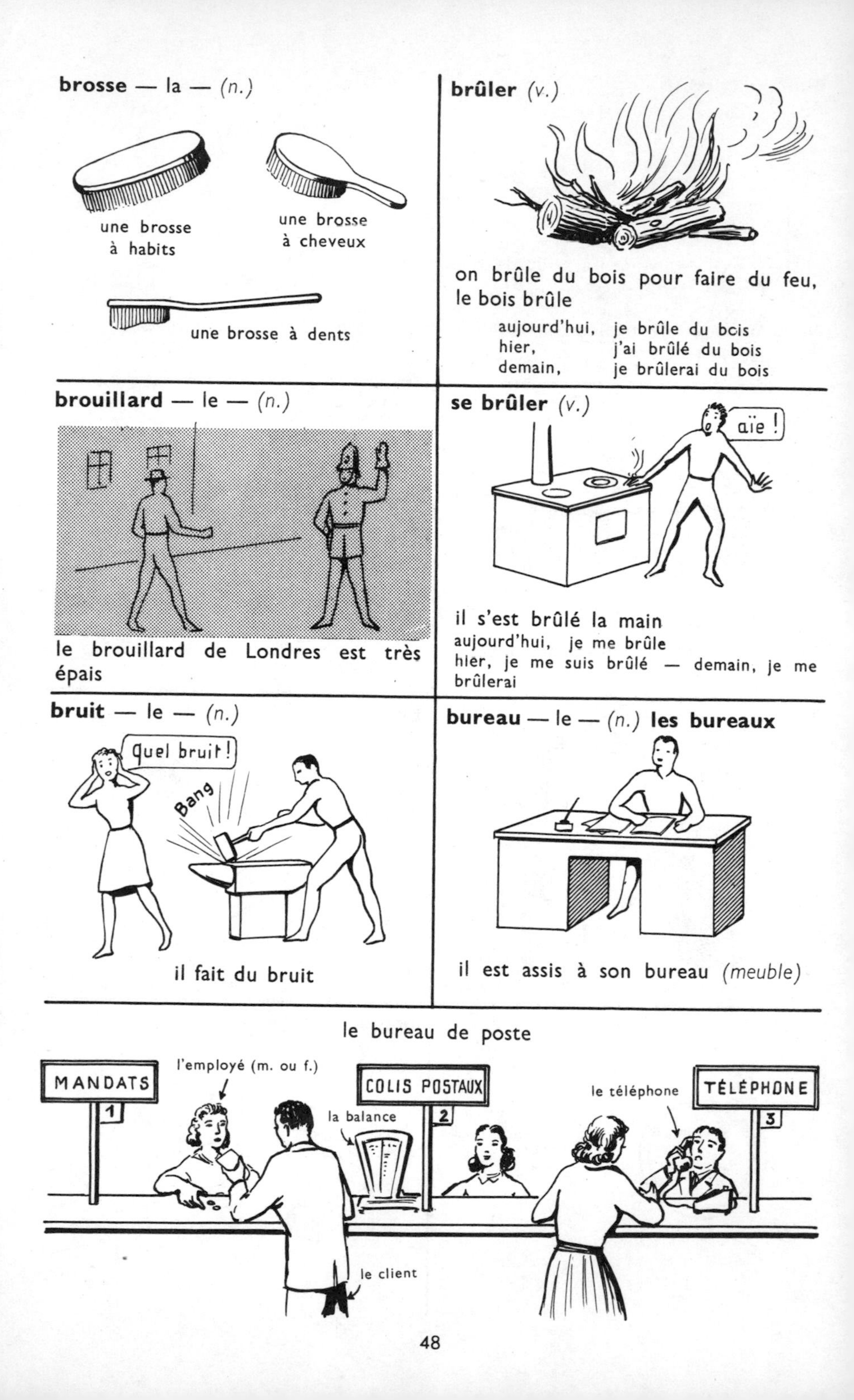

brosse — la — *(n.)*

une brosse à habits

une brosse à cheveux

une brosse à dents

brûler *(v.)*

on brûle du bois pour faire du feu, le bois brûle

aujourd'hui, je brûle du bois
hier, j'ai brûlé du bois
demain, je brûlerai du bois

brouillard — le — *(n.)*

le brouillard de Londres est très épais

se brûler *(v.)*

il s'est brûlé la main
aujourd'hui, je me brûle
hier, je me suis brûlé — demain, je me brûlerai

bruit — le — *(n.)*

il fait du bruit

bureau — le — *(n.)* **les bureaux**

il est assis à son bureau *(meuble)*

le bureau de poste

l'employé (m. ou f.)

la balance

le téléphone

le client

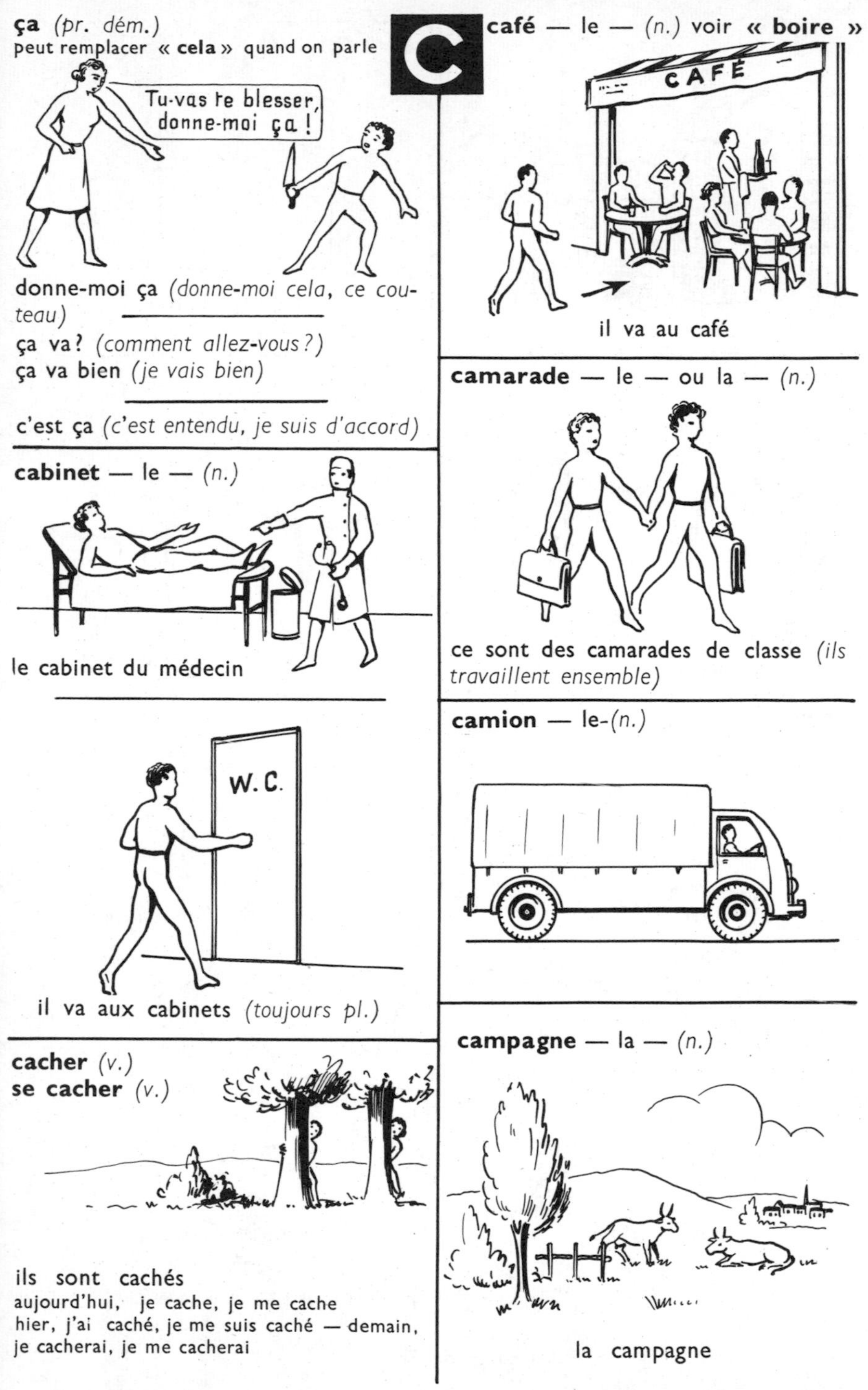

C

ça (*pr. dém.*)
peut remplacer « **cela** » quand on parle

donne-moi ça (*donne-moi cela, ce couteau*)

ça va? (*comment allez-vous?*)
ça va bien (*je vais bien*)

c'est ça (*c'est entendu, je suis d'accord*)

cabinet — le — (*n.*)

le cabinet du médecin

il va aux cabinets (*toujours pl.*)

cacher (*v.*)
se cacher (*v.*)

ils sont cachés
aujourd'hui, je cache, je me cache
hier, j'ai caché, je me suis caché — demain, je cacherai, je me cacherai

café — le — (*n.*) voir « **boire** »

il va au café

camarade — le — ou la — (*n.*)

ce sont des camarades de classe (*ils travaillent ensemble*)

camion — le-(*n.*)

campagne — la — (*n.*)

la campagne

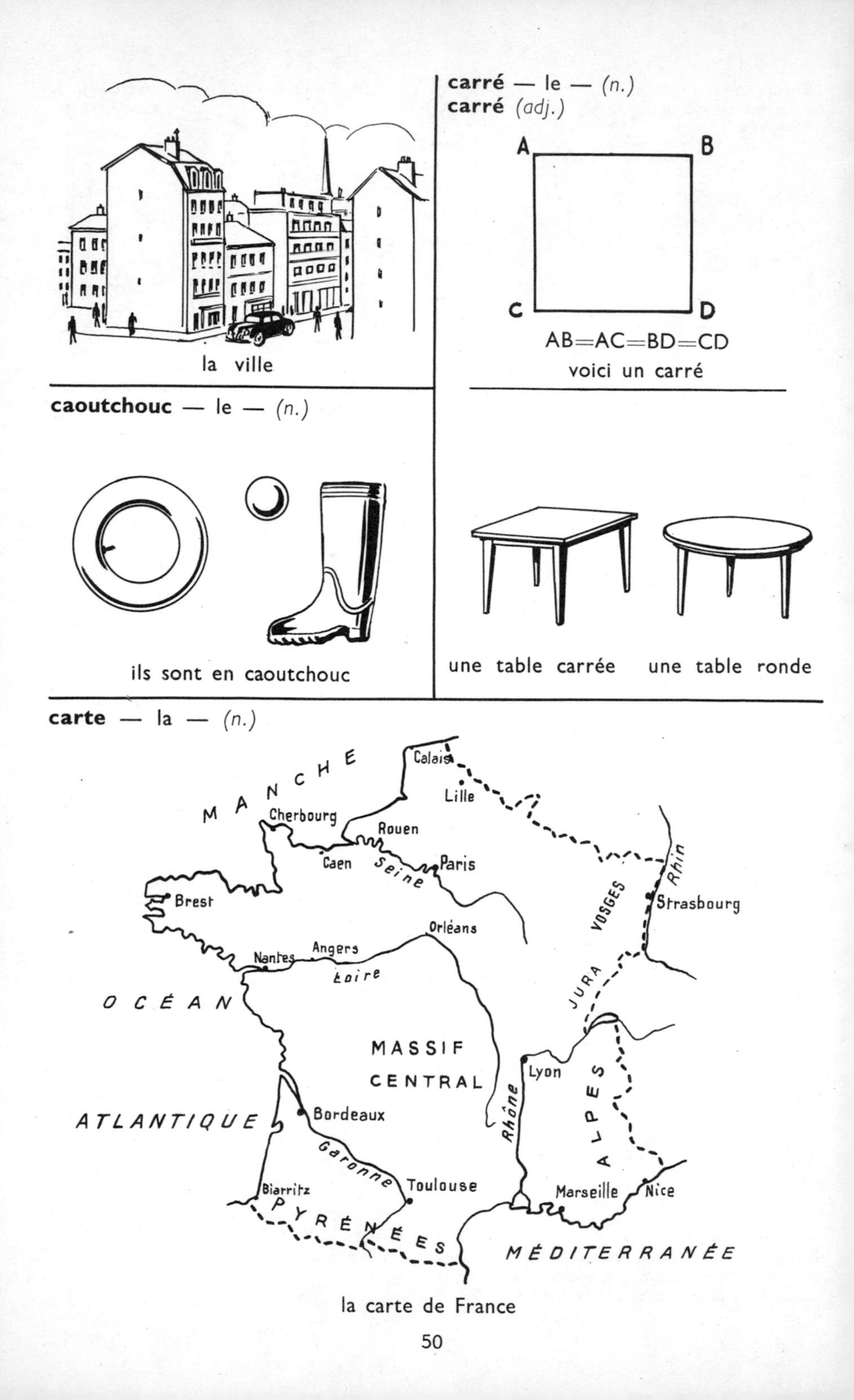

la ville

carré — le — *(n.)*
carré *(adj.)*

AB=AC=BD=CD
voici un carré

caoutchouc — le — *(n.)*

ils sont en caoutchouc

une table carrée une table ronde

carte — la — *(n.)*

la carte de France

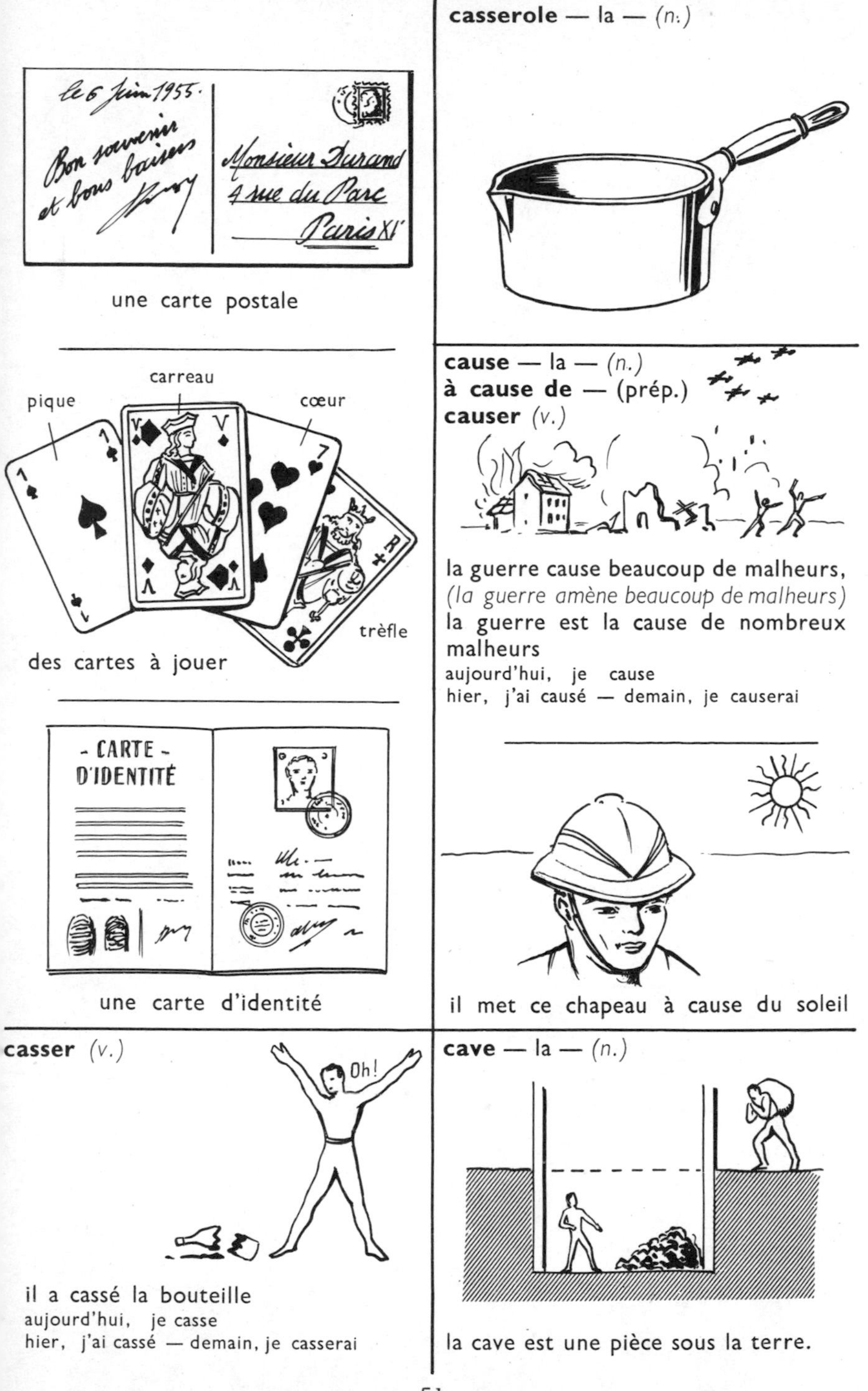

une carte postale

des cartes à jouer

une carte d'identité

casser *(v.)*

il a cassé la bouteille
aujourd'hui, je casse
hier, j'ai cassé — demain, je casserai

casserole — la — *(n.)*

cause — la — *(n.)*
à cause de — (prép.)
causer *(v.)*

la guerre cause beaucoup de malheurs,
(la guerre amène beaucoup de malheurs)
la guerre est la cause de nombreux malheurs
aujourd'hui, je cause
hier, j'ai causé — demain, je causerai

il met ce chapeau à cause du soleil

cave — la — *(n.)*

la cave est une pièce sous la terre.

ce *(adj. dém. m. sing.)*, **cet** *(m. sing.)*, **cette** *(f. sing.)*, **ces** *(m. ou f. pl.)* (voir règle No 3, page 7)
servent à montrer

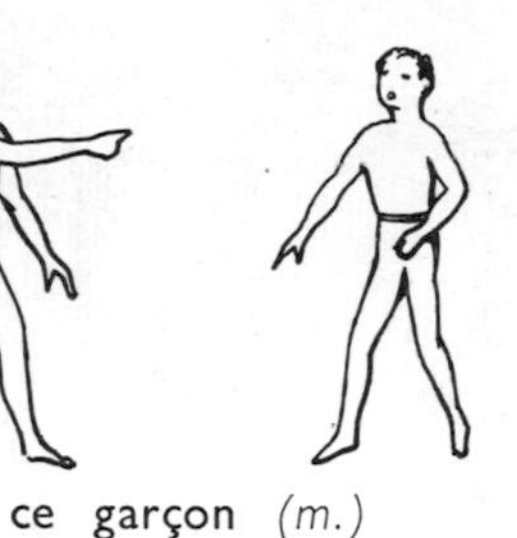

ce garçon *(m.)*

cette fille *(f.)*

cet arbre est grand

ces garçons jouent

ces filles sont heureuses *(pl.)*

ce, ceci, cela *(ou ça)* *(pr. dém. neutres sing.)*
servent à montrer

ceci *(le fruit)*

cela (ça) *(le gâteau)*

ceinture (n.)

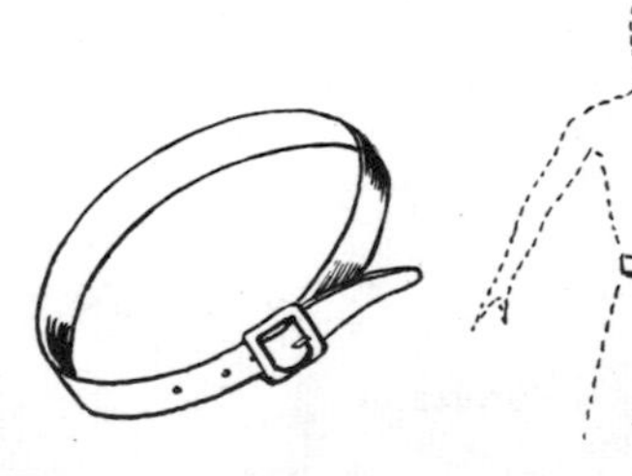

celui *(pr. dém. m. sing.)*, **celle** *(f. sing.)*, **celles** *(f. pl.)*, **ceux** *(m. pl.)*

ci-là

ci = le premier ou ce qui est près **là** = le deuxième ou ce qui est loin

ci et là peuvent s'ajouter aux pronoms et aux adjectifs démonstratifs pour donner :

adjectifs démonstratifs

ce	ci	ce	là
cet	ci	cet	là
cette	ci	cette	là
ces	ci	ces	là

Pronoms démonstratifs

ce + ci = ceci	ce + là = celà
celui + ci = celui-ci	celui + là = celui-là
celle + ci = celle-ci	celle + là = celle-là
celles + ci = celles-ci	celles + là = celles-là
ceux + ci = ceux-ci	ceux + là = ceux-là

voici deux hommes

le premier homme

cet homme-ci (le 1er) est en bonne santé

le deuxième homme

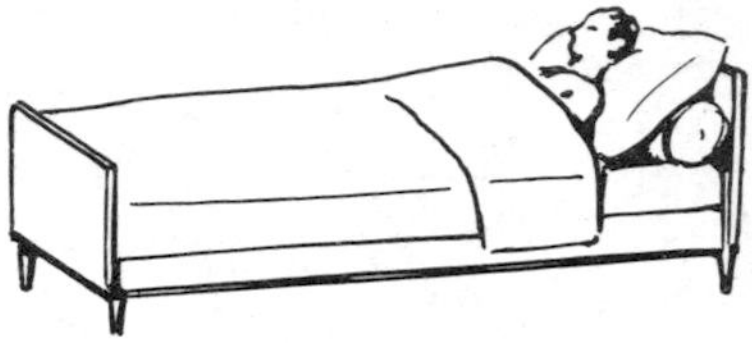

cet homme-là (le 2e) est malade

voici deux maisons

la maison qui est près = **ci**

cette maison-ci est neuve

la maison qui est loin = **là**

cette maison-là est vieille

voici deux arbres

celui-ci (le 1er) est grand

celui-là (le 2e) est petit

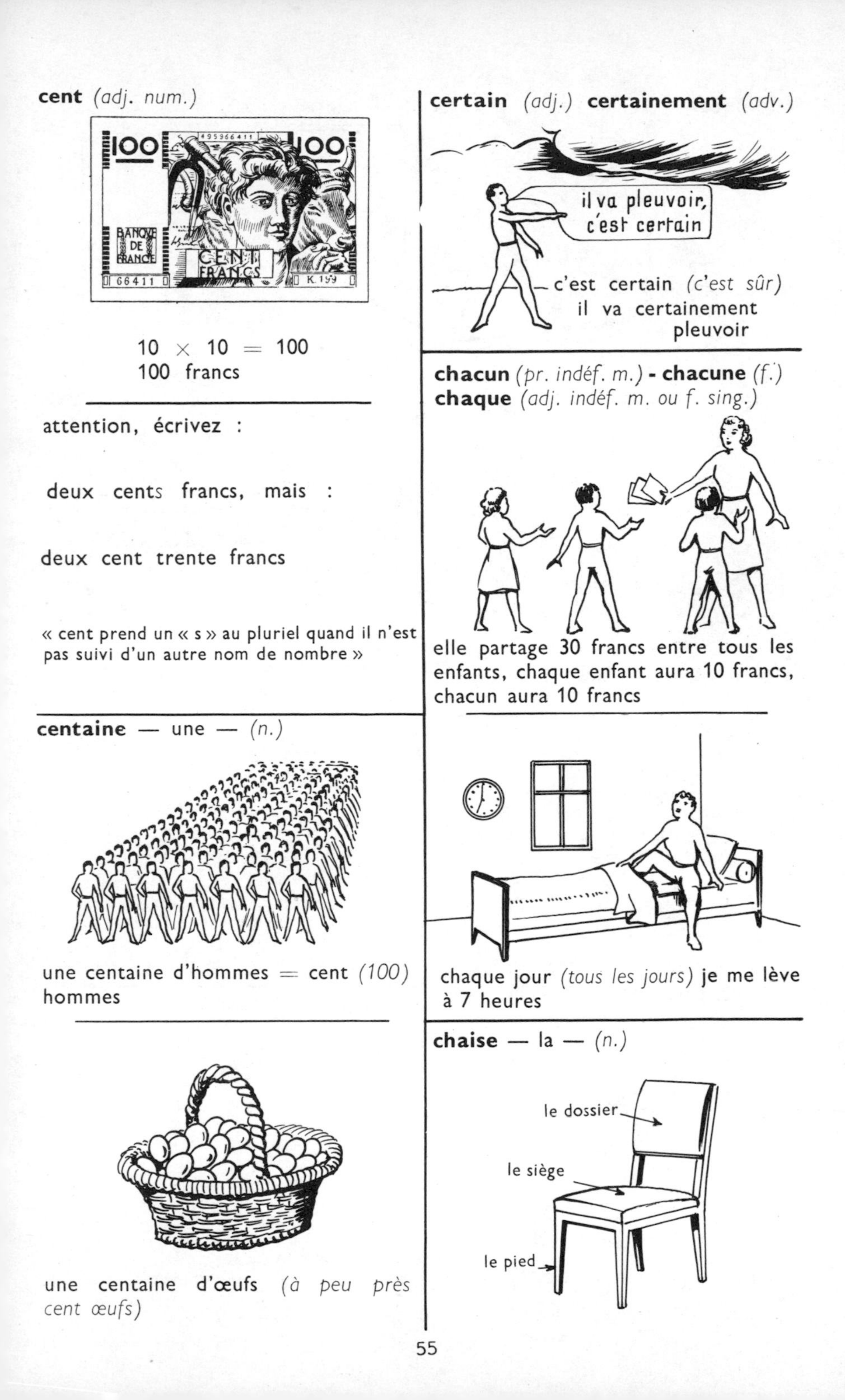

cent *(adj. num.)*

10 × 10 = 100
100 francs

attention, écrivez :

deux cents francs, mais :

deux cent trente francs

« cent prend un « s » au pluriel quand il n'est pas suivi d'un autre nom de nombre »

centaine — une — *(n.)*

une centaine d'hommes = cent *(100)* hommes

une centaine d'œufs *(à peu près cent œufs)*

certain *(adj.)* **certainement** *(adv.)*

c'est certain *(c'est sûr)*
il va certainement pleuvoir

chacun *(pr. indéf. m.)* - **chacune** *(f.)*
chaque *(adj. indéf. m. ou f. sing.)*

elle partage 30 francs entre tous les enfants, chaque enfant aura 10 francs, chacun aura 10 francs

chaque jour *(tous les jours)* je me lève à 7 heures

chaise — la — *(n.)*

chambre — la — *(n.)*

je dors dans ma chambre

champ — le-*(n.)*

le paysan travaille dans son champ

changer *(v.)*

elle change de vêtements *(elle met d'autres vêtements)*

le temps va changer *(il pleuvait, il va faire beau)*

aujourd'hui, je change, tu changes, il change, nous changeons, vous changez, ils changent

hier, j'ai changé — demain, je changerai

chance — la — *(n.)*

il a perdu son portefeuille,
il n'a pas de chance

il retrouve son portefeuille,
il a de la chance

chanson — la — *(n.)*
chant — le — *(n.)*
chanter *(v.)*

elle chante une chanson *(ou un chant)*

aujourd'hui, je chante

hier, j'ai chanté — demain, je chanterai

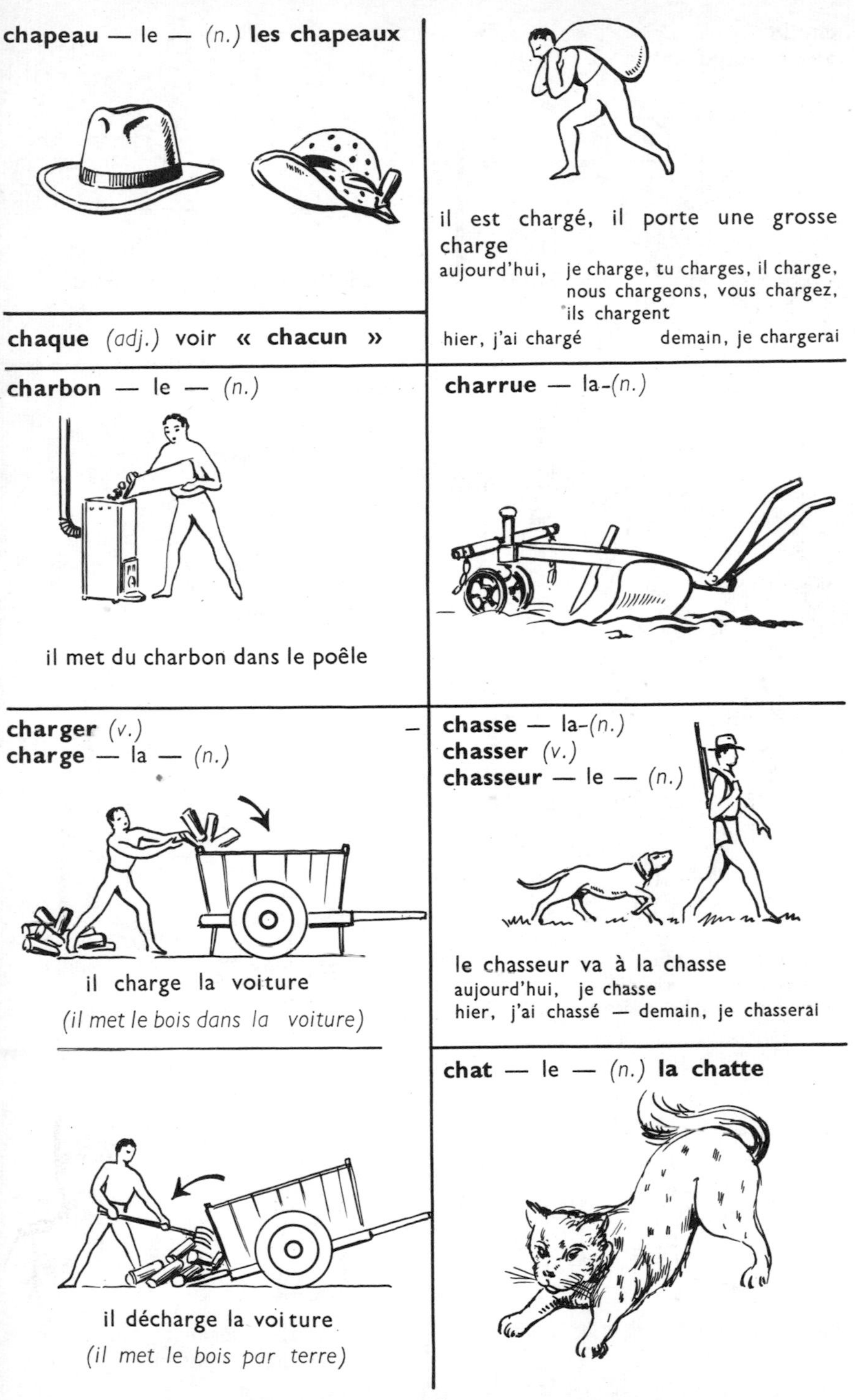

chapeau — le — *(n.)* **les chapeaux**

chaque *(adj.)* voir « **chacun** »

charbon — le — *(n.)*

il met du charbon dans le poêle

charger *(v.)* —
charge — la — *(n.)*

il charge la voiture
(il met le bois dans la voiture)

il décharge la voiture
(il met le bois par terre)

il est chargé, il porte une grosse charge
aujourd'hui, je charge, tu charges, il charge, nous chargeons, vous chargez, ils chargent
hier, j'ai chargé demain, je chargerai

charrue — la-*(n.)*

chasse — la-*(n.)*
chasser *(v.)*
chasseur — le — *(n.)*

le chasseur va à la chasse
aujourd'hui, je chasse
hier, j'ai chassé — demain, je chasserai

chat — le — *(n.)* **la chatte**

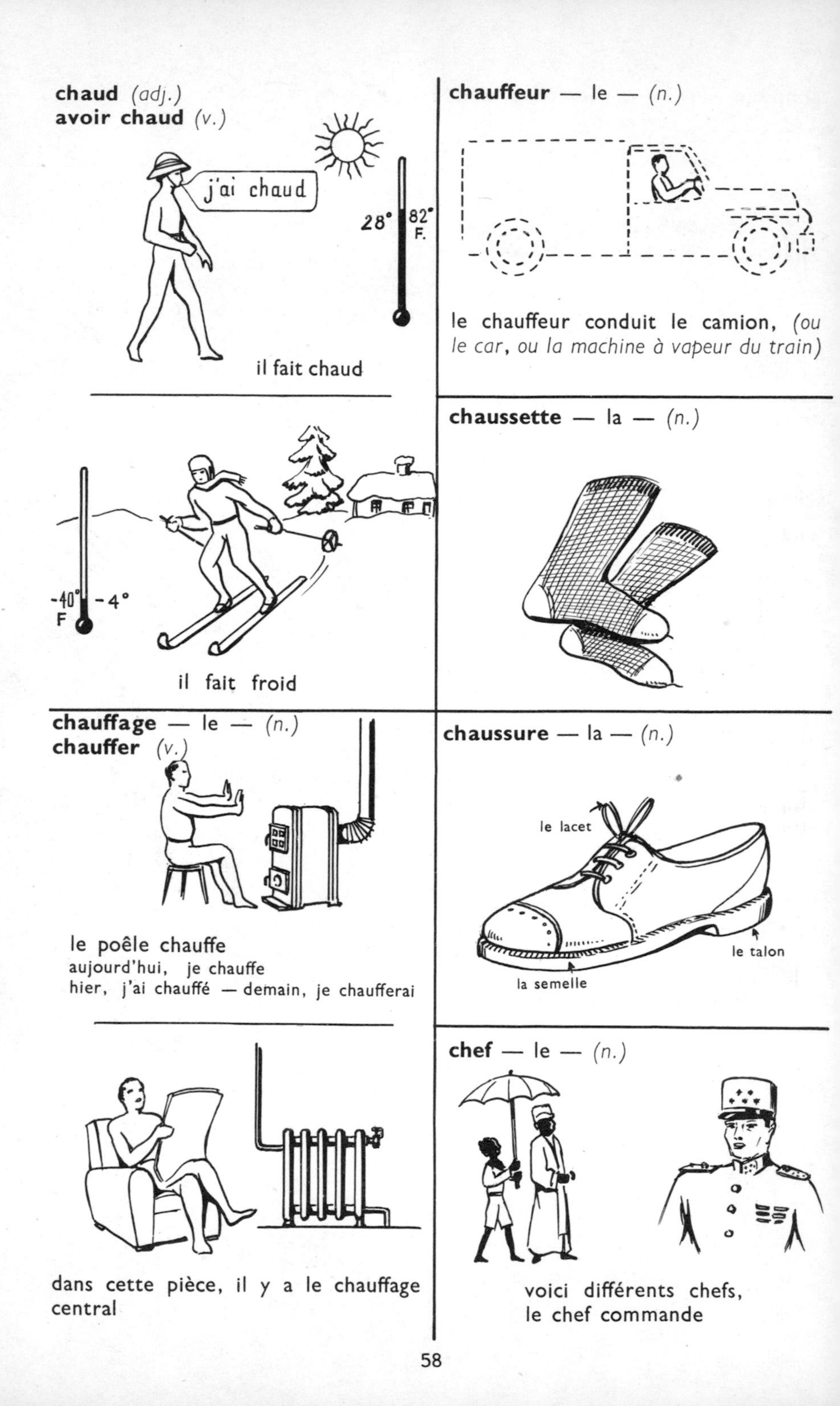

chaud *(adj.)*
avoir chaud *(v.)*

il fait chaud

il fait froid

chauffage — le — *(n.)*
chauffer *(v.)*

le poêle chauffe
aujourd'hui, je chauffe
hier, j'ai chauffé — demain, je chaufferai

dans cette pièce, il y a le chauffage central

chauffeur — le — *(n.)*

le chauffeur conduit le camion, *(ou le car, ou la machine à vapeur du train)*

chaussette — la — *(n.)*

chaussure — la — *(n.)*

chef — le — *(n.)*

voici différents chefs,
le chef commande

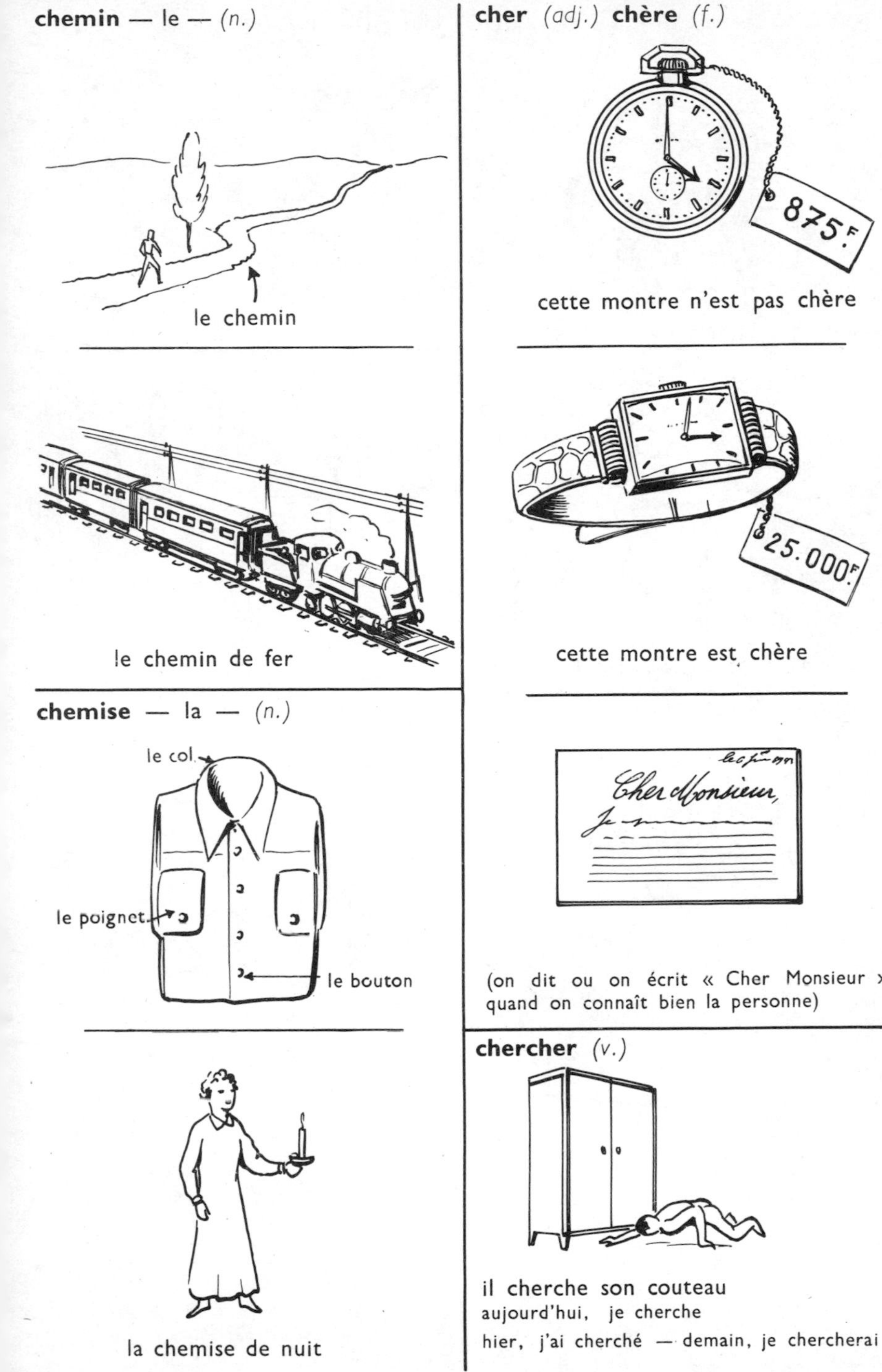

chemin — le — *(n.)*

le chemin

le chemin de fer

chemise — la — *(n.)*

la chemise de nuit

cher *(adj.)* **chère** *(f.)*

cette montre n'est pas chère

cette montre est chère

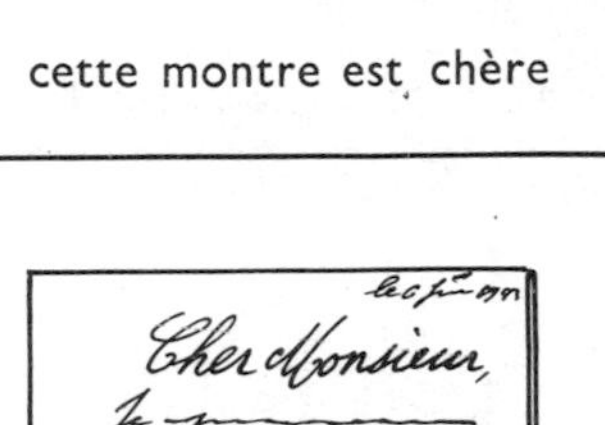

(on dit ou on écrit « Cher Monsieur » quand on connaît bien la personne)

chercher *(v.)*

il cherche son couteau
aujourd'hui, je cherche
hier, j'ai cherché — demain, je chercherai

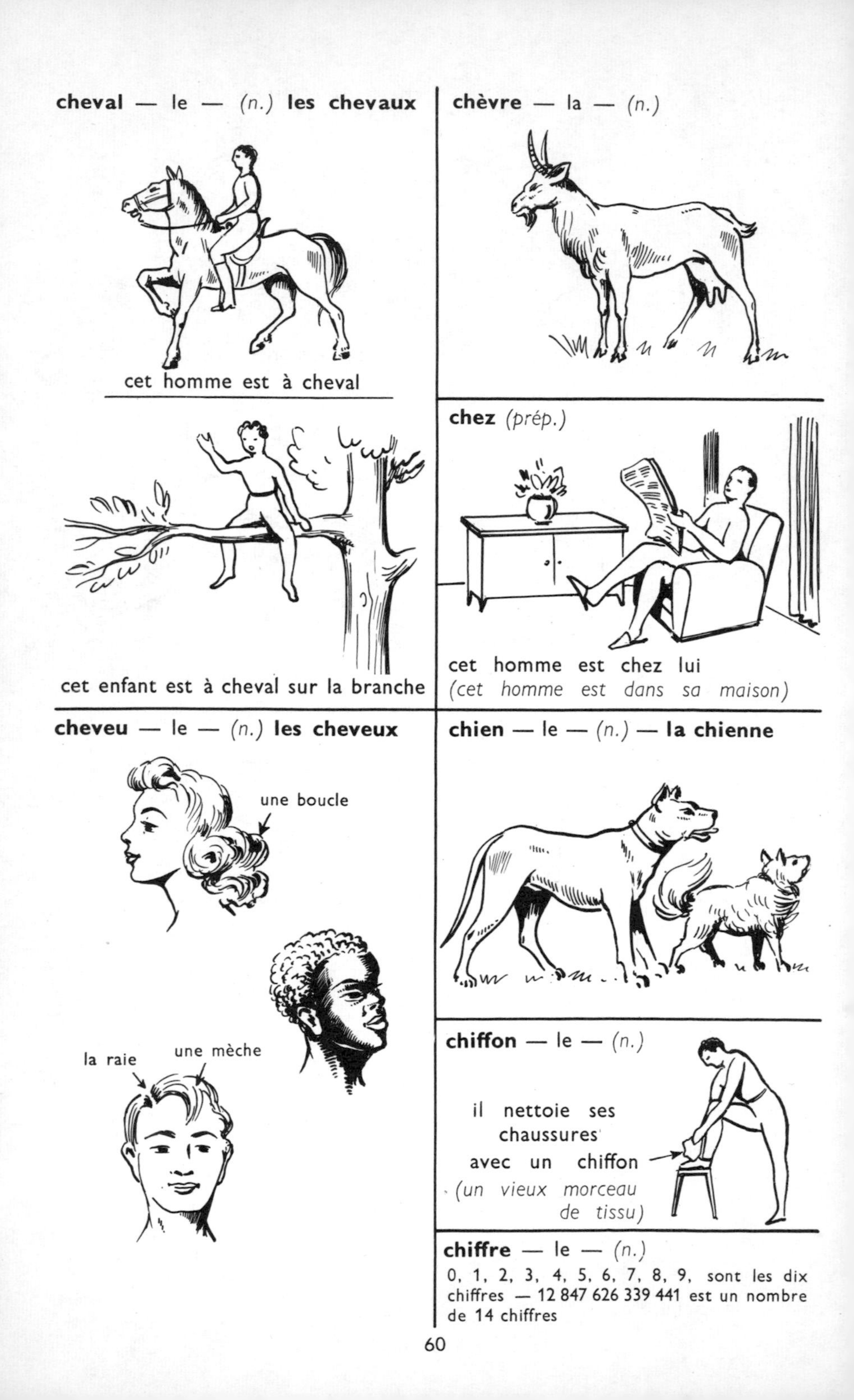

cheval — le — *(n.)* **les chevaux**

cet homme est à cheval

cet enfant est à cheval sur la branche

chèvre — la — *(n.)*

chez *(prép.)*

cet homme est chez lui
(cet homme est dans sa maison)

cheveu — le — *(n.)* **les cheveux**

chien — le — *(n.)* — **la chienne**

chiffon — le — *(n.)*

il nettoie ses chaussures avec un chiffon
(un vieux morceau de tissu)

chiffre — le — *(n.)*

0, 1, 2, 3, 4, 5, 6, 7, 8, 9, sont les dix chiffres — 12 847 626 339 441 est un nombre de 14 chiffres

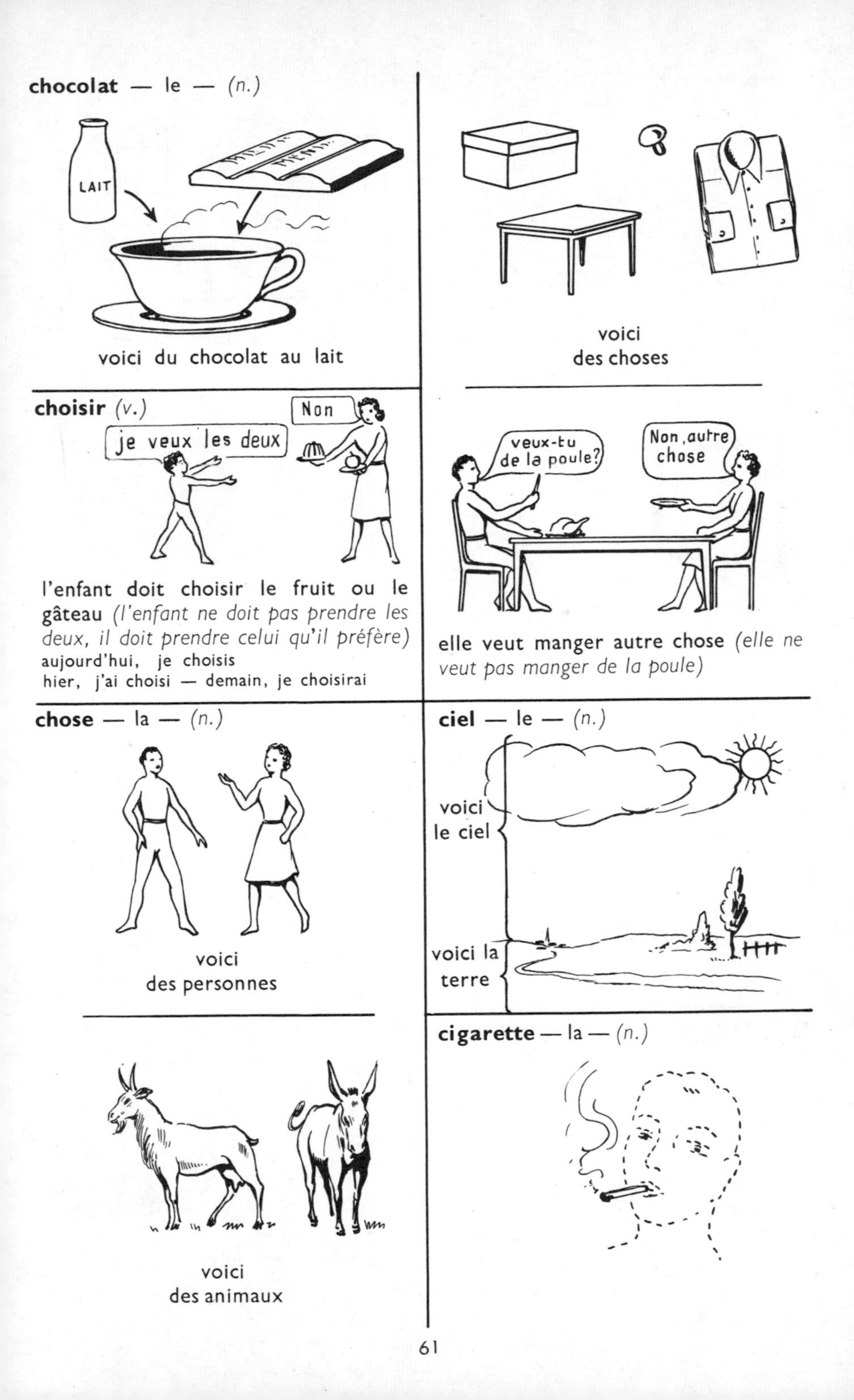

chocolat — le — *(n.)*

voici du chocolat au lait

choisir *(v.)*

l'enfant doit choisir le fruit ou le gâteau *(l'enfant ne doit pas prendre les deux, il doit prendre celui qu'il préfère)*
aujourd'hui, je choisis
hier, j'ai choisi — demain, je choisirai

chose — la — *(n.)*

voici
des personnes

voici
des animaux

voici
des choses

elle veut manger autre chose *(elle ne veut pas manger de la poule)*

ciel — le — *(n.)*

voici
le ciel

voici la
terre

cigarette — la — *(n.)*

cimetière — le — *(n.)*

une tombe

les morts sont enterrés au cimetière

cinéma — le — *(n.)*

ces gens sont au cinéma

cinq *(adj. num.)* 5, V. IIIII

cinquante *(adj. num.)*

cinquante francs

ciseaux — les — *(n. m.)* toujours pl.

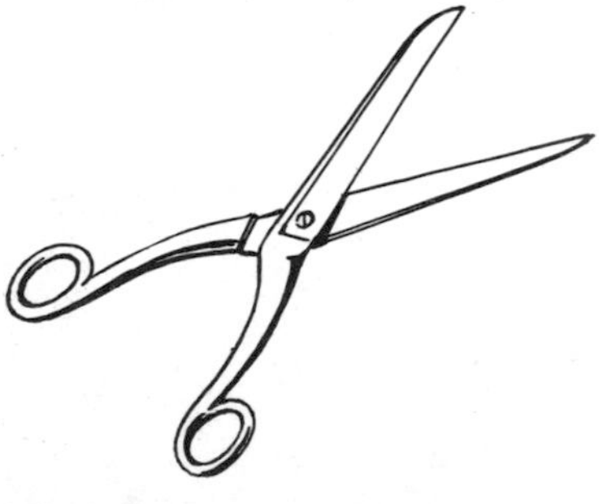

clair *(adj.)*

cette pièce est claire *(bien éclairée)*

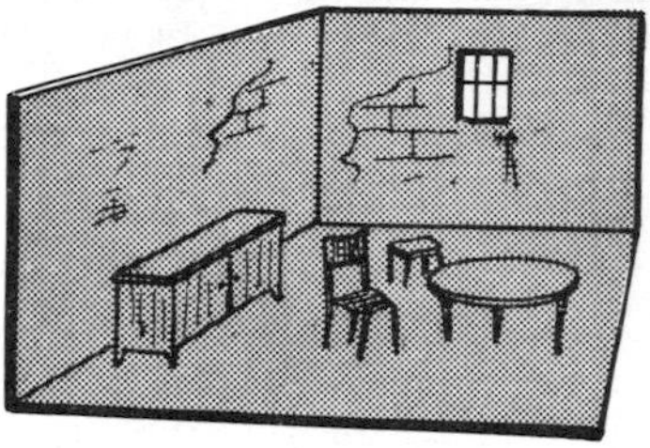

cette pièce n'est pas claire, elle est sombre *(mal éclairée)*

le ciel est clair *(sans nuages)*

ils se promènent au clair de lune *(à la lumière de la lune)*

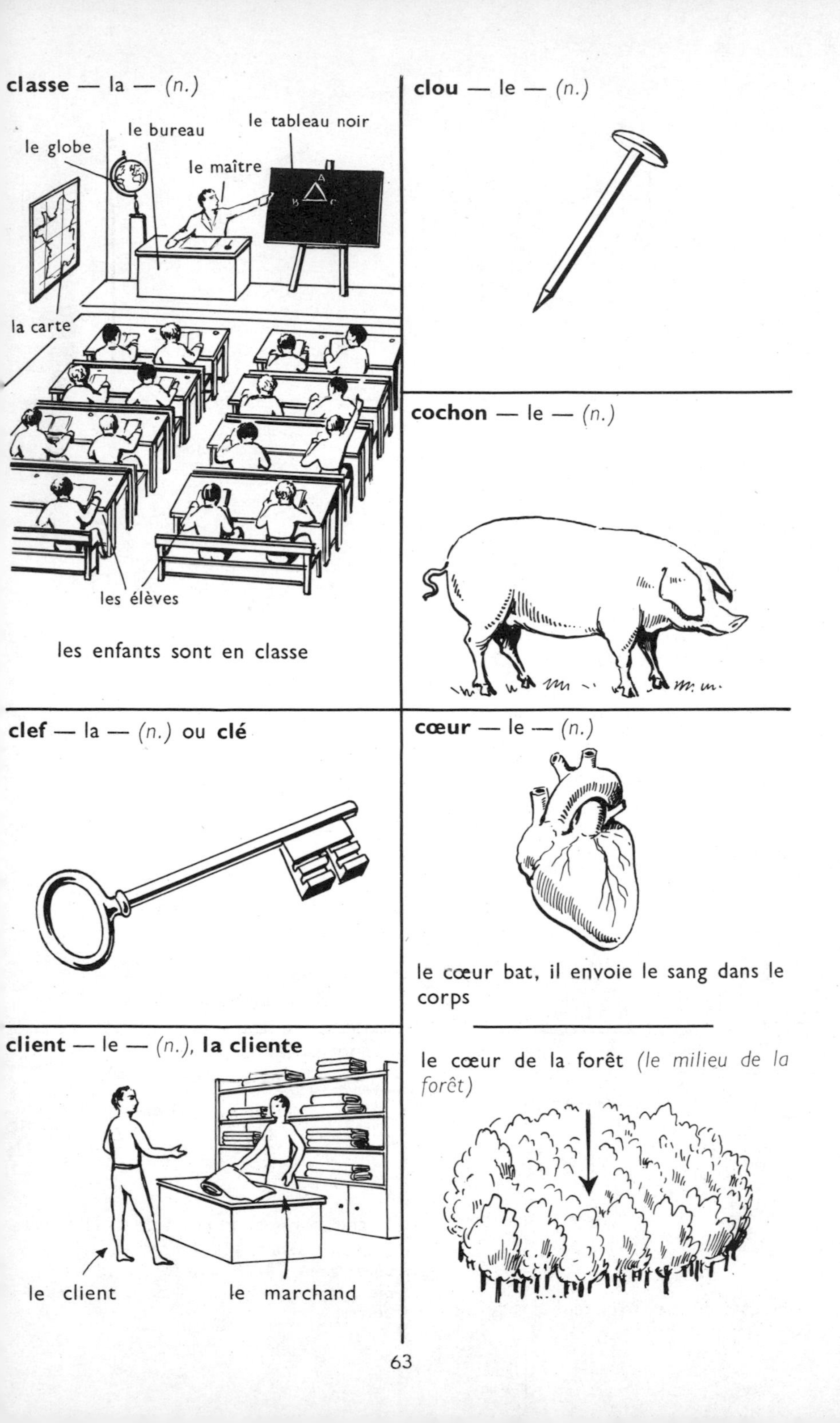
classe — la — (n.)
le globe
le bureau
le tableau noir
le maître
la carte
les élèves
les enfants sont en classe
clef — la — (n.) ou clé
client — le — (n.), la cliente
le client
le marchand
clou — le — (n.)
cochon — le — (n.)
cœur — le — (n.)
le cœur bat, il envoie le sang dans le corps
le cœur de la forêt (le milieu de la forêt)

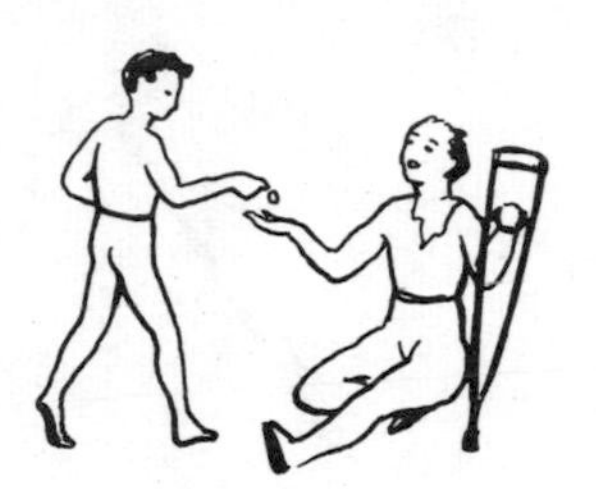

l'enfant a bon cœur *(il aide ceux qui sont pauvres)*

il sait sa leçon par cœur *(il sait sa leçon sans fautes)*

coin — le — *(n.)*

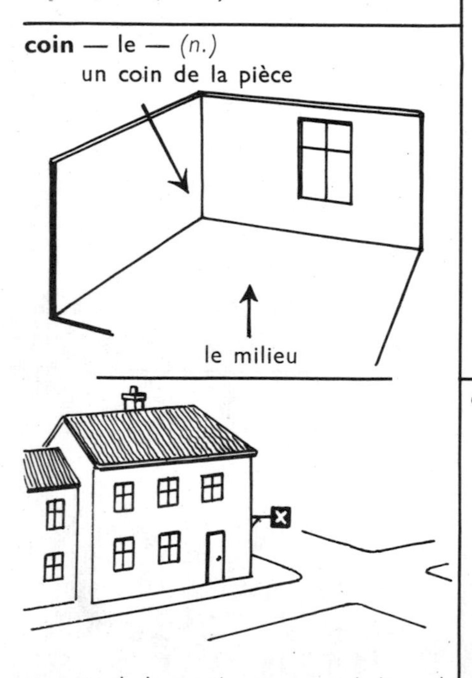

au coin de la rue *(au tournant de la rue)*

colère — la — *(n.)*

il sourit — il est en colère

combien *(adv. inter.)*

combien coûtent ces fruits ? ou combien est-ce que ces fruits coûtent ?

— combien font 6 + 4 + 2 ?
— 12, Monsieur.

commander *(v.)*

le chef commande aux soldats *(il donne des ordres, les soldats font ce qu'il dit)*
aujourd'hui, je commande
hier, j'ai commandé — demain, je commanderai

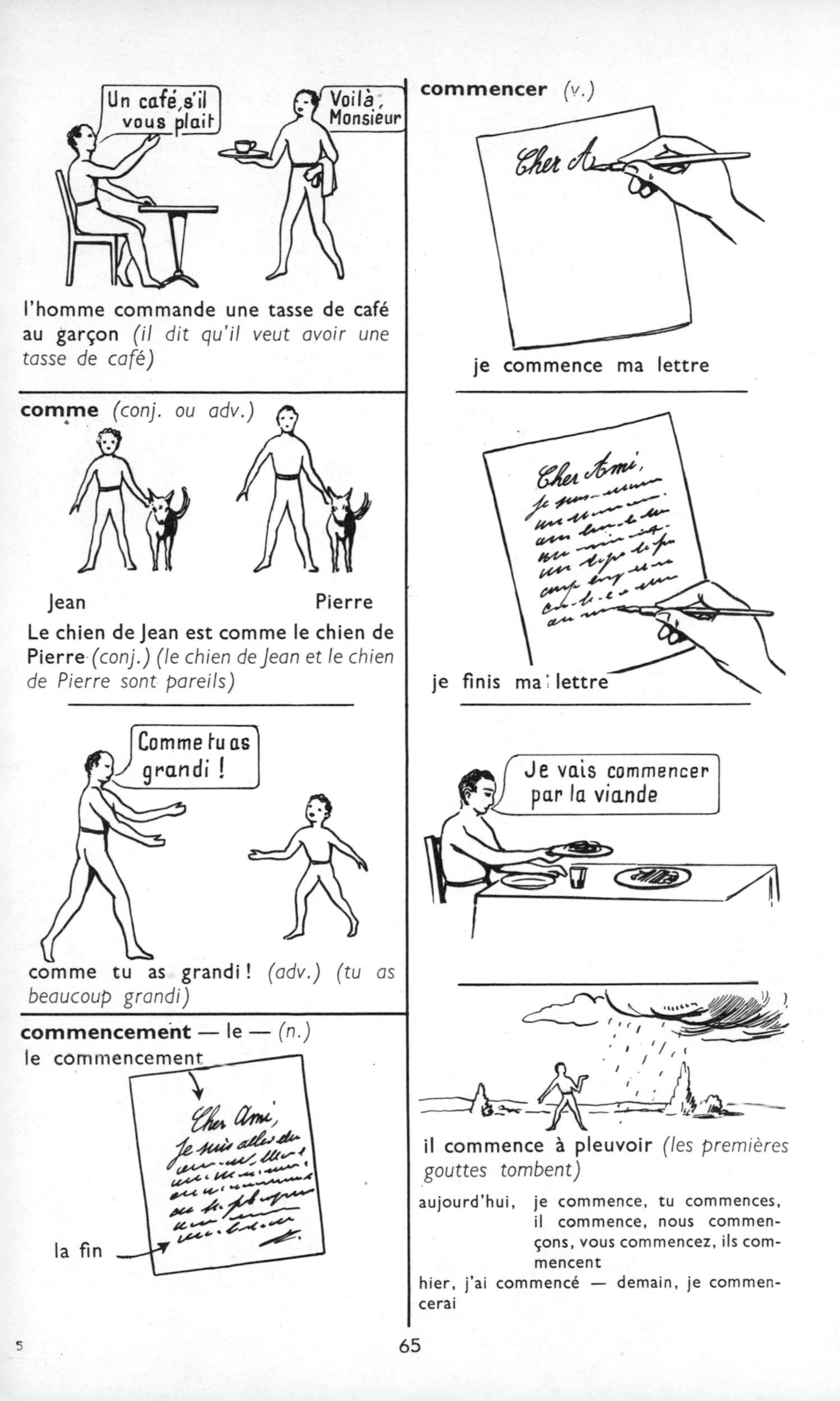

l'homme commande une tasse de café au garçon *(il dit qu'il veut avoir une tasse de café)*

comme *(conj. ou adv.)*

Jean — Pierre

Le chien de Jean est comme le chien de Pierre *(conj.) (le chien de Jean et le chien de Pierre sont pareils)*

comme tu as grandi ! *(adv.) (tu as beaucoup grandi)*

commencement — le — *(n.)*

le commencement

la fin

commencer *(v.)*

je commence ma lettre

je finis ma lettre

il commence à pleuvoir *(les premières gouttes tombent)*

aujourd'hui, je commence, tu commences, il commence, nous commençons, vous commencez, ils commencent

hier, j'ai commencé — demain, je commencerai

5

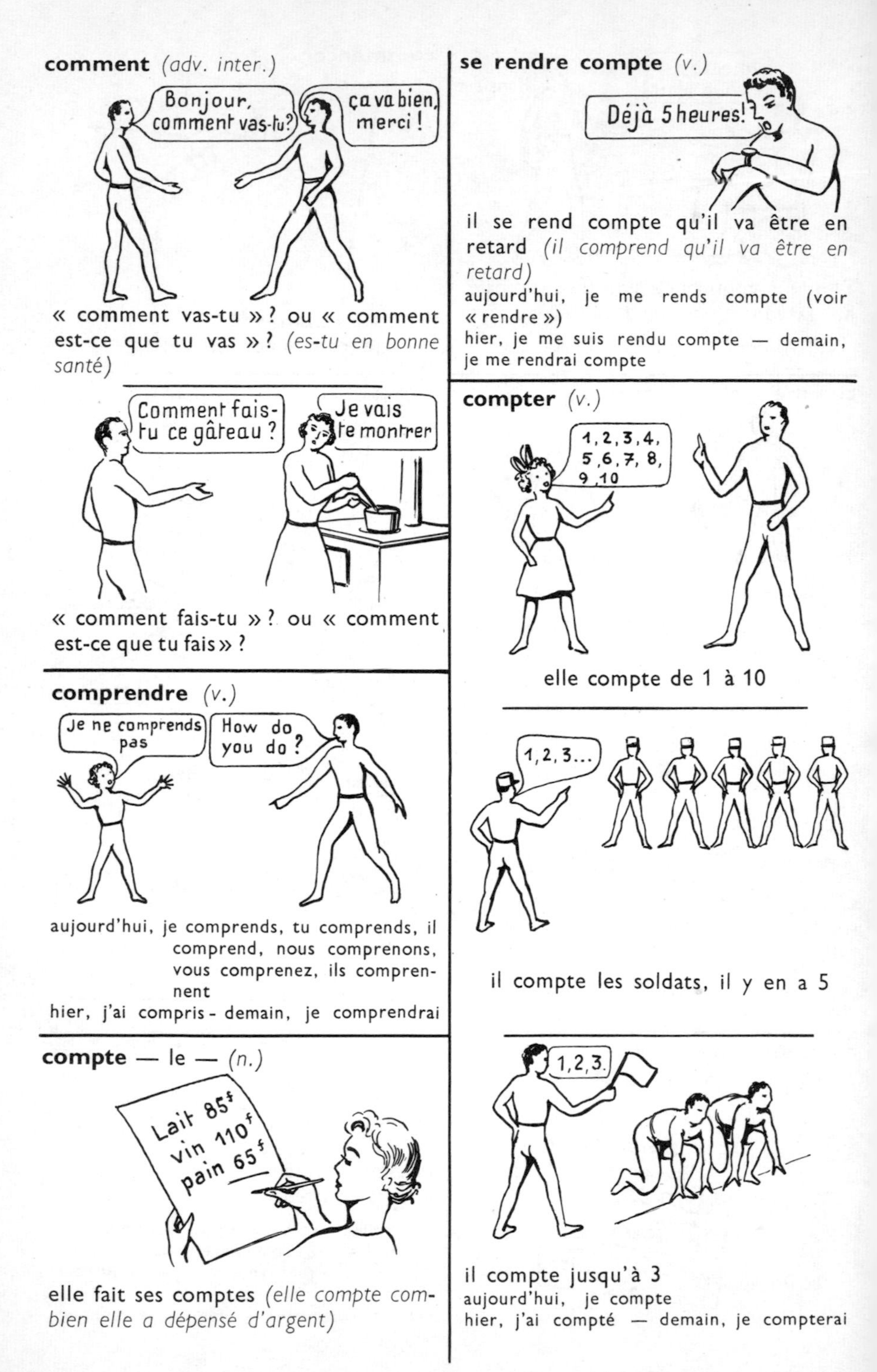

comment *(adv. inter.)*

« comment vas-tu » ? ou « comment est-ce que tu vas » ? *(es-tu en bonne santé)*

« comment fais-tu » ? ou « comment est-ce que tu fais » ?

---

comprendre *(v.)*

aujourd'hui, je comprends, tu comprends, il comprend, nous comprenons, vous comprenez, ils comprennent
hier, j'ai compris - demain, je comprendrai

---

compte — le — *(n.)*

elle fait ses comptes *(elle compte combien elle a dépensé d'argent)*

---

se rendre compte *(v.)*

il se rend compte qu'il va être en retard *(il comprend qu'il va être en retard)*
aujourd'hui, je me rends compte (voir « rendre »)
hier, je me suis rendu compte — demain, je me rendrai compte

---

compter *(v.)*

elle compte de 1 à 10

il compte les soldats, il y en a 5

il compte jusqu'à 3
aujourd'hui, je compte
hier, j'ai compté — demain, je compterai

conduire *(v.)*

le chauffeur conduit le camion *(ou la voiture)*

la mère conduit son fils à l'école *(la mère amène son fils à l'école)*

aujourd'hui, je conduis, tu conduis, il conduit, nous conduisons, vous conduisez, ils conduisent
hier, j'ai conduit — demain, je conduirai

connaître *(v.)*

elle ne connaît pas cette dame *(elle n'a jamais vu cette dame)*

aujourd'hui, je connais, tu connais, il connaît, nous connaissons, vous connaissez, ils connaissent
hier, j'ai connu — demain, je connaîtrai

conseil — le — *(n.)*

donne-moi un conseil *(dis-moi ce que je dois faire)*

à la tête d'une ville, d'un village il y a un conseil *(un groupe d'hommes qui commande les autres habitants)*

construire *(v.)*

ils construisent une maison

aujourd'hui, je construis, tu construis, il construit, nous construisons, vous construisez, ils construisent
hier, j'ai construit — demain, je construirai

content *(adj.)*

ils sont contents (ils sont heureux, ils dansent, ils crient de joie)

continuer *(v.)*

il n'a pas fini, il continue son travail (ou) il continue de travailler

il a fini, il s'en va
aujourd'hui, je continue
hier, j'ai continué — demain, je continuerai

coq — le — *(n.)*

contraire *(adj.)*

« petit » est le contraire de « grand »

corde — la — *(n.)*

contre *(prép.)*

il s'appuie contre le mur

cordonnier -le-*(n.)*

le cordonnier répare les chaussures

Jean se bat tout seul contre trois autres garçons

corne — la — *(n.)*

les cornes de la vache

corps — le — *(n.)*

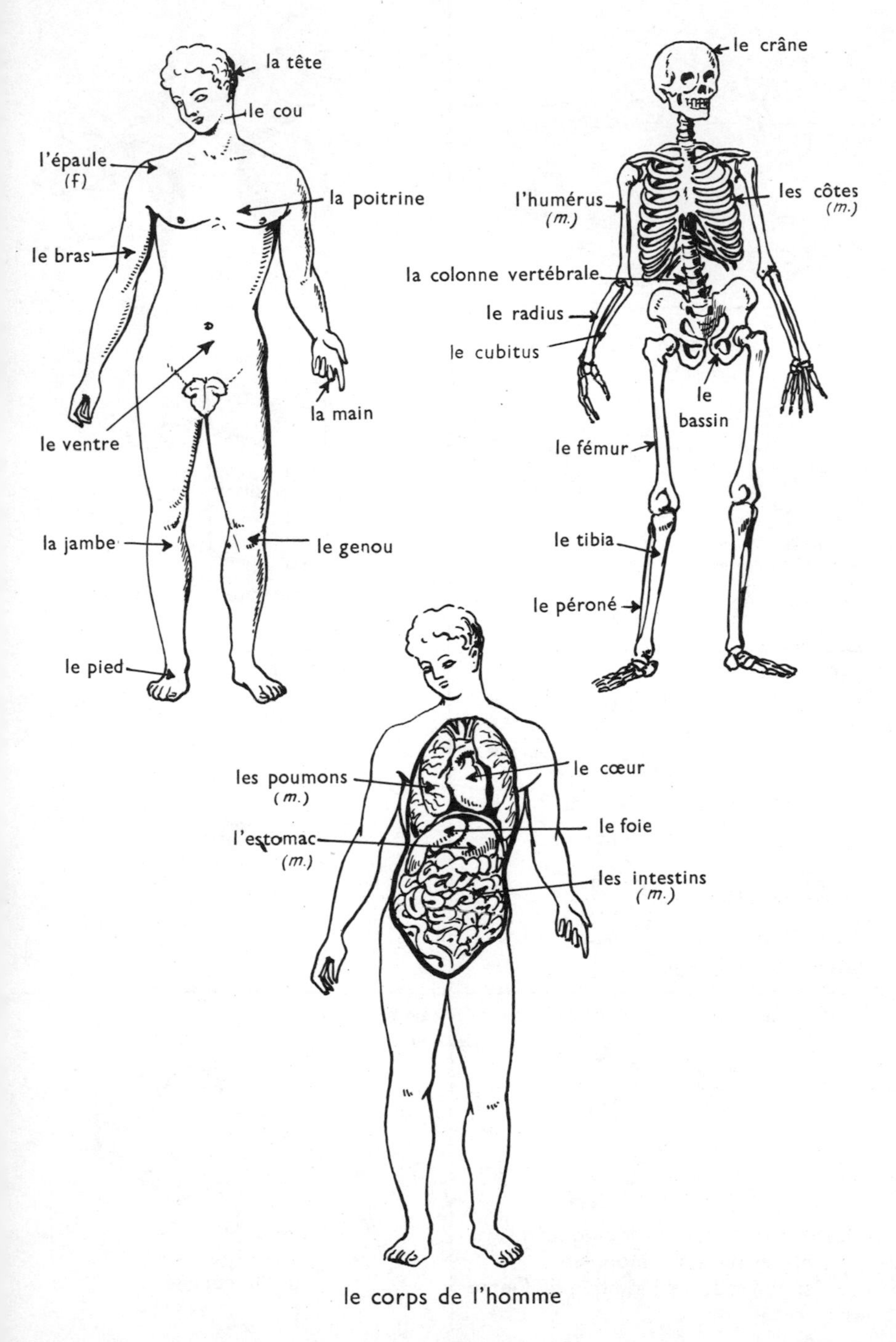

le corps de l'homme

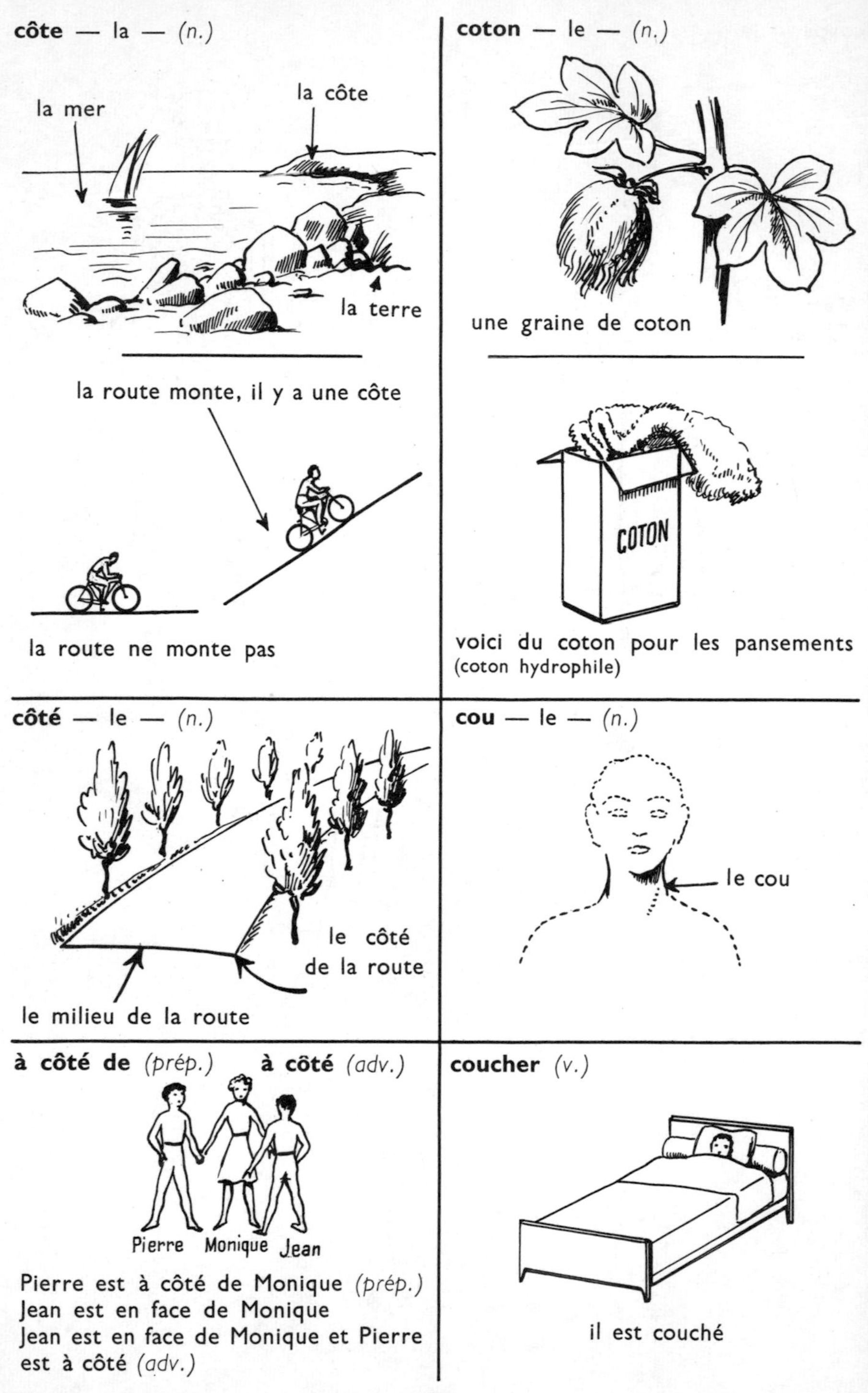
côte — la — *(n.)*
la mer
la côte
la terre
la route monte, il y a une côte
la route ne monte pas
coton — le — *(n.)*
une graine de coton
COTON
voici du coton pour les pansements
(coton hydrophile)
côté — le — *(n.)*
le côté de la route
le milieu de la route
cou — le — *(n.)*
le cou
à côté de *(prép.)*
à côté *(adv.)*
Pierre
Monique
Jean
Pierre est à côté de Monique *(prép.)*
Jean est en face de Monique
Jean est en face de Monique et Pierre est à côté *(adv.)*
coucher *(v.)*
il est couché

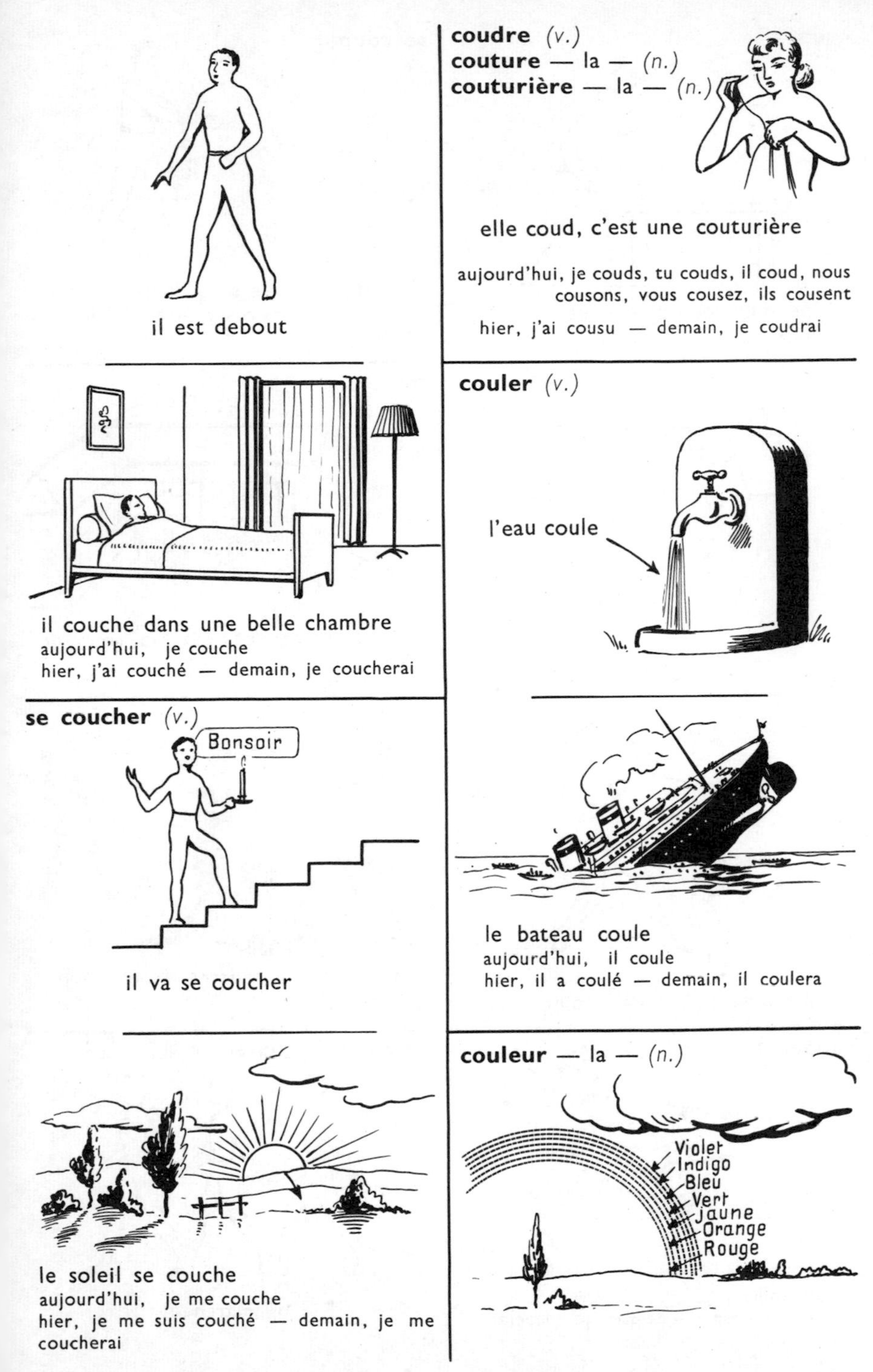

il est debout

il couche dans une belle chambre
aujourd'hui, je couche
hier, j'ai couché — demain, je coucherai

se coucher *(v.)*

il va se coucher

le soleil se couche
aujourd'hui, je me couche
hier, je me suis couché — demain, je me coucherai

coudre *(v.)*
couture — la — *(n.)*
couturière — la — *(n.)*

elle coud, c'est une couturière

aujourd'hui, je couds, tu couds, il coud, nous cousons, vous cousez, ils cousent

hier, j'ai cousu — demain, je coudrai

couler *(v.)*

le bateau coule
aujourd'hui, il coule
hier, il a coulé — demain, il coulera

couleur — la — *(n.)*

coup — le — *(n.)*

il donne un coup de marteau *(il frappe avec le marteau)*

il tire un coup de fusil

il donne un coup de poing

couper *(v.)*

il coupe la viande
aujourd'hui, je coupe
hier, j'ai coupé — demain, je couperai

se couper *(v.)*

il s'est coupé, le sang coule
aujourd'hui, je me coupe — hier, je me suis coupé

cour — la — *(n.)*

les enfants jouent dans la cour de l'école

courage — le — *(n.)*

l'homme a du courage *(l'homme n'a pas peur du lion)*

courir *(v.)* **course** — la — *(n.)*

ils marchent

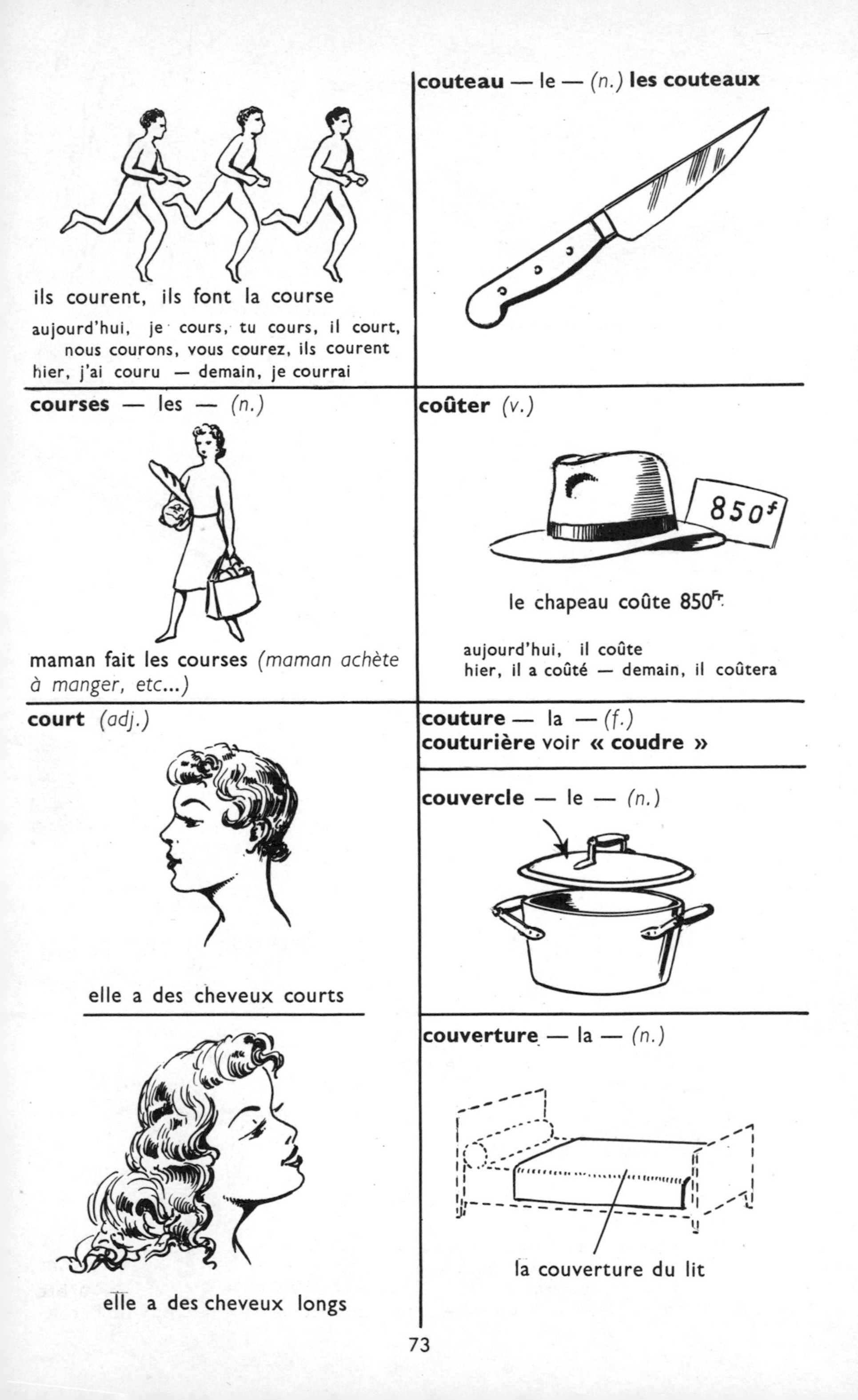

ils courent, ils font la course

aujourd'hui, je cours, tu cours, il court,
nous courons, vous courez, ils courent
hier, j'ai couru — demain, je courrai

courses — les — *(n.)*

maman fait les courses *(maman achète à manger, etc...)*

court *(adj.)*

elle a des cheveux courts

elle a des cheveux longs

couteau — le — *(n.)* **les couteaux**

coûter *(v.)*

le chapeau coûte 850 Fr.

aujourd'hui, il coûte
hier, il a coûté — demain, il coûtera

couture — la — *(f.)*
couturière voir **« coudre »**

couvercle — le — *(n.)*

couverture — la — *(n.)*

la couverture du lit

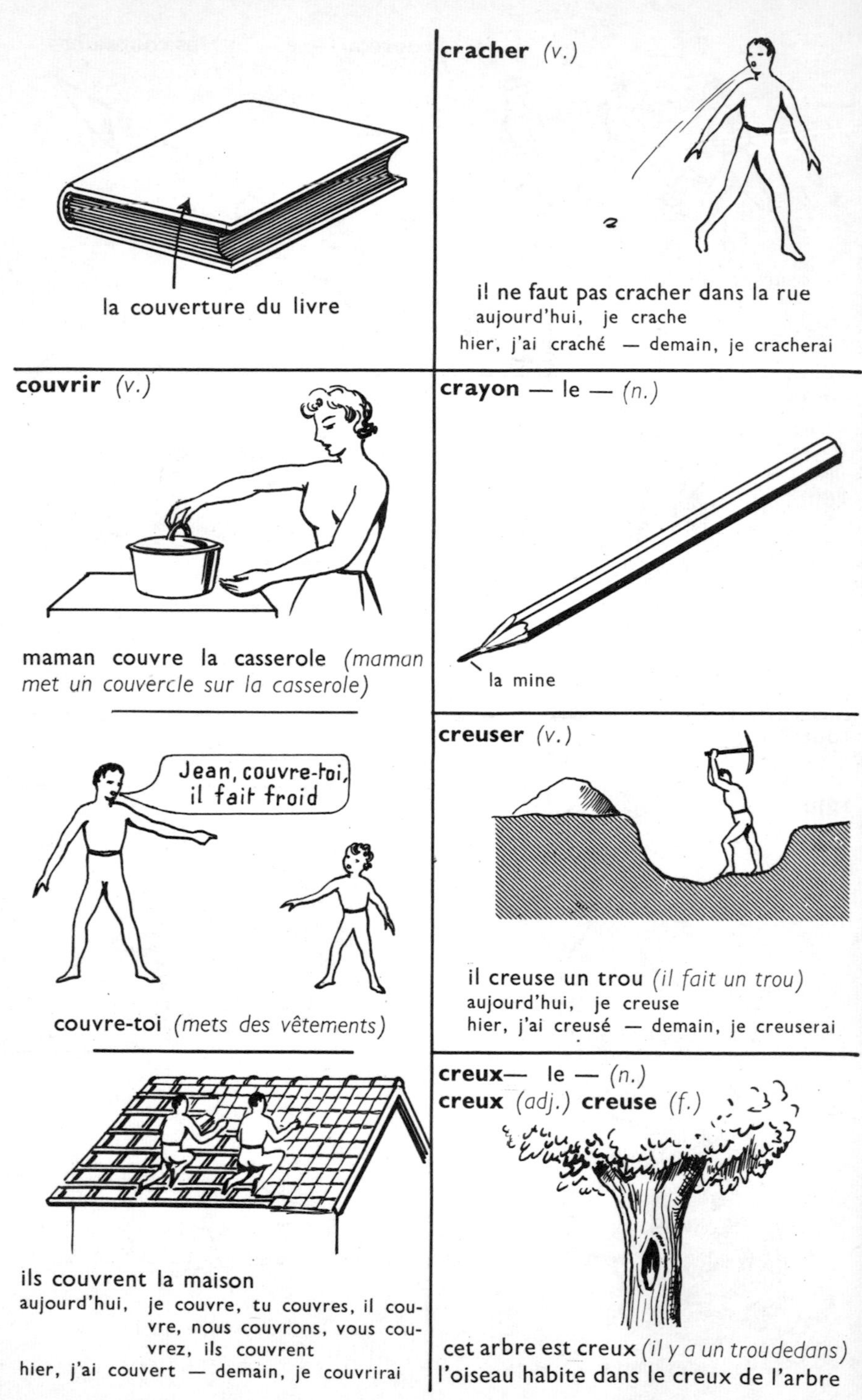

la couverture du livre

couvrir *(v.)*

maman couvre la casserole *(maman met un couvercle sur la casserole)*

couvre-toi *(mets des vêtements)*

ils couvrent la maison
aujourd'hui, je couvre, tu couvres, il couvre, nous couvrons, vous couvrez, ils couvrent
hier, j'ai couvert — demain, je couvrirai

cracher *(v.)*

il ne faut pas cracher dans la rue
aujourd'hui, je crache
hier, j'ai craché — demain, je cracherai

crayon — le — *(n.)*

la mine

creuser *(v.)*

il creuse un trou *(il fait un trou)*
aujourd'hui, je creuse
hier, j'ai creusé — demain, je creuserai

creux — le — *(n.)*
creux *(adj.)* **creuse** *(f.)*

cet arbre est creux *(il y a un trou dedans)*
l'oiseau habite dans le creux de l'arbre

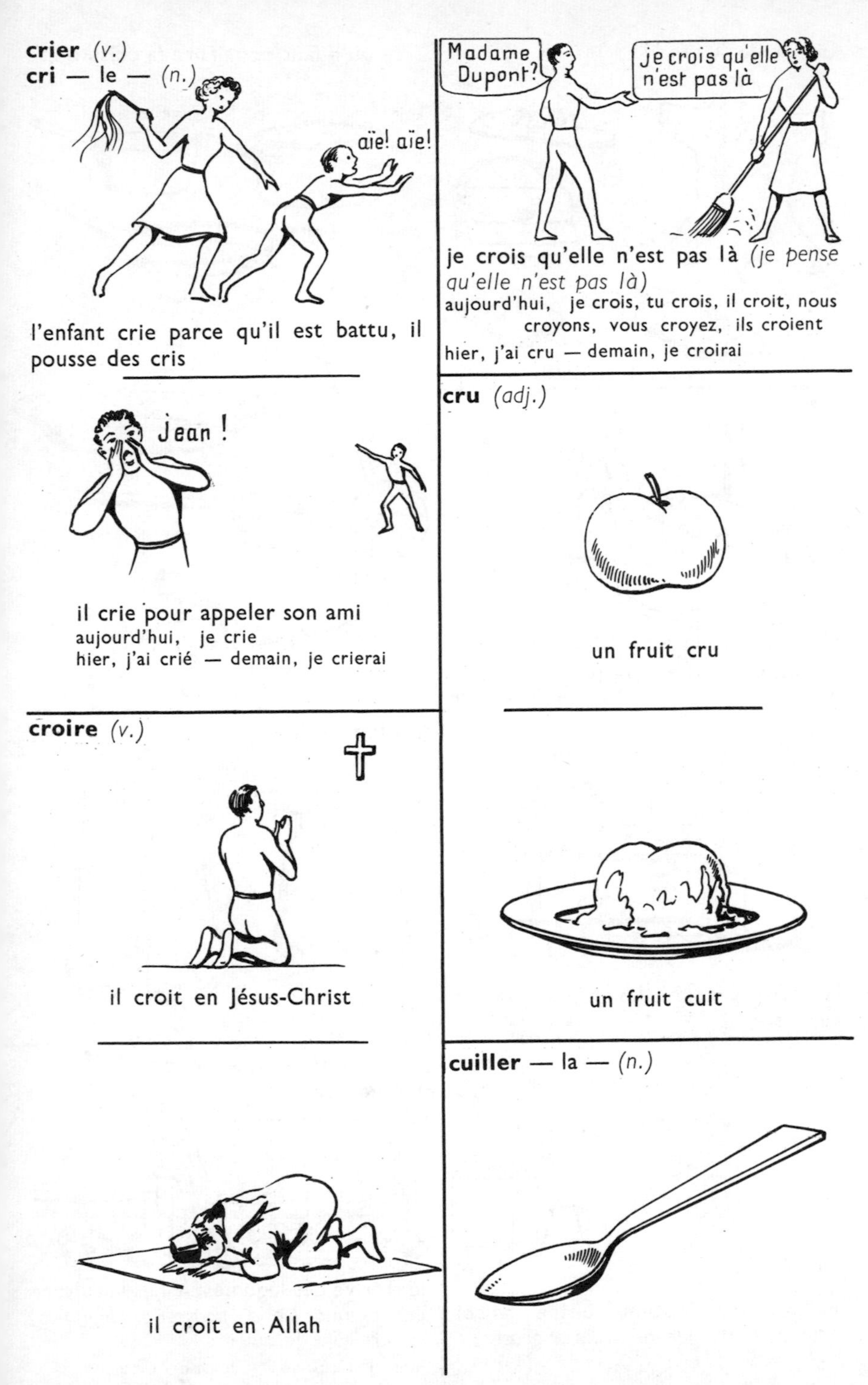

crier *(v.)*
cri — le — *(n.)*

l'enfant crie parce qu'il est battu, il pousse des cris

il crie pour appeler son ami
aujourd'hui, je crie
hier, j'ai crié — demain, je crierai

croire *(v.)*

il croit en Jésus-Christ

il croit en Allah

je crois qu'elle n'est pas là *(je pense qu'elle n'est pas là)*
aujourd'hui, je crois, tu crois, il croit, nous croyons, vous croyez, ils croient
hier, j'ai cru — demain, je croirai

cru *(adj.)*

un fruit cru

un fruit cuit

cuiller — la — *(n.)*

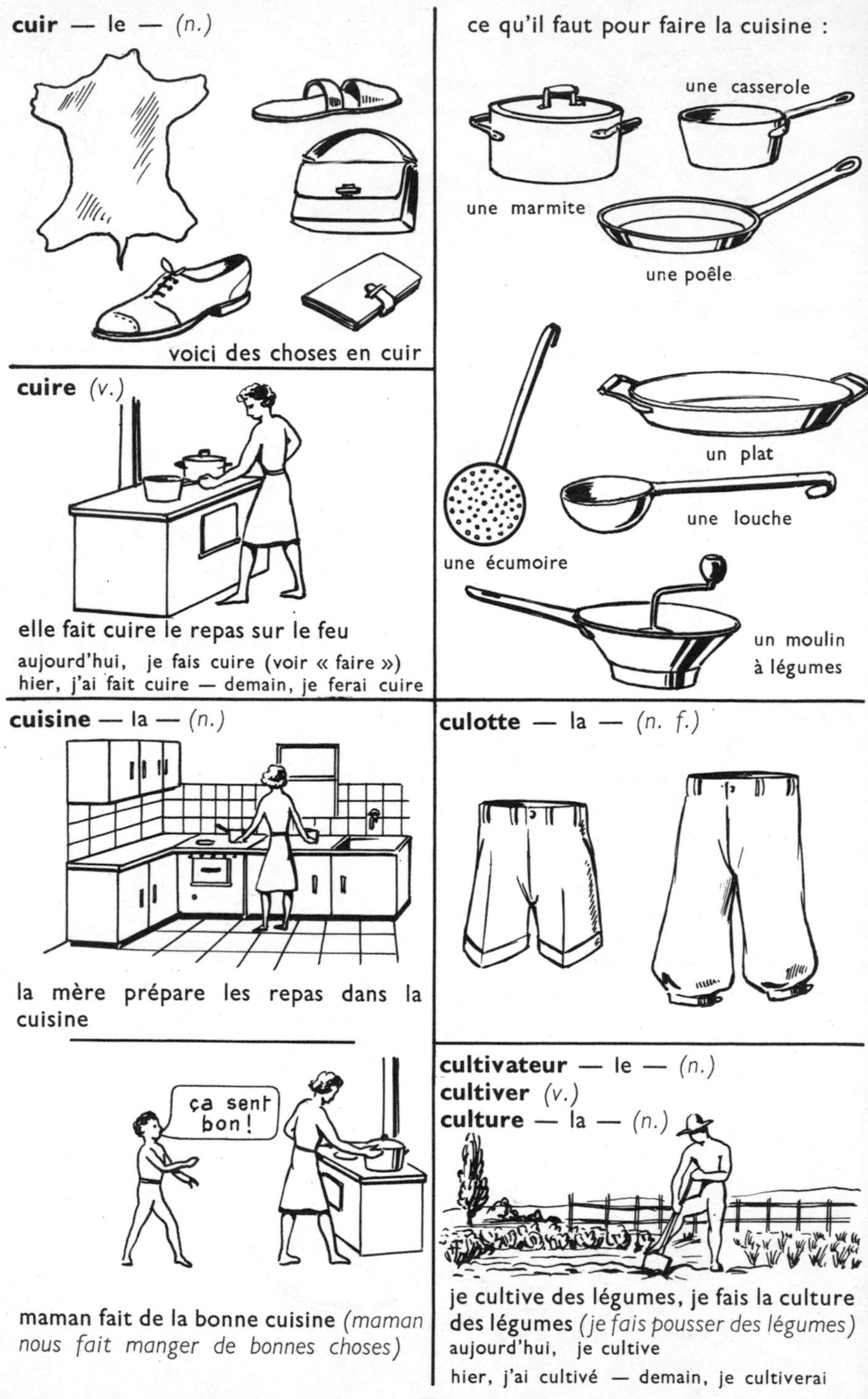

cuir — le — *(n.)*

voici des choses en cuir

cuire *(v.)*

elle fait cuire le repas sur le feu
aujourd'hui, je fais cuire (voir « faire »)
hier, j'ai fait cuire — demain, je ferai cuire

cuisine — la — *(n.)*

la mère prépare les repas dans la cuisine

maman fait de la bonne cuisine *(maman nous fait manger de bonnes choses)*

ce qu'il faut pour faire la cuisine :

culotte — la — *(n. f.)*

cultivateur — le — *(n.)*
cultiver *(v.)*
culture — la — *(n.)*

je cultive des légumes, je fais la culture des légumes *(je fais pousser des légumes)*
aujourd'hui, je cultive
hier, j'ai cultivé — demain, je cultiverai

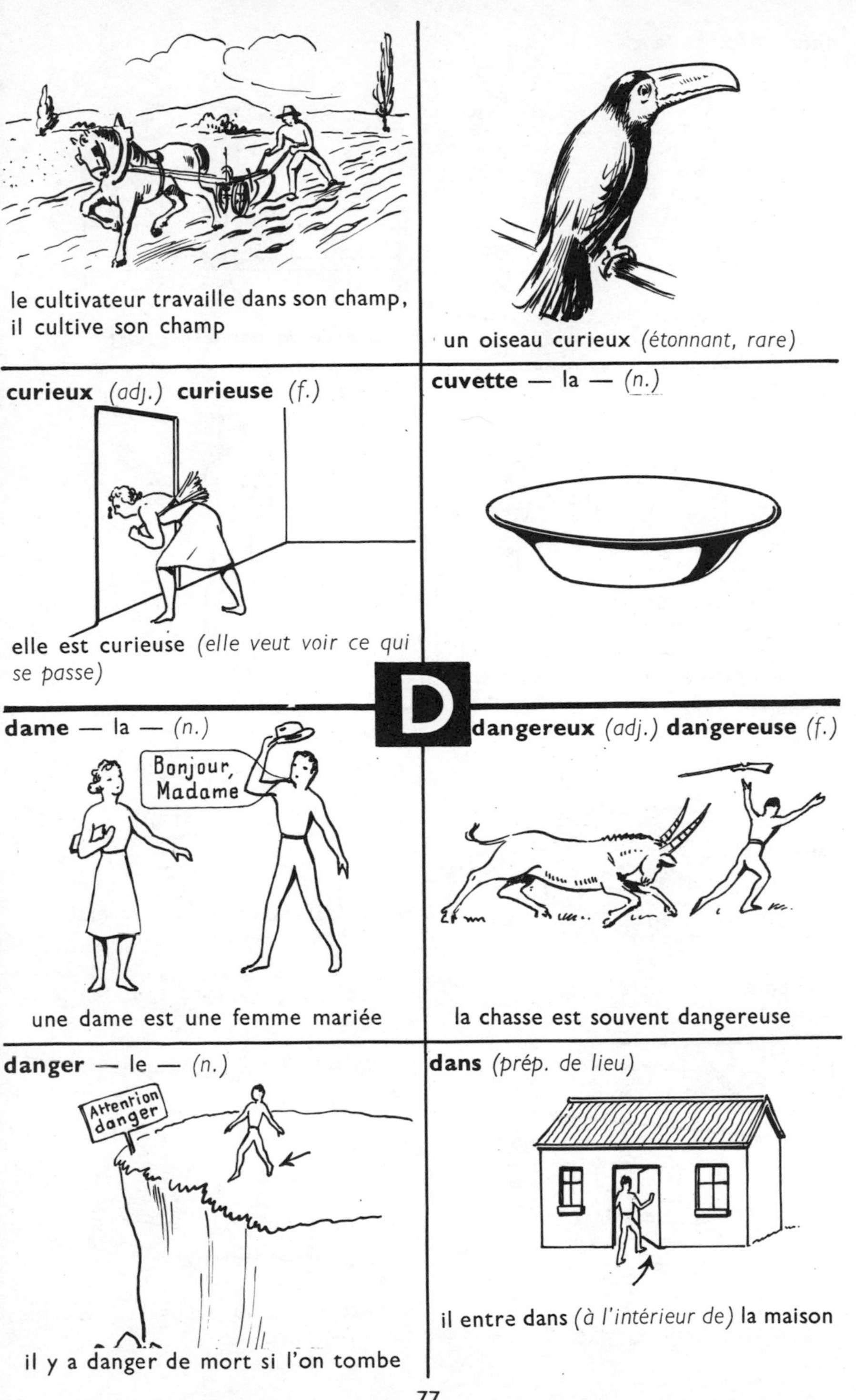

le cultivateur travaille dans son champ, il cultive son champ

un oiseau curieux *(étonnant, rare)*

curieux *(adj.)* **curieuse** *(f.)*

elle est curieuse *(elle veut voir ce qui se passe)*

cuvette — la — *(n.)*

D

dame — la — *(n.)*

une dame est une femme mariée

dangereux *(adj.)* **dangereuse** *(f.)*

la chasse est souvent dangereuse

danger — le — *(n.)*

il y a danger de mort si l'on tombe

dans *(prép. de lieu)*

il entre **dans** *(à l'intérieur de)* **la maison**

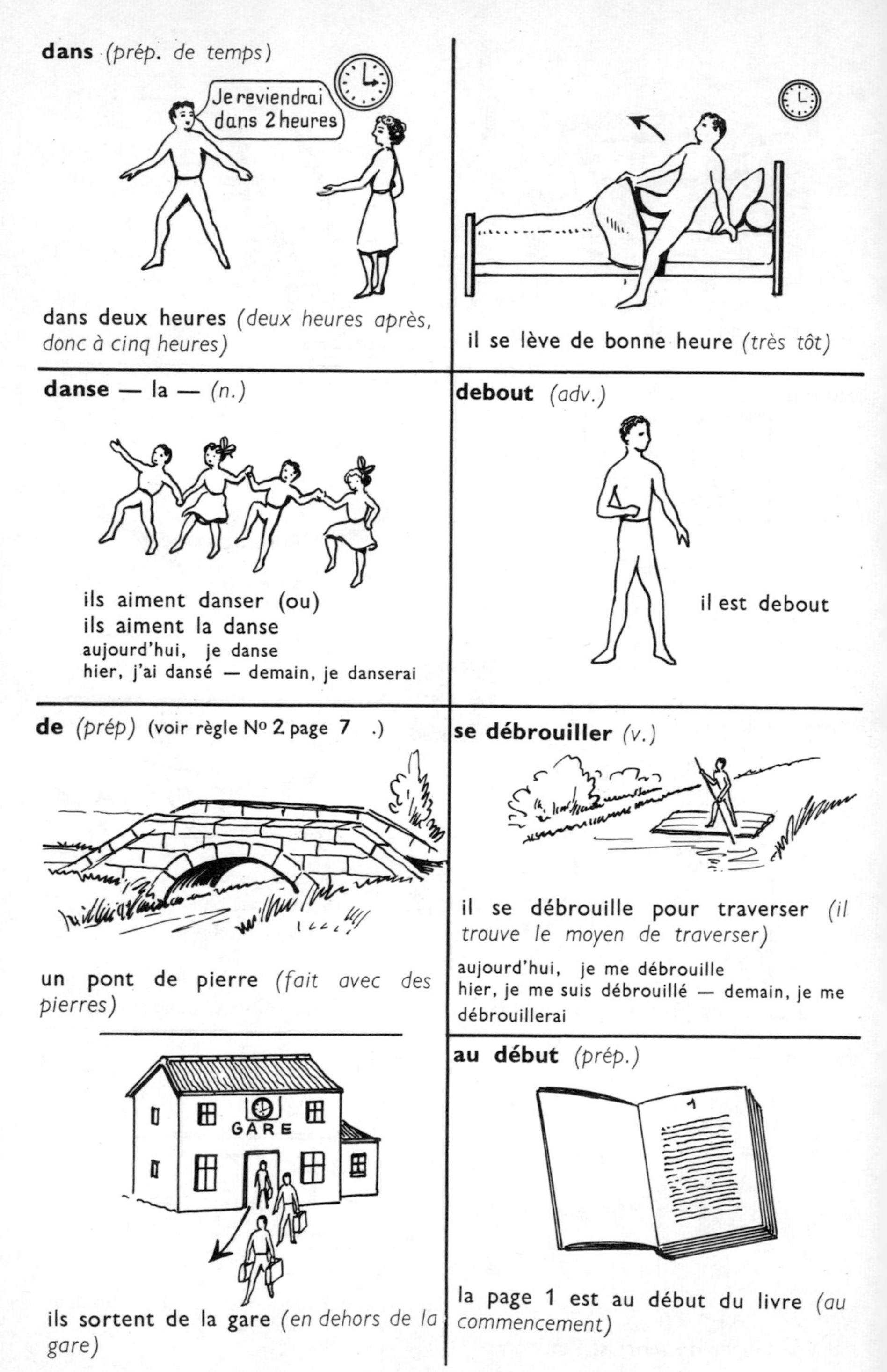

dans *(prép. de temps)*

dans deux heures *(deux heures après, donc à cinq heures)*

danse — la — *(n.)*

ils aiment danser (ou)
ils aiment la danse
aujourd'hui, je danse
hier, j'ai dansé — demain, je danserai

de *(prép)* (voir règle No 2 page 7 .)

un pont de pierre *(fait avec des pierres)*

ils sortent de la gare *(en dehors de la gare)*

il se lève de bonne heure *(très tôt)*

debout *(adv.)*

il est debout

se débrouiller *(v.)*

il se débrouille pour traverser *(il trouve le moyen de traverser)*
aujourd'hui, je me débrouille
hier, je me suis débrouillé — demain, je me débrouillerai

au début *(prép.)*

la page 1 est au début du livre *(au commencement)*

la page 250 est à la fin du livre

déchirer *(v.)*

il déchire le tissu
aujourd'hui, je déchire
hier, j'ai déchiré — demain, je déchirerai

décembre (le mois de) voir « **année** »

le 25 décembre, c'est Noël

décider *(v.)*

l'âne n'est pas décidé à avancer *(il ne veut pas avancer)*

aujourd'hui,	je décide,	je suis décidé
hier,	j'ai décidé,	j'étais décidé
demain,	je déciderai,	je serai décidé

décharger *(v.)*

il décharge la voiture *(il met le bois par terre)*

il charge la voiture *(il met le bois dans la voiture)*

aujourd'hui, je décharge (voir « charger »)
hier, j'ai déchargé — demain, je déchargerai

décorer *(v.)*

c'est la fête, nous décorons la pièce

le chef décore le soldat
aujourd'hui, je décore
hier, j'ai décoré — demain, je décorerai

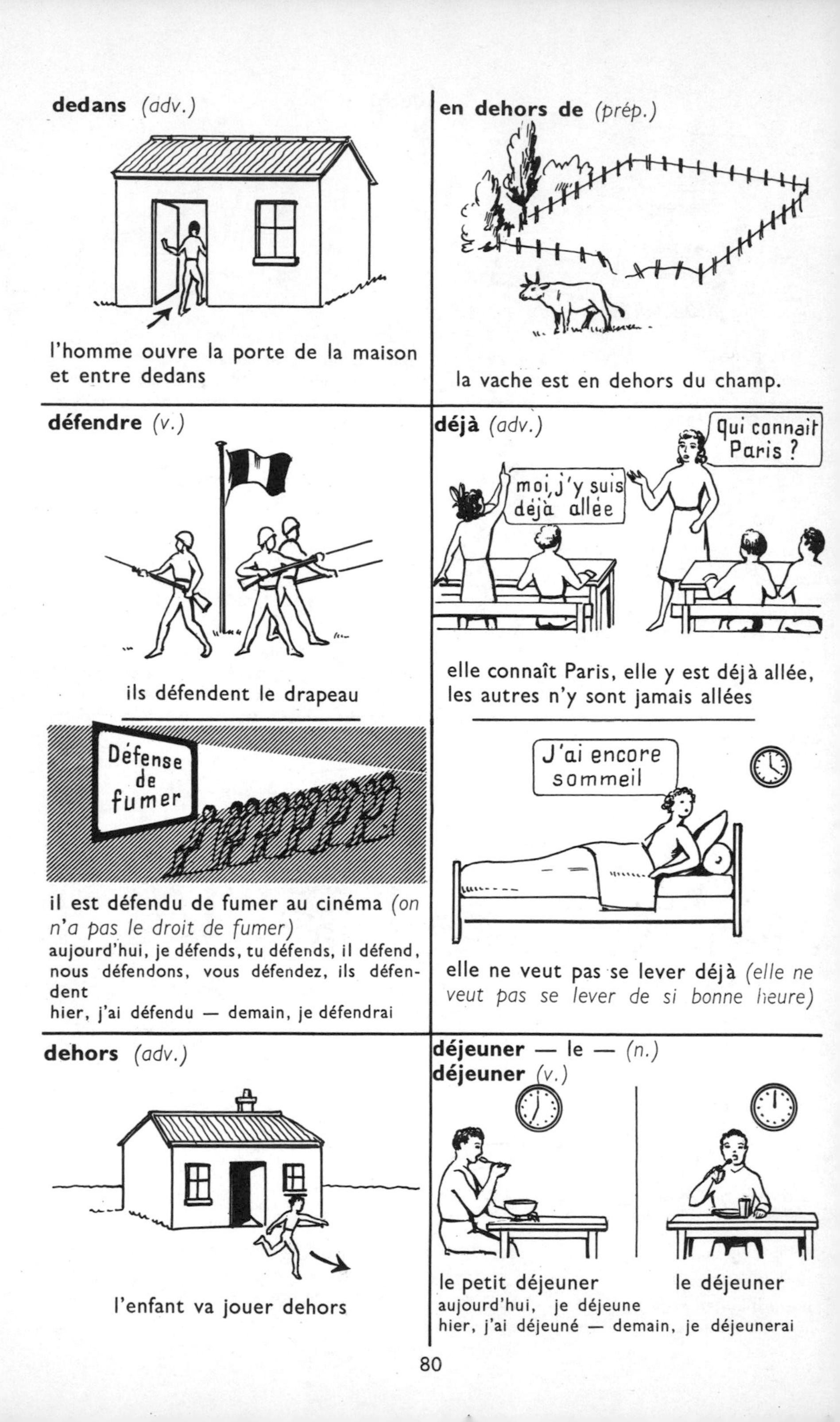

dedans *(adv.)*

l'homme ouvre la porte de la maison et entre dedans

défendre *(v.)*

ils défendent le drapeau

il est défendu de fumer au cinéma *(on n'a pas le droit de fumer)*
aujourd'hui, je défends, tu défends, il défend, nous défendons, vous défendez, ils défendent
hier, j'ai défendu — demain, je défendrai

dehors *(adv.)*

l'enfant va jouer dehors

en dehors de *(prép.)*

la vache est en dehors du champ.

déjà *(adv.)*

elle connaît Paris, elle y est déjà allée, les autres n'y sont jamais allées

elle ne veut pas se lever déjà *(elle ne veut pas se lever de si bonne heure)*

déjeuner — le — *(n.)*
déjeuner *(v.)*

le petit déjeuner — le déjeuner
aujourd'hui, je déjeune
hier, j'ai déjeuné — demain, je déjeunerai

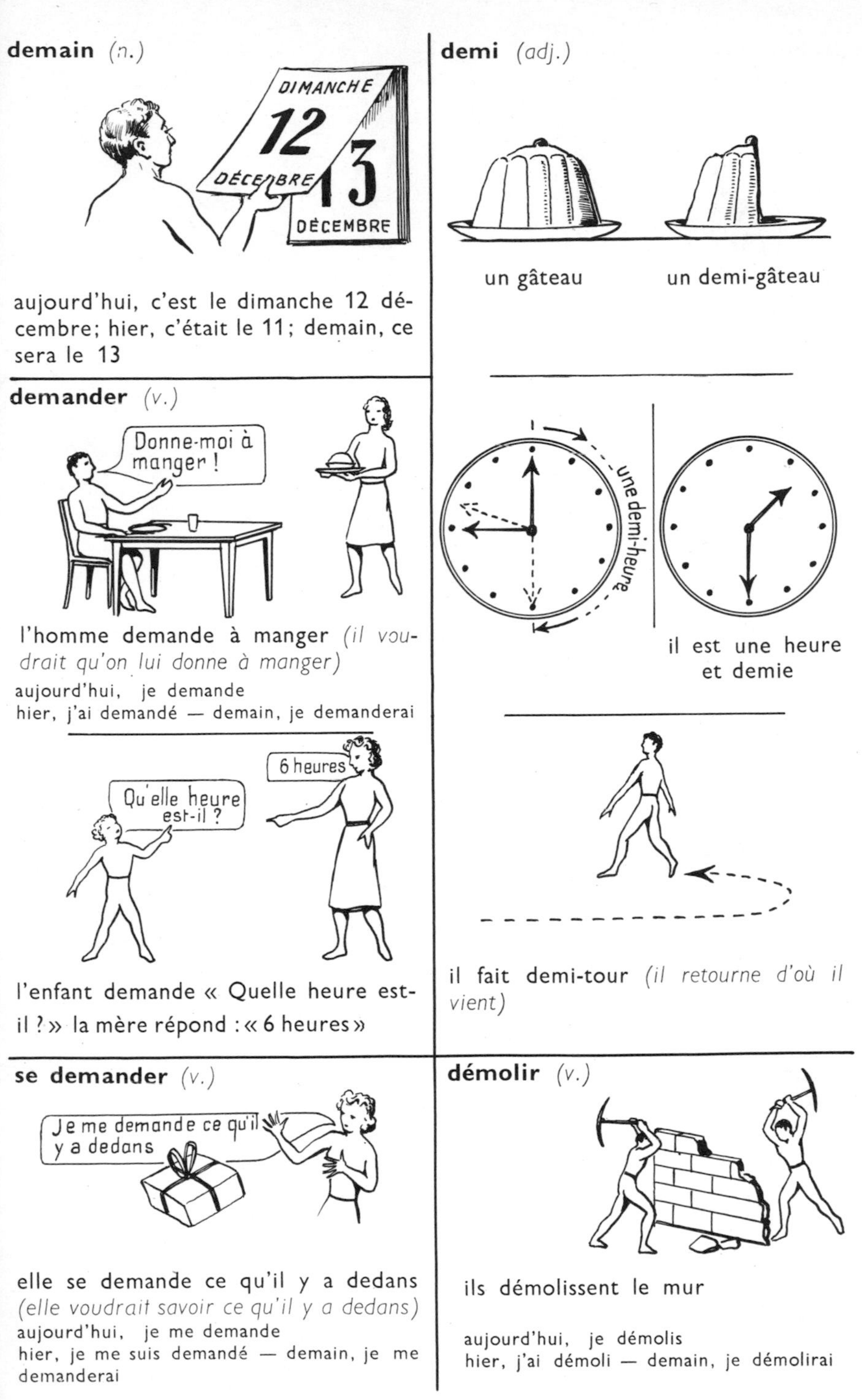

demain *(n.)*

aujourd'hui, c'est le dimanche 12 décembre; hier, c'était le 11; demain, ce sera le 13

demander *(v.)*

l'homme demande à manger *(il voudrait qu'on lui donne à manger)*

aujourd'hui, je demande
hier, j'ai demandé — demain, je demanderai

l'enfant demande « Quelle heure est-il ? » la mère répond : « 6 heures »

se demander *(v.)*

elle se demande ce qu'il y a dedans *(elle voudrait savoir ce qu'il y a dedans)*

aujourd'hui, je me demande
hier, je me suis demandé — demain, je me demanderai

demi *(adj.)*

un gâteau — un demi-gâteau

il est une heure et demie

il fait demi-tour *(il retourne d'où il vient)*

démolir *(v.)*

ils démolissent le mur

aujourd'hui, je démolis
hier, j'ai démoli — demain, je démolirai

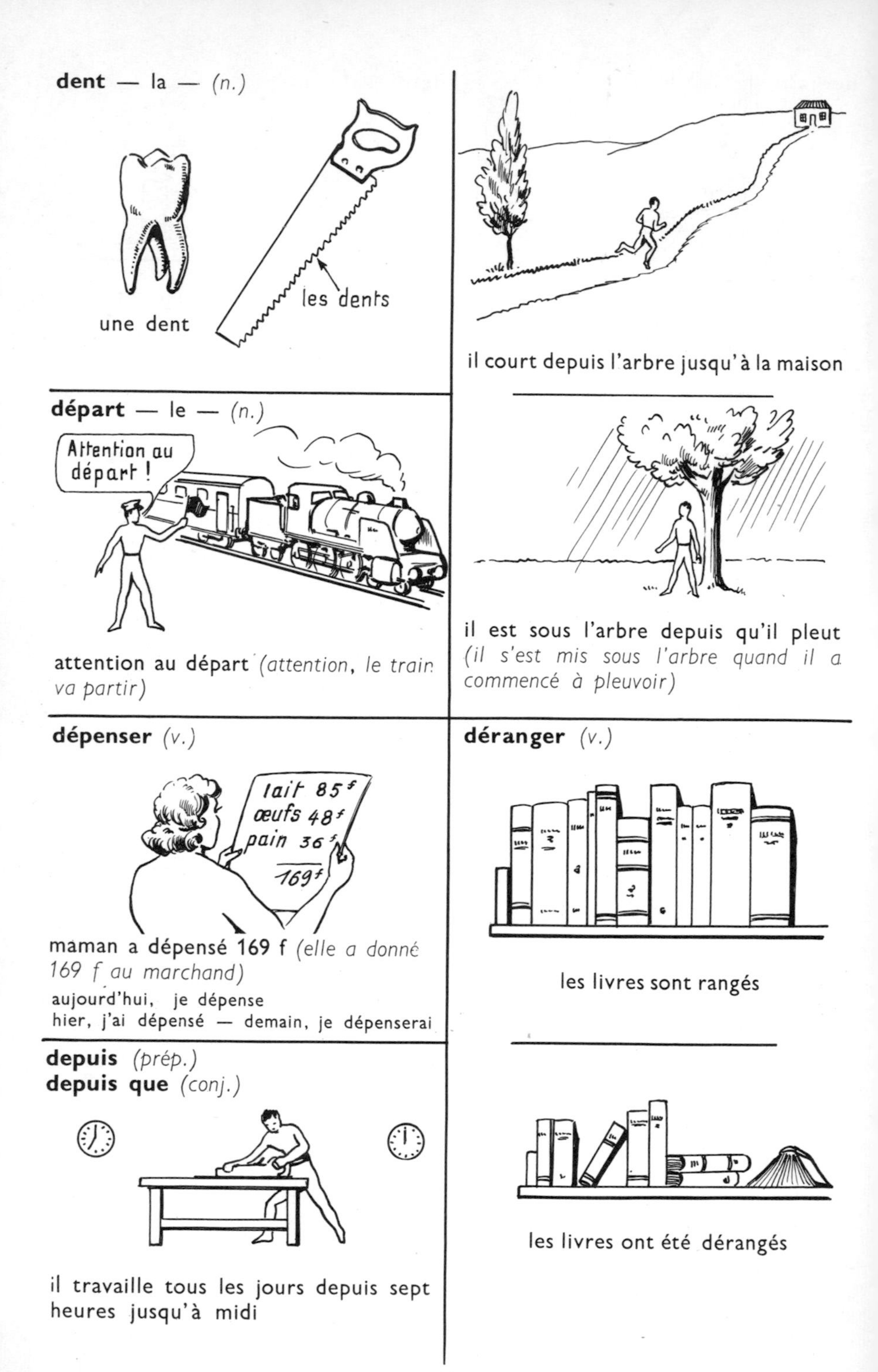

dent — la — *(n.)*

une dent

départ — le — *(n.)*

attention au départ *(attention, le train va partir)*

dépenser *(v.)*

maman a **dépensé** 169 f *(elle a donné 169 f au marchand)*

aujourd'hui, je dépense
hier, j'ai dépensé — demain, je dépenserai

depuis *(prép.)*
depuis que *(conj.)*

il travaille tous les jours depuis sept heures jusqu'à midi

il court depuis l'arbre jusqu'à la maison

il est sous l'arbre depuis qu'il pleut *(il s'est mis sous l'arbre quand il a commencé à pleuvoir)*

déranger *(v.)*

les livres sont rangés

les livres ont été dérangés

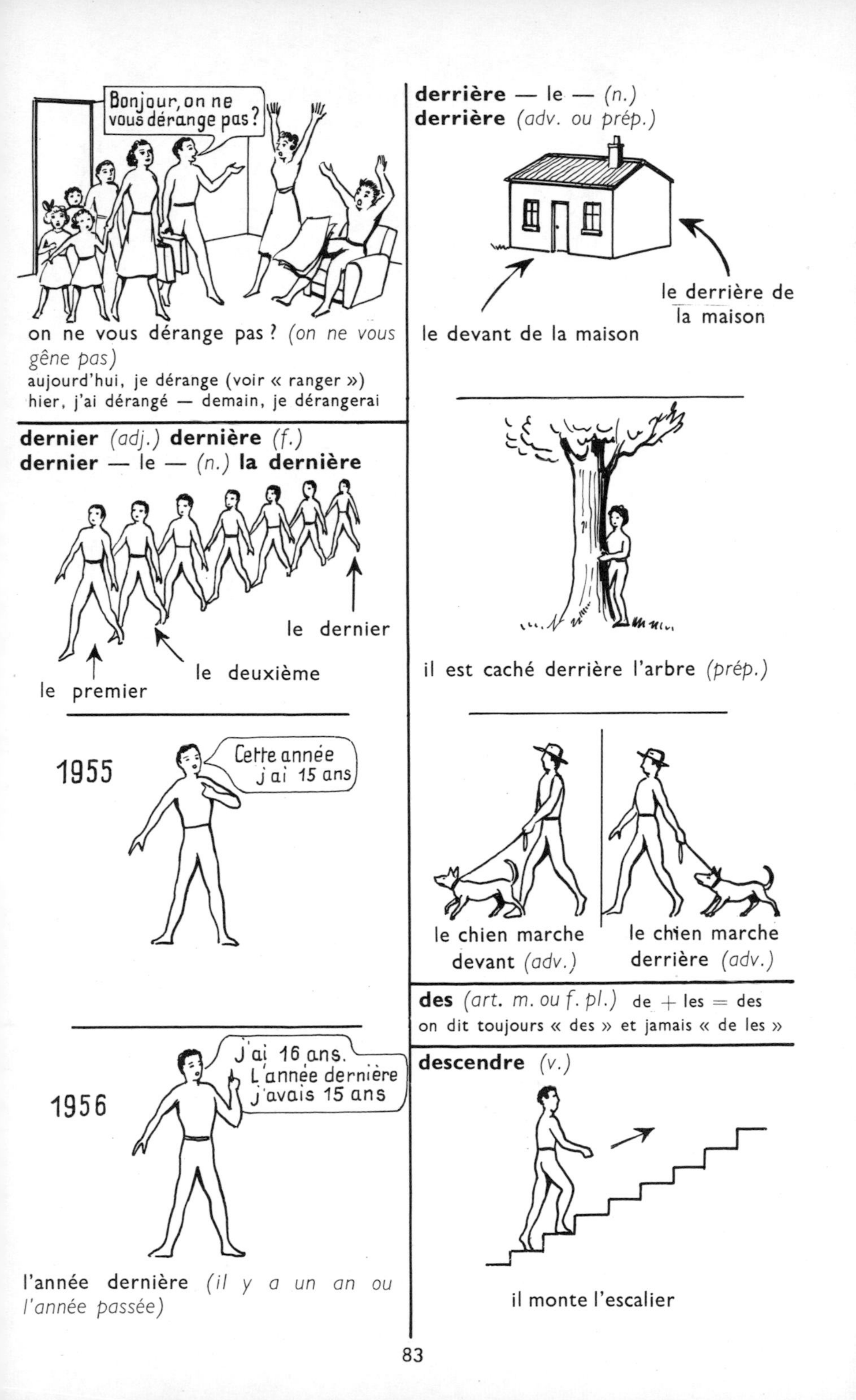

on ne vous dérange pas ? *(on ne vous gêne pas)*
aujourd'hui, je dérange (voir « ranger »)
hier, j'ai dérangé — demain, je dérangerai

dernier *(adj.)* **dernière** *(f.)*
dernier — le — *(n.)* **la dernière**

l'année dernière *(il y a un an ou l'année passée)*

derrière — le — *(n.)*
derrière *(adv. ou prép.)*

il est caché derrière l'arbre *(prép.)*

le chien marche devant *(adv.)*

le chien marche derrière *(adv.)*

des *(art. m. ou f. pl.)* de + les = des
on dit toujours « des » et jamais « de les »

descendre *(v.)*

il monte l'escalier

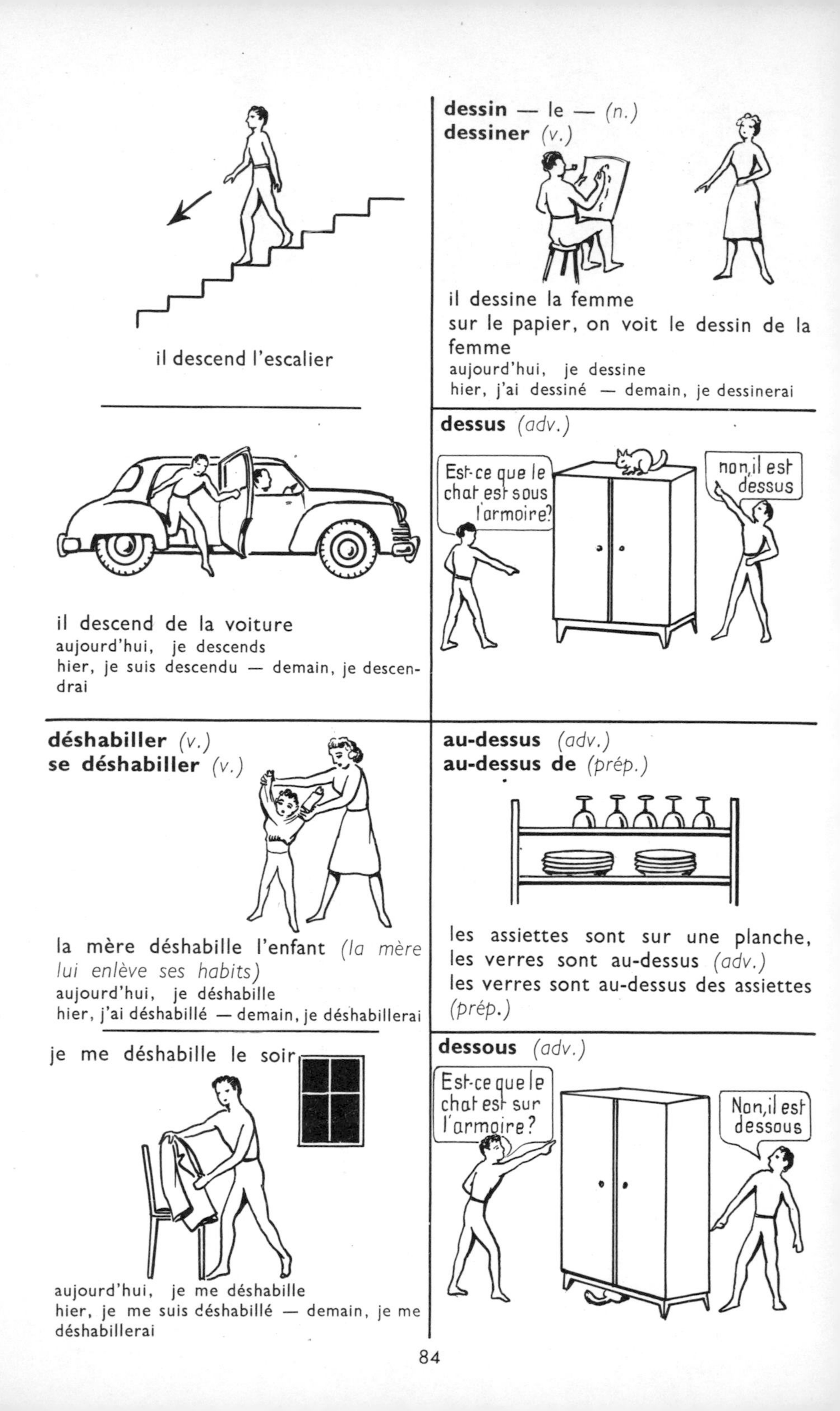

il descend l'escalier

il descend de la voiture
aujourd'hui, je descends
hier, je suis descendu — demain, je descendrai

déshabiller *(v.)*
se déshabiller *(v.)*

la mère déshabille l'enfant *(la mère lui enlève ses habits)*
aujourd'hui, je déshabille
hier, j'ai déshabillé — demain, je déshabillerai

je me déshabille le soir

aujourd'hui, je me déshabille
hier, je me suis déshabillé — demain, je me déshabillerai

dessin — le — *(n.)*
dessiner *(v.)*

il dessine la femme
sur le papier, on voit le dessin de la femme
aujourd'hui, je dessine
hier, j'ai dessiné — demain, je dessinerai

dessus *(adv.)*

au-dessus *(adv.)*
au-dessus de *(prép.)*

les assiettes sont sur une planche, les verres sont au-dessus *(adv.)*
les verres sont au-dessus des assiettes *(prép.)*

dessous *(adv.)*

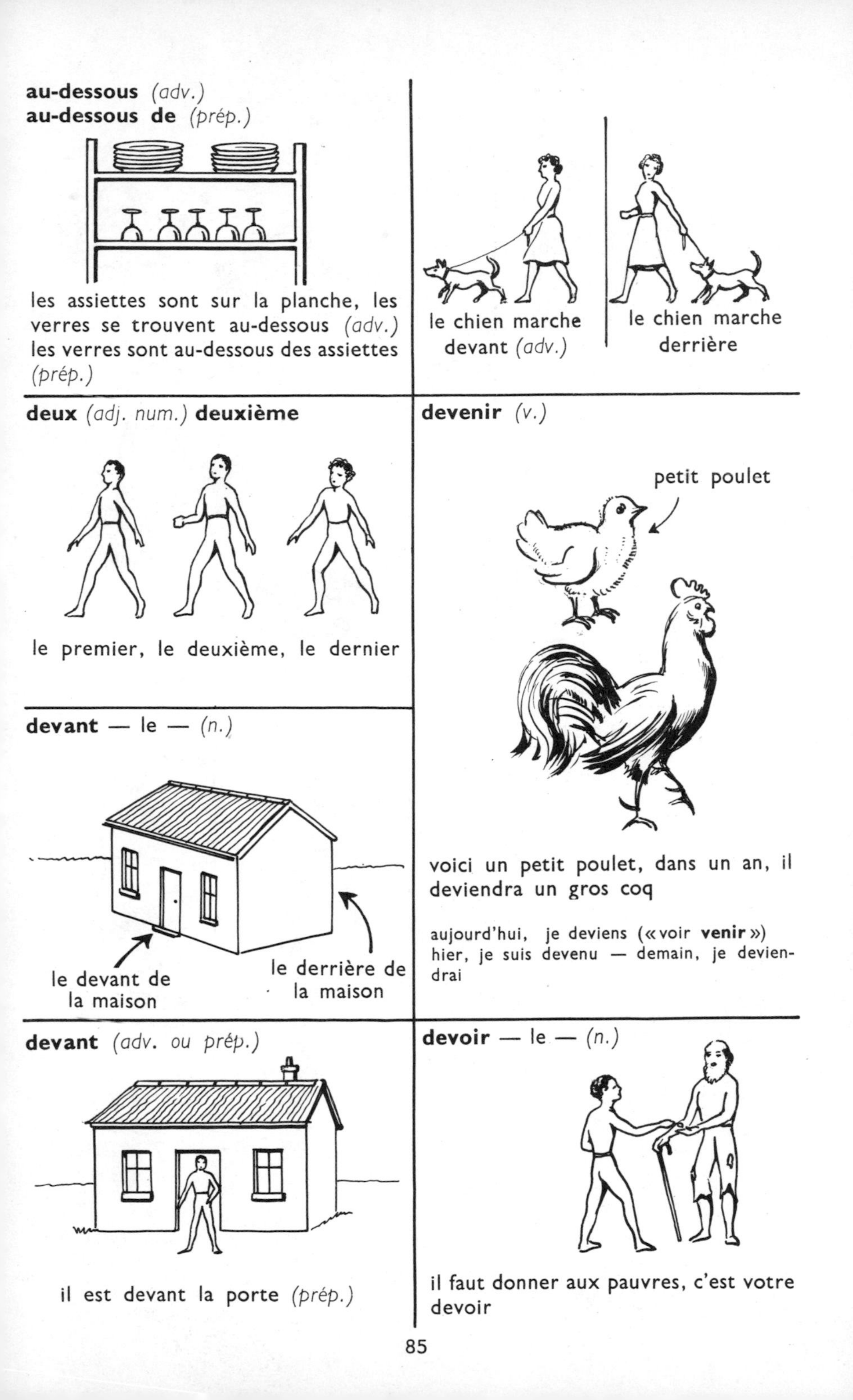

au-dessous *(adv.)*
au-dessous de *(prép.)*

les assiettes sont sur la planche, les verres se trouvent au-dessous *(adv.)* les verres sont au-dessous des assiettes *(prép.)*

le chien marche devant *(adv.)*

le chien marche derrière

deux *(adj. num.)* **deuxième**

le premier, le deuxième, le dernier

devenir *(v.)*

voici un petit poulet, dans un an, il deviendra un gros coq

aujourd'hui, je deviens («voir **venir**»)
hier, je suis devenu — demain, je deviendrai

devant — le — *(n.)*

devant *(adv. ou prép.)*

il est devant la porte *(prép.)*

devoir — le — *(n.)*

il faut donner aux pauvres, c'est votre devoir

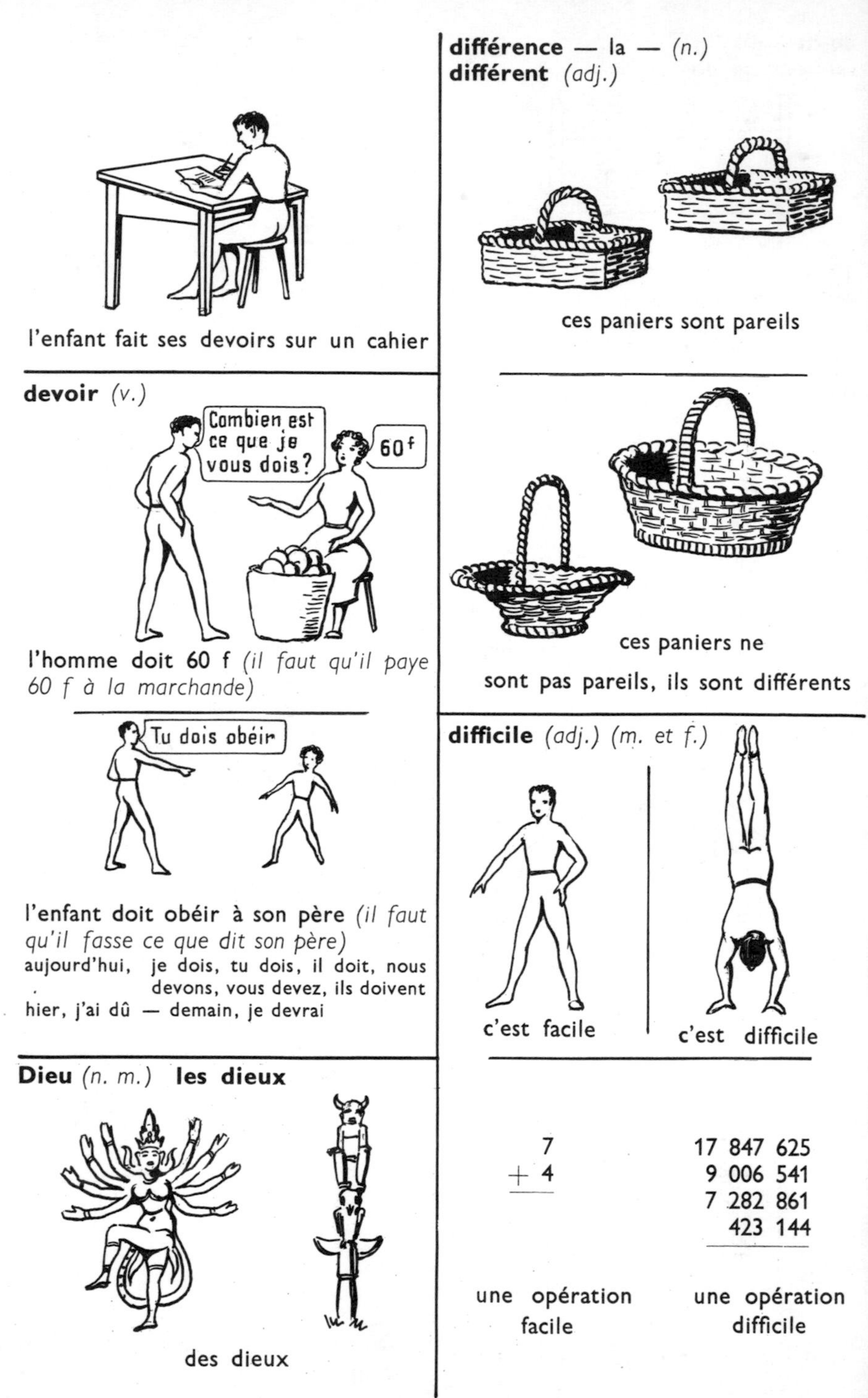

l'enfant fait ses devoirs sur un cahier

devoir *(v.)*

l'homme doit 60 f *(il faut qu'il paye 60 f à la marchande)*

l'enfant doit obéir à son père *(il faut qu'il fasse ce que dit son père)*
aujourd'hui, je dois, tu dois, il doit, nous devons, vous devez, ils doivent
hier, j'ai dû — demain, je devrai

Dieu *(n. m.)* **les dieux**

des dieux

différence — la — *(n.)*
différent *(adj.)*

ces paniers sont pareils

ces paniers ne sont pas pareils, ils sont différents

difficile *(adj.) (m. et f.)*

c'est facile

c'est difficile

7
+ 4

une opération facile

17 847 625
9 006 541
7 282 861
423 144

une opération difficile

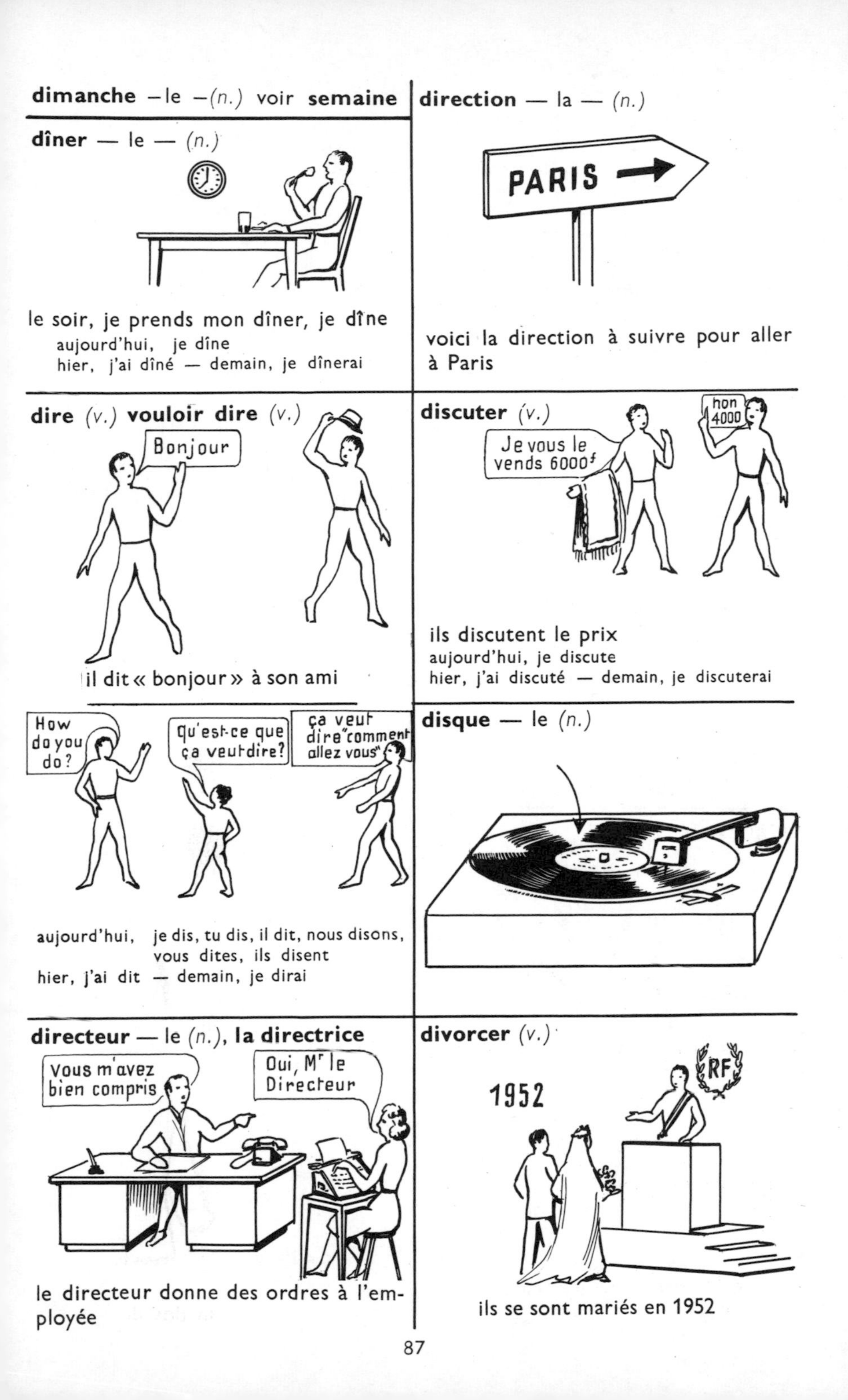

dimanche — le — *(n.)* voir **semaine**

dîner — le — *(n.)*

le soir, je prends mon dîner, je dîne
aujourd'hui, je dîne
hier, j'ai dîné — demain, je dînerai

dire *(v.)* **vouloir dire** *(v.)*

il dit « bonjour » à son ami

aujourd'hui, je dis, tu dis, il dit, nous disons, vous dites, ils disent
hier, j'ai dit — demain, je dirai

directeur — le *(n.)*, **la directrice**

le directeur donne des ordres à l'employée

direction — la — *(n.)*

voici la direction à suivre pour aller à Paris

discuter *(v.)*

ils discutent le prix
aujourd'hui, je discute
hier, j'ai discuté — demain, je discuterai

disque — le *(n.)*

divorcer *(v.)*

ils se sont mariés en 1952

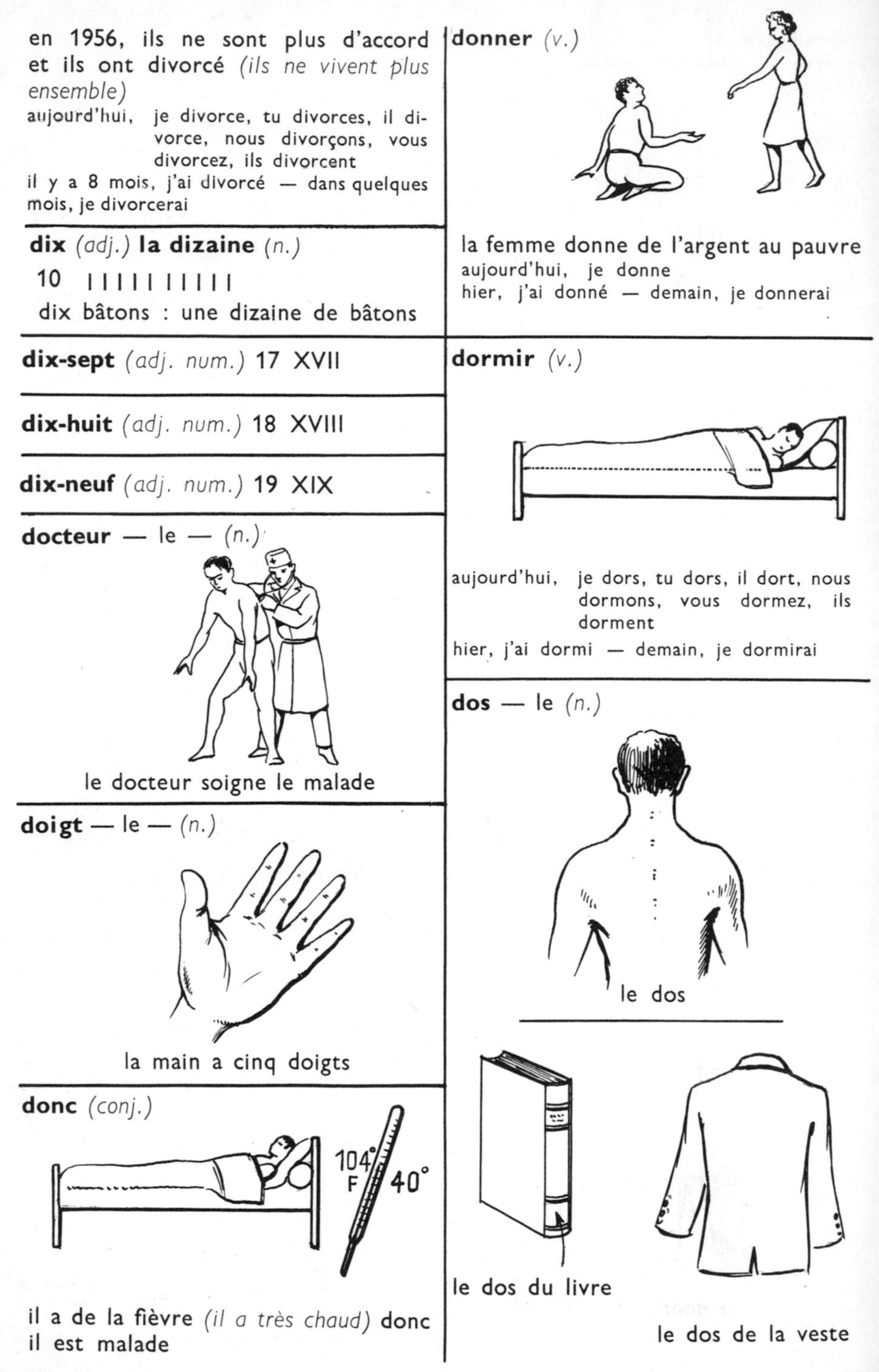

en 1956, ils ne sont plus d'accord et ils ont divorcé *(ils ne vivent plus ensemble)*
aujourd'hui, je divorce, tu divorces, il divorce, nous divorçons, vous divorcez, ils divorcent
il y a 8 mois, j'ai divorcé — dans quelques mois, je divorcerai

dix *(adj.)* **la dizaine** *(n.)*
10 I I I I I I I I I I
dix bâtons : une dizaine de bâtons

dix-sept *(adj. num.)* 17 XVII

dix-huit *(adj. num.)* 18 XVIII

dix-neuf *(adj. num.)* 19 XIX

docteur — le — *(n.)*

le docteur soigne le malade

doigt — le — *(n.)*

la main a cinq doigts

donc *(conj.)*

il a de la fièvre *(il a très chaud)* **donc** il est malade

donner *(v.)*

la femme donne de l'argent au pauvre
aujourd'hui, je donne
hier, j'ai donné — demain, je donnerai

dormir *(v.)*

aujourd'hui, je dors, tu dors, il dort, nous dormons, vous dormez, ils dorment
hier, j'ai dormi — demain, je dormirai

dos — le *(n.)*

le dos

le dos du livre

le dos de la veste

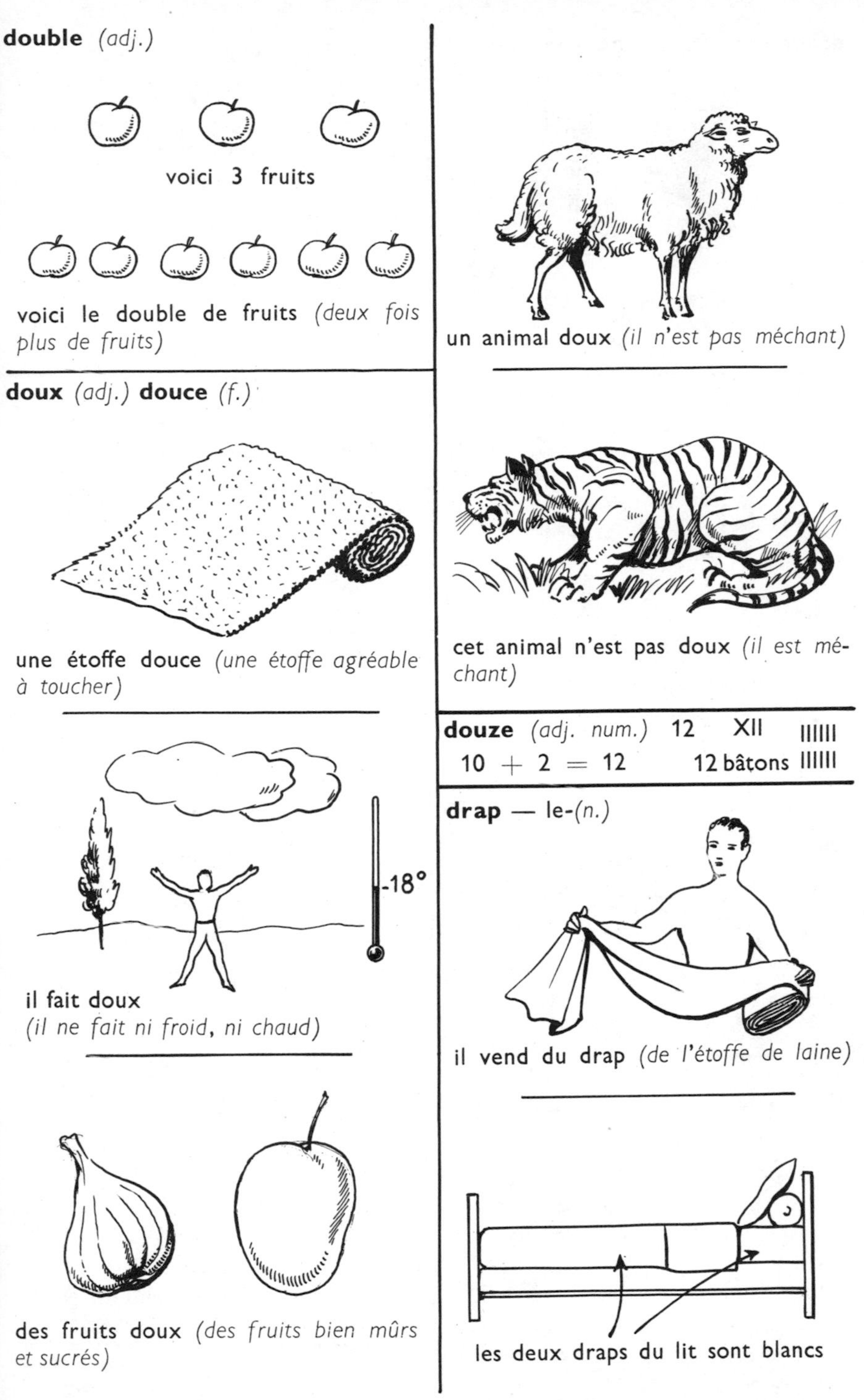

double *(adj.)*

voici 3 fruits

voici le double de fruits *(deux fois plus de fruits)*

doux *(adj.)* **douce** *(f.)*

une étoffe douce *(une étoffe agréable à toucher)*

il fait doux
(il ne fait ni froid, ni chaud)

des fruits doux *(des fruits bien mûrs et sucrés)*

un animal doux *(il n'est pas méchant)*

cet animal n'est pas doux *(il est méchant)*

douze *(adj. num.)* 12 XII ||||||
10 + 2 = 12 12 bâtons ||||||

drap — le-*(n.)*

il vend du drap *(de l'étoffe de laine)*

les deux draps du lit sont blancs

drapeau — le-*(n.)* **les drapeaux**

droit *(adj.)*

cette route est droite

cette route n'est pas droite

cet arbre est droit

cet arbre est penché

voici la main droite

et le pied droit de l'homme

droite — la — *(n.)*
à droite *(adv.)*
à droite de *(prép.)*

le garçon marche à droite de sa mère *(prép.)*, il est à la droite de sa mère *(n.)* la fille marche à gauche de sa mère *(prép.)*

drôle *(adj.)* *(m. et f.)*

il est drôle *(amusant)*

il pleut et on voit le soleil en même temps, c'est drôle *(c'est étonnant)*

du *(art. m. sing.)* (voir règle No 4 page **7**)

dur *(adj.)*

il est bien, le sable est mou

il est mal, les pierres sont dures

c'est un travail dur *(fatigant)*
il travaille dur *(adv.) (il travaille beaucoup)*

un homme dur
(qui ne pardonne rien)

E

eau — une-*(n.)* **les eaux**

voici de l'eau

éclair — un — *(n.)*

échelle — une — *(n.)*

éclairer *(v.)*

la lampe éclaire la pièce
aujourd'hui, j'éclaire
hier, j'ai éclairé — demain, j'éclairerai

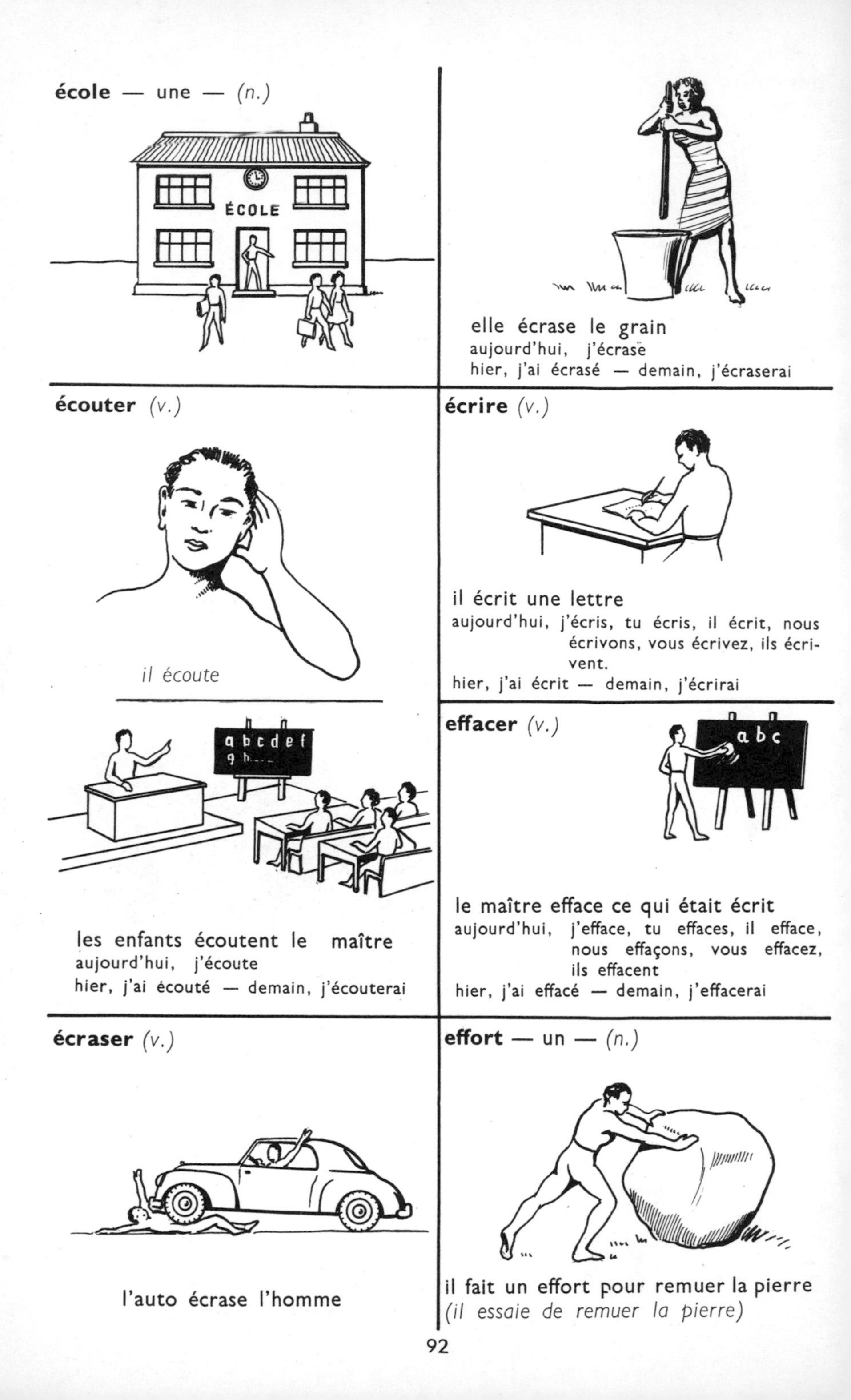

école — une — *(n.)*

elle écrase le grain
aujourd'hui, j'écrase
hier, j'ai écrasé — demain, j'écraserai

écouter *(v.)*

il écoute

les enfants écoutent le maître
aujourd'hui, j'écoute
hier, j'ai écouté — demain, j'écouterai

écrire *(v.)*

il écrit une lettre
aujourd'hui, j'écris, tu écris, il écrit, nous écrivons, vous écrivez, ils écrivent.
hier, j'ai écrit — demain, j'écrirai

effacer *(v.)*

le maître efface ce qui était écrit
aujourd'hui, j'efface, tu effaces, il efface, nous effaçons, vous effacez, ils effacent
hier, j'ai effacé — demain, j'effacerai

écraser *(v.)*

l'auto écrase l'homme

effort — un — *(n.)*

il fait un effort pour remuer la pierre
(il essaie de remuer la pierre)

électricité — l' — *(n. f.)*

voici une lampe électrique, c'est l'électricité qui la fait marcher

une prise électrique

un fil électrique

élève — un — *(n.)*

les élèves travaillent en classe

élever *(v.)*

la mère élève ses enfants *(elle les nourrit, les habille)*

la femme élève des poulets
aujourd'hui, j'élève (voir « lever »)
hier, j'ai élevé — demain, j'élèverai

s'élever *(v.)*

l'avion s'élève dans le ciel *(l'avion monte dans le ciel)*
aujourd'hui, il s'élève
hier, il s'est élevé — demain, il s'élèvera

elle — *(pr. pers.)* (3e pers. f. sing.)
elles *(pr. pers.)* (3e pers. f. pl.)

sujet

sujet

à elle — à elles *(poss.)*

embrasser *(v.)*

elle embrasse l'enfant
aujourd'hui, j'embrasse
hier, j'ai embrassé — demain, j'embrasserai

emmener *(v.)*

la mère emmène l'enfant à la maison *(la mère conduit l'enfant à la maison)*
aujourd'hui, j'emmène (voir « amener »)
hier, j'ai emmené — demain, j'emmènerai

empêcher *(v.)*

il empêche l'enfant de toucher au feu
aujourd'hui, j'empêche

hier, j'ai empêché — demain, j'empêcherai

employé — un — *(n.)*

cet homme est un employé de bureau *(il travaille dans un bureau)*

employer *(v.)*

il emploie *(il se sert d')* un couteau pour couper la viande
aujourd'hui, j'emploie, tu emploies, il emploie, nous employons, vous employez, ils emploient
hier, j'ai employé — demain, j'emploierai

emporter *(v.)*

elle emporte les plats
aujourd'hui, j'emporte
hier, j'ai emporté — demain, j'emporterai.

une table en bois *(une table faite avec du bois)*

en *(adv. de lieu)*

j'en viens *(je viens du village)*

encore *(adv.)*

il est encore couché *(mais il va se lever)*

en *(pr.)*

j'en ai trois *(j'ai trois enfants)*

donne-m'en encore *(une autre fois, plus)*

en *(prép.)*

en été, il fait chaud *(pendant l'été, il fait chaud)*

s'endormir *(v.)*

il s'endort *(il commence à dormir)*
aujourd'hui, je m'endors (voir «dormir»)
hier, je me suis endormi — demain, je m'endormirai

endroit — un-*(n.)*

il va d'un endroit à un autre
(il va de l'arbre à la maison)

enlever *(v.)*

il enlève son chapeau
aujourd'hui, j'enlève (voir « lever »)
hier, j'ai enlevé — demain, j'enlèverai

enfant — un ou une — *(n.)*

ce sont des enfants c'est une grande personne

M. et Mme Dupont ont deux enfants
un fils et une fille

ennemi — un — *(n.)*

ils sont ennemis *(ils sont en guerre, ils se battent)*

ensemble *(adv.)*

ils sont ensemble

ils ne sont pas ensemble

enfin *(adv.)*

¡enfin, j'ai fini, je peux aller jouer

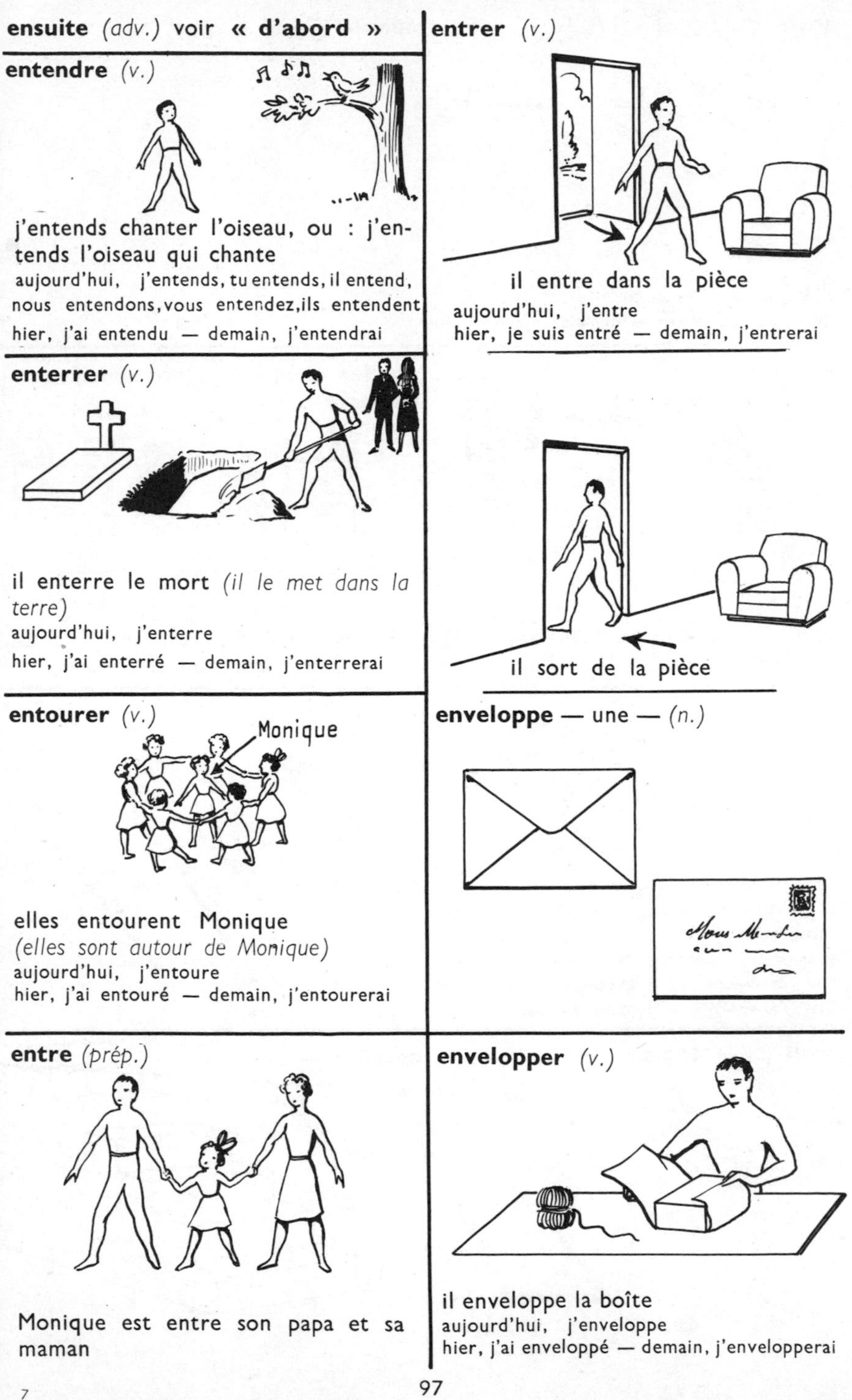

ensuite *(adv.)* voir « **d'abord** »

entendre *(v.)*

j'entends chanter l'oiseau, ou : j'entends l'oiseau qui chante
aujourd'hui, j'entends, tu entends, il entend, nous entendons, vous entendez, ils entendent
hier, j'ai entendu — demain, j'entendrai

enterrer *(v.)*

il enterre le mort *(il le met dans la terre)*
aujourd'hui, j'enterre
hier, j'ai enterré — demain, j'enterrerai

entourer *(v.)*

elles entourent Monique
(elles sont autour de Monique)
aujourd'hui, j'entoure
hier, j'ai entouré — demain, j'entourerai

entre *(prép.)*

Monique est entre son papa et sa maman

entrer *(v.)*

il entre dans la pièce
aujourd'hui, j'entre
hier, je suis entré — demain, j'entrerai

il sort de la pièce

enveloppe — une — *(n.)*

envelopper *(v.)*

il enveloppe la boîte
aujourd'hui, j'enveloppe
hier, j'ai enveloppé — demain, j'envelopperai

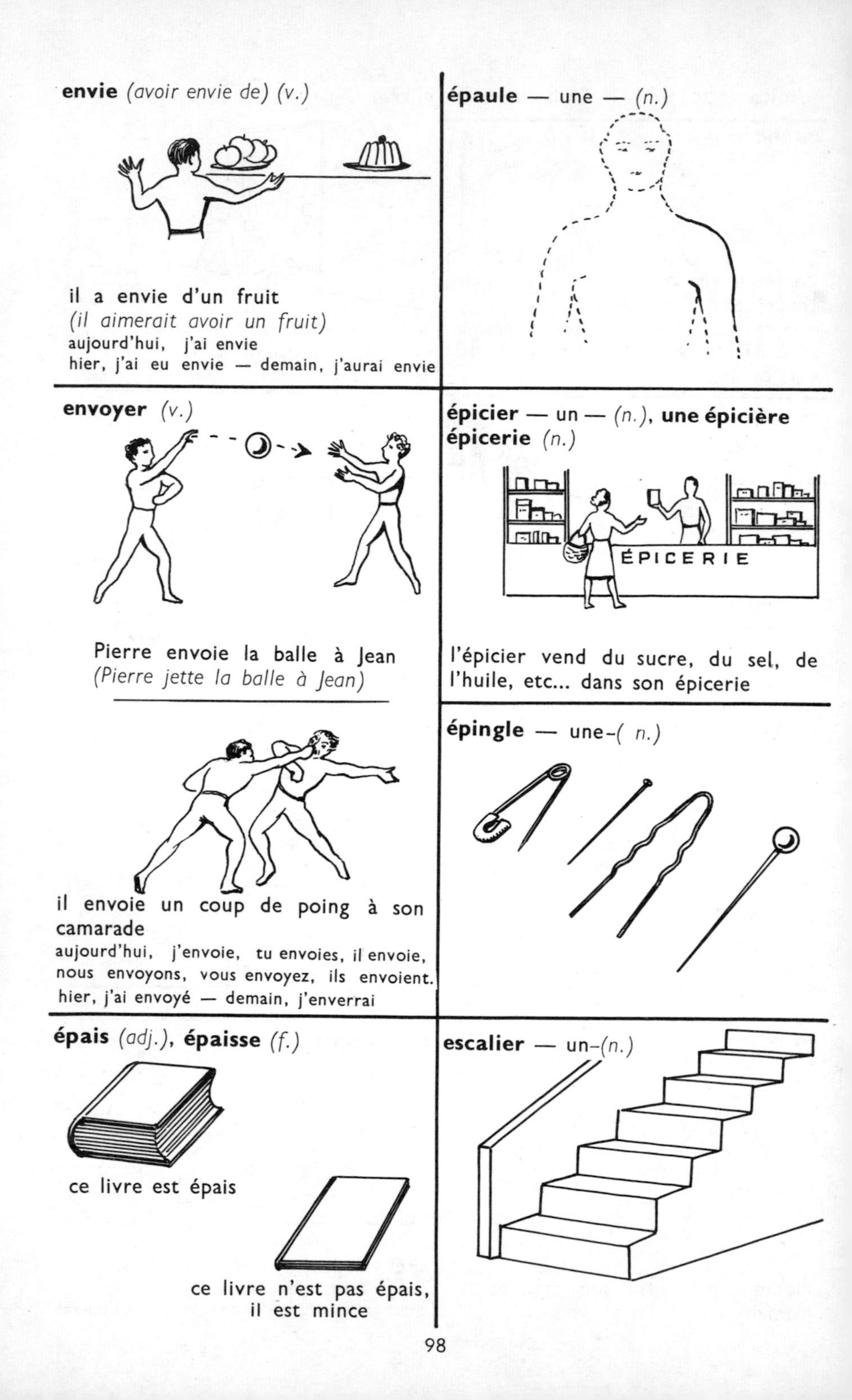

envie *(avoir envie de) (v.)*

il a envie d'un fruit
(il aimerait avoir un fruit)
aujourd'hui, j'ai envie
hier, j'ai eu envie — demain, j'aurai envie

envoyer *(v.)*

Pierre envoie la balle à Jean
(Pierre jette la balle à Jean)

il envoie un coup de poing à son camarade
aujourd'hui, j'envoie, tu envoies, il envoie, nous envoyons, vous envoyez, ils envoient.
hier, j'ai envoyé — demain, j'enverrai

épais *(adj.)*, **épaisse** *(f.)*

ce livre est épais

ce livre n'est pas épais,
il est mince

épaule — une — *(n.)*

épicier — un — *(n.)*, **une épicière**
épicerie *(n.)*

l'épicier vend du sucre, du sel, de l'huile, etc... dans son épicerie

épingle — une-*(n.)*

escalier — un-*(n.)*

espérer *(v.)*

j'espère que vous serez guéri demain *(mais ce n'est pas sûr)*
aujourd'hui, j'espère, tu espères, il espère, nous espérons, vous espérez, ils espèrent.
hier, j'ai espéré — demain, j'espérerai

essayer *(v.)*

il essaye d'attraper la branche
aujourd'hui, j'essaye
hier, j'ai essayé — demain, j'essayerai

il essaye un pantalon

essence — l' — *(n. f.)*

il faut mettre de l'essence dans la voiture pour la faire marcher.

essuyer *(v.)*
s'essuyer *(v.)*

elle essuie les meubles
aujourd'hui, j'essuie, tu essuies, il essuie, nous essuyons, vous essuyez, ils essuient.
hier, j'ai essuyé — demain, j'essuierai

est l' — *(n.)* le soleil se lève à l'est

est-ce que sert à poser des questions :

est-ce que tu vas aux champs ? *(vas-tu aux champs ?)*

et *(conj.)*

il veut les deux

il aura une chose seulement

il n'aura rien

étage — un — *(n.)*

Monique est au troisième étage

été — un — *(n.)*

c'est l'été,
il fait chaud

c'est l'hiver,
il fait froid.

éteindre *(v.)*

il a éteint la lumière

aujourd'hui, j'éteins, tu éteins, il éteint, nous éteignons, vous éteignez, ils éteignent.
hier, j'ai éteint — demain, j'éteindrai

étoile — une — *(n.)*

étonner *(v.)*

il est étonné de voir l'éléphant dans la pièce
(il ne comprend pas comment l'éléphant est entré)

être *(v.)*

Jean est un garçon, c'est un garçon

---

aujourd'hui, je suis, tu es, il est, nous sommes, vous êtes, ils sont.

hier, j'ai été, tu as été, il a été, nous avons été, vous avez été, ils ont été.

demain, je serai, tu seras, il sera, nous serons, vous serez, ils seront.

(voir le verbe être en entier page 250).

compl.

étroit *(adj.)*

le chemin est étroit

la route est large

étude — une — *(n.)*
étudier *(v.)*

il étudie le droit
(il apprend le droit)
il fait ses études de droit
aujourd'hui, j'étudie
hier, j'ai étudié — demain, j'étudierai

exemple — un — *(n.)*
par exemple *(adv.)*

prenez exemple sur cet homme
(faites comme cet homme)

ne prenez pas exemple
sur celui-ci

eux *(pr. pers. 3e pers. m. pl.)*
eux-mêmes, voir **« même »**
à eux *(poss.)*
sujet

expliquer *(v.)*

le maître explique les devoirs
(il dit comment il faut faire les devoirs)
aujourd'hui, j'explique
hier, j'ai expliqué — demain, j'expliquerai

F

en face *(adv.)*
en face de
(prép.)

Monique est en face de Jean *(prép.)*
Pierre est à côté de Monique
Pierre est à côté de Monique et Jean
est en face *(adv.)*

facile *(adj.)*
facilement *(adv.)*

c'est facile de se tenir sur les pieds
c'est difficile de se tenir sur les mains

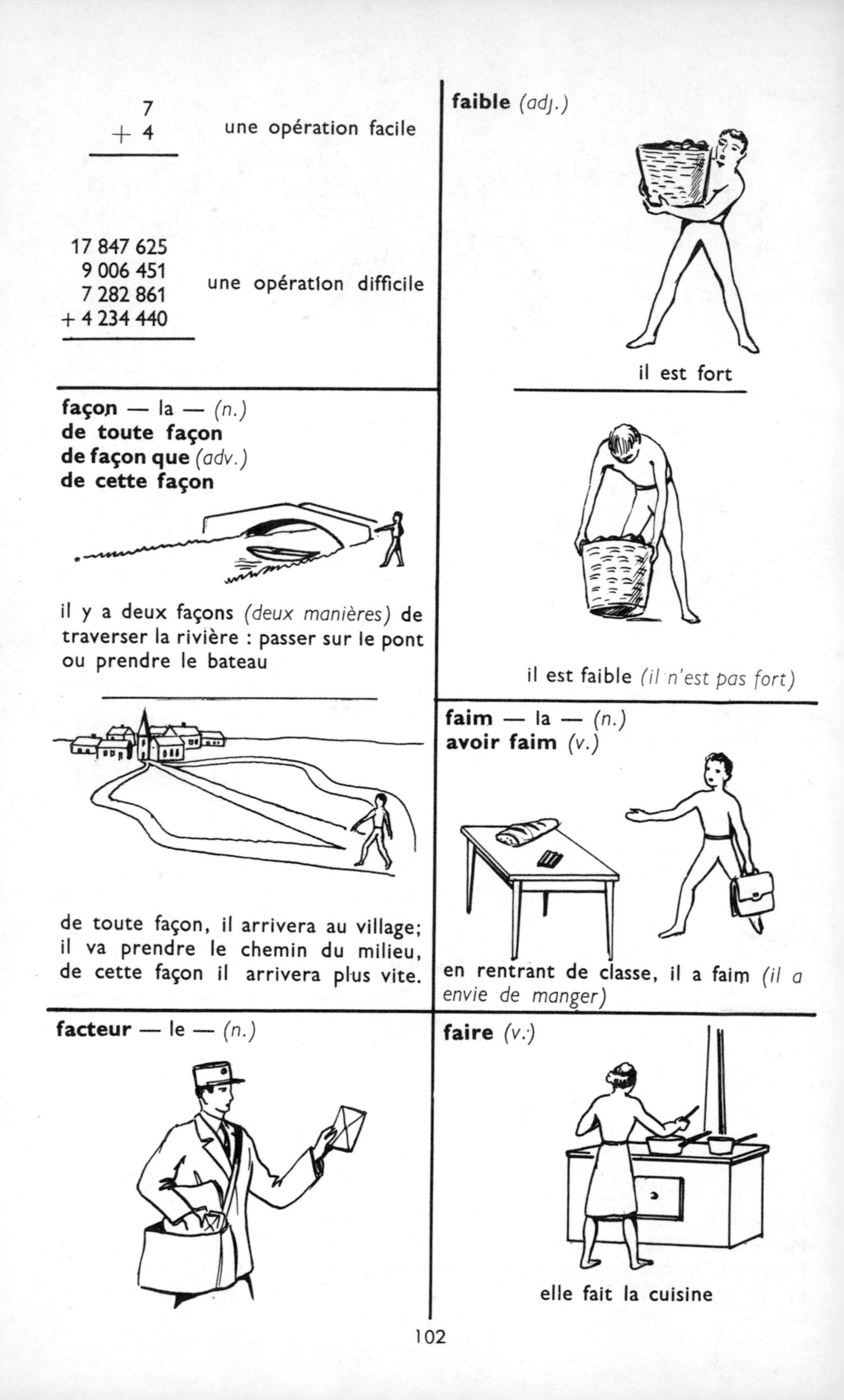

$$\begin{array}{r} 7 \\ +\ 4 \\ \hline \end{array}$$

une opération facile

$$\begin{array}{r} 17\,847\,625 \\ 9\,006\,451 \\ 7\,282\,861 \\ +\ 4\,234\,440 \\ \hline \end{array}$$

une opération difficile

façon — la — *(n.)*
de toute façon
de façon que *(adv.)*
de cette façon

il y a deux façons *(deux manières)* de traverser la rivière : passer sur le pont ou prendre le bateau

de toute façon, il arrivera au village; il va prendre le chemin du milieu, de cette façon il arrivera plus vite.

facteur — le — *(n.)*

faible *(adj.)*

il est fort

il est faible *(il n'est pas fort)*

faim — la — *(n.)*
avoir faim *(v.)*

en rentrant de classe, il a faim *(il a envie de manger)*

faire *(v.)*

elle fait la cuisine

il fait tomber les fruits avec un bâton

il fait chaud

ils font une promenade
aujourd'hui, je fais, tu fais, il fait, nous faisons, vous faites, ils font
hier, j'ai fait — demain, je ferai

falloir *(v.)*

il faut aller chercher un docteur
(il est nécessaire d'aller chercher un docteur)
aujourd'hui, il faut
hier, il a fallu — demain, il faudra

famille — la — *(n.)*

voici la famille Dupont

farine — la — *(n.)*

elle fait un gâteau avec de la farine

fatigue — la — *(n.)*
fatigué *(adj.)*

il a beaucoup travaillé : il est fatigué

faut voir « **falloir** »
faute — la — *(n.)*

Maison — il n'y a pas de faute

Méson — il y a une faute

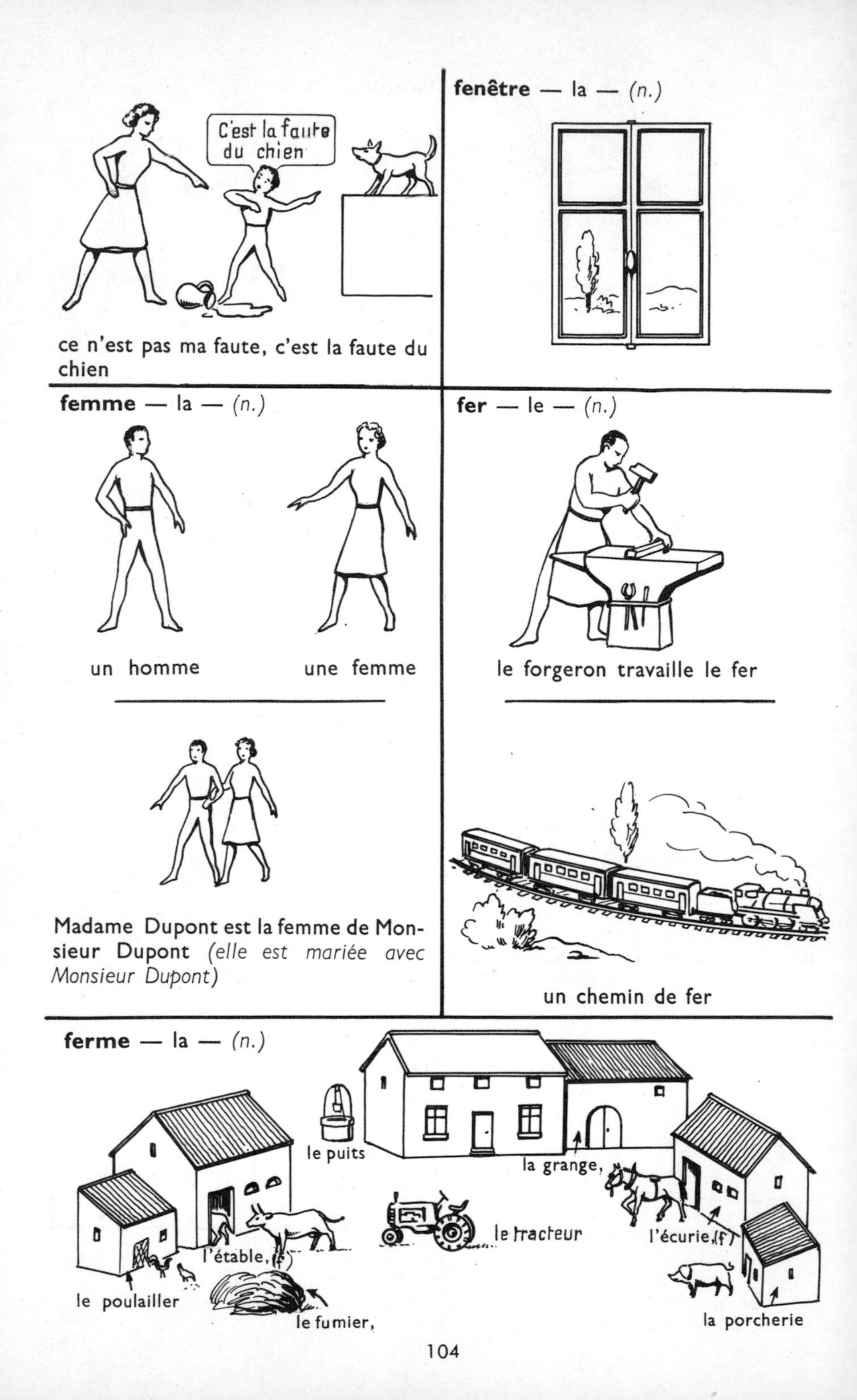

ce n'est pas ma faute, c'est la faute du chien

fenêtre — la — *(n.)*

femme — la — *(n.)*

un homme une femme

Madame Dupont est la femme de Monsieur Dupont *(elle est mariée avec Monsieur Dupont)*

fer — le — *(n.)*

le forgeron travaille le fer

un chemin de fer

ferme — la — *(n.)*

fermer *(v.)*

il ferme la porte

aujourd'hui, je ferme
hier, j'ai fermé — demain, je fermerai

il ouvre la porte

fête — la — *(n.)*

c'est la fête au village

c'est la fête de maman

feu — le — *(n.)* **les feux**

feuille — la — *(n.)*

une feuille d'arbre

des feuilles de papier

février *(n.)* (le mois de) voir « **année** »

ficelle — la — *(n.)*

le paquet est attaché avec de la ficelle

fièvre — la — *(n.)*

il est malade, il a de la fièvre
(il a très chaud)

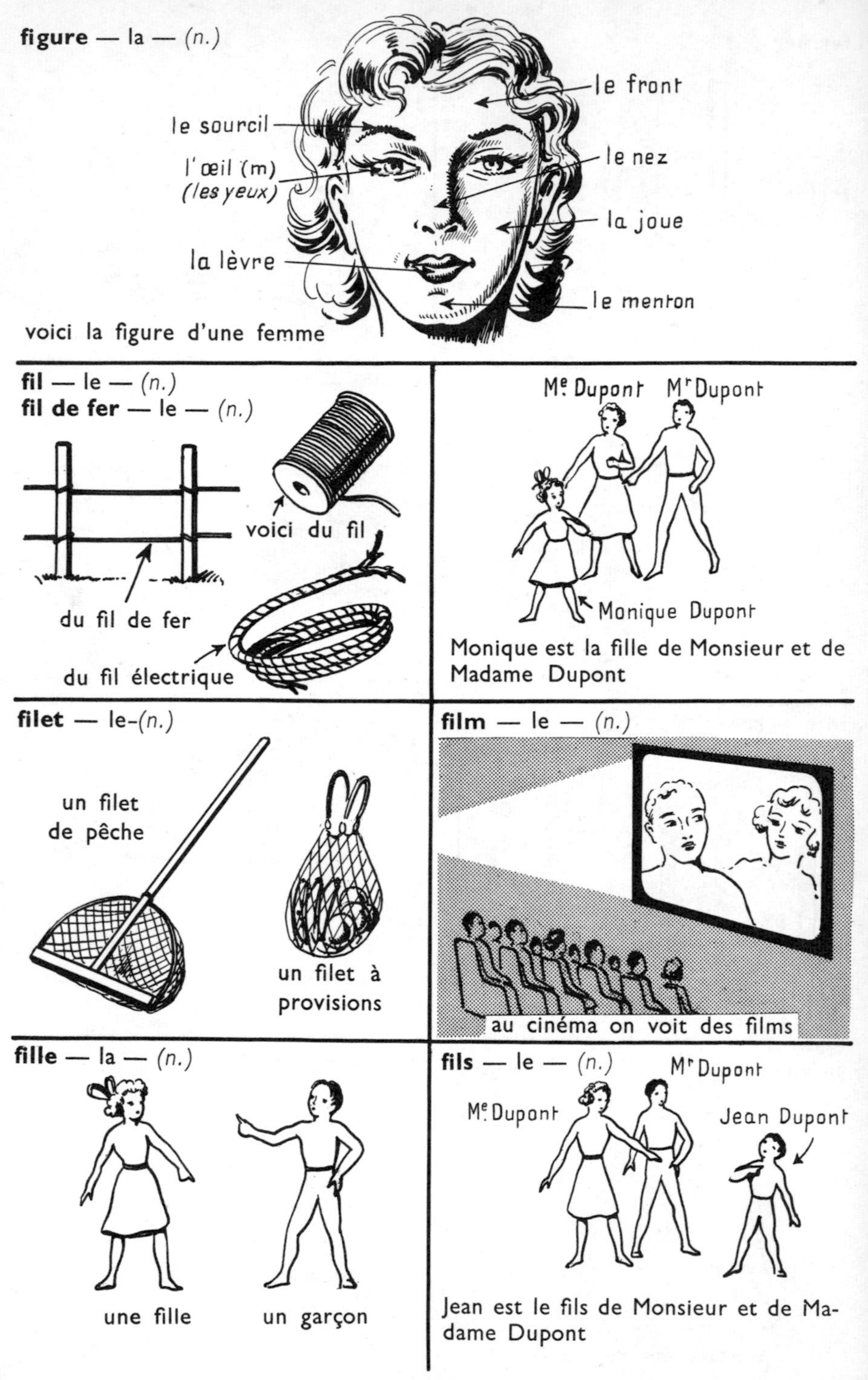
figure — la — (n.)
le front
le sourcil
le nez
l'œil (m)
(les yeux)
la joue
la lèvre
le menton
voici la figure d'une femme
fil — le — (n.)
fil de fer — le — (n.)
voici du fil
du fil de fer
du fil électrique
Me Dupont
Mr Dupont
Monique Dupont
Monique est la fille de Monsieur et de Madame Dupont
filet — le-(n.)
un filet de pêche
un filet à provisions
film — le — (n.)
au cinéma on voit des films
fille — la — (n.)
une fille
un garçon
fils — le — (n.)
Mr Dupont
Me Dupont
Jean Dupont
Jean est le fils de Monsieur et de Madame Dupont

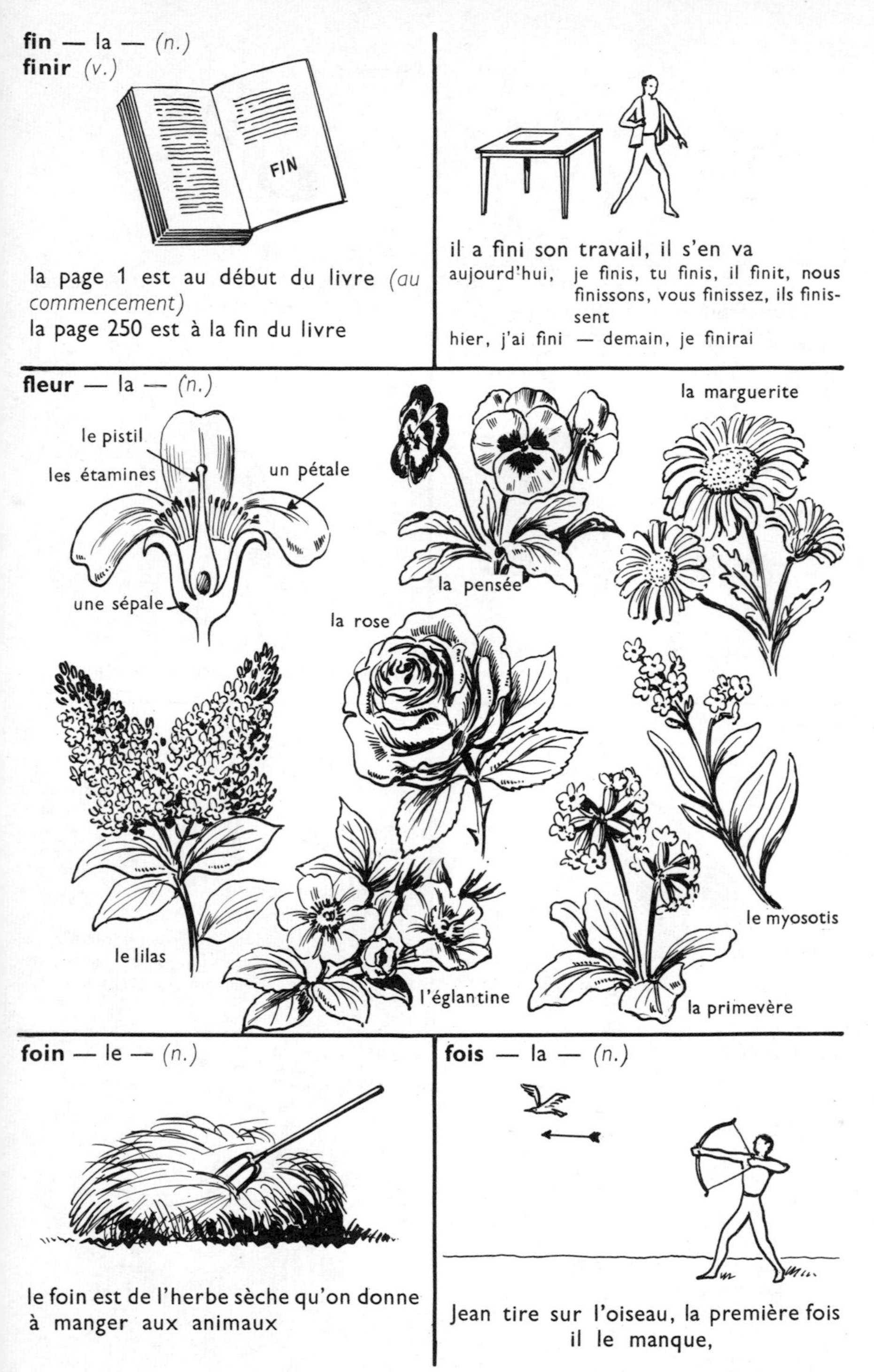

fin — la — *(n.)*
finir *(v.)*

la page 1 est au début du livre *(au commencement)*
la page 250 est à la fin du livre

il a fini son travail, il s'en va
aujourd'hui, je finis, tu finis, il finit, nous finissons, vous finissez, ils finissent
hier, j'ai fini — demain, je finirai

fleur — la — *(n.)*

foin — le — *(n.)*

le foin est de l'herbe sèche qu'on donne à manger aux animaux

fois — la — *(n.)*

Jean tire sur l'oiseau, la première fois il le manque,

la deuxième fois il le touche

8 × 5 = 40   8 fois 5 = 40

foncé *(adj.)*

ce tissu est clair   celui-ci est foncé

fond — le — *(n.)*

voici le fond de la bouteille

fondre *(v.)*

le beurre fond sur le feu
aujourd'hui, il fond
hier, il a fondu — demain, il fondra

force — la *(n.)*
forcer *(v.)*

il n'est pas fort,
il n'a pas la force de porter le panier
(il ne peut pas porter le panier)

il est fort,
il a la force de porter le panier

il le force à reculer
(il l'oblige à reculer)
aujourd'hui, je force, tu forces, il force, nous forçons, vous forcez, ils forcent
hier, j'ai forcé — demain, je forcerai

forêt — la-*(n.)*

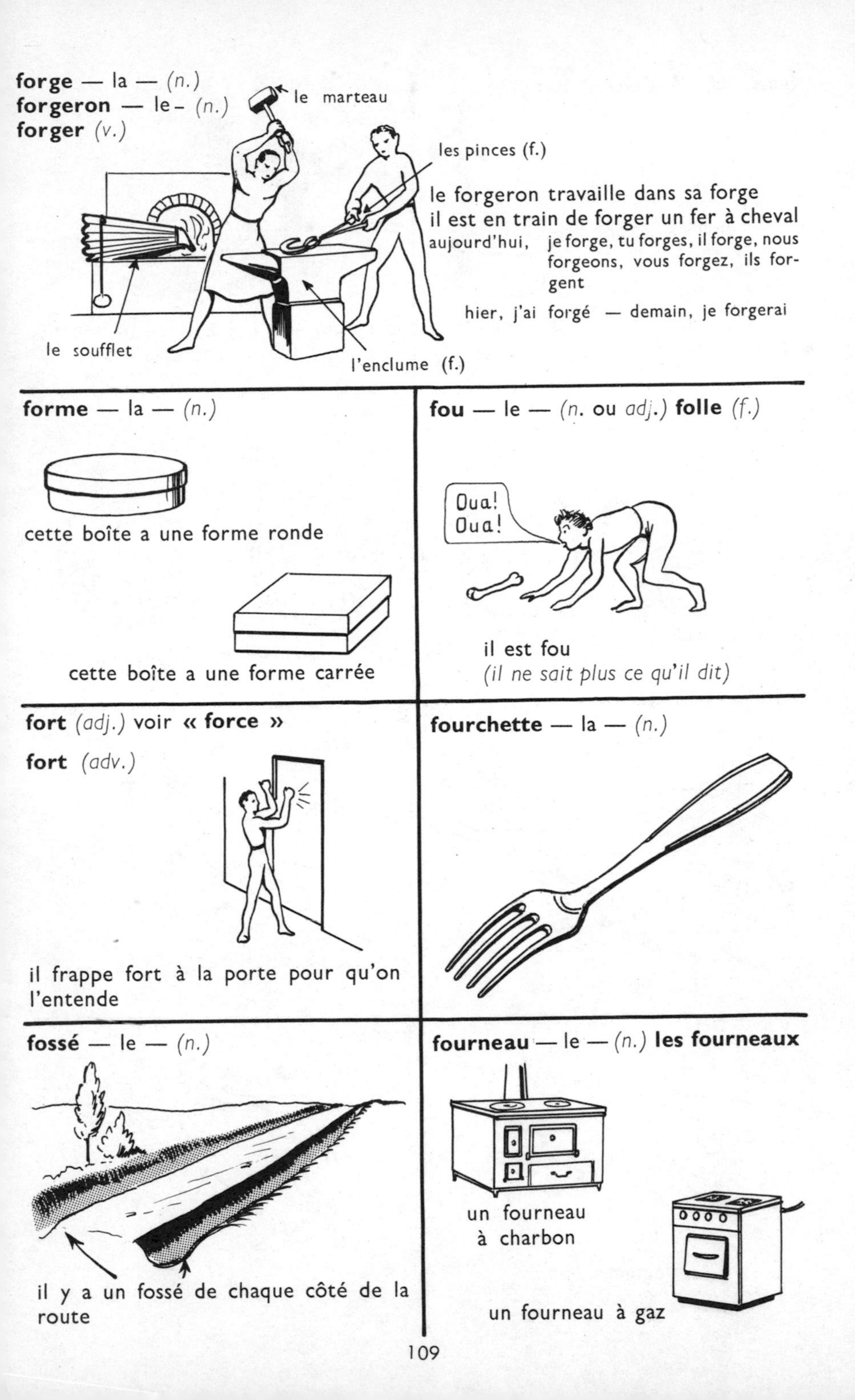

forge — la — *(n.)*
forgeron — le – *(n.)*
forger *(v.)*

le forgeron travaille dans sa forge
il est en train de forger un fer à cheval
aujourd'hui, je forge, tu forges, il forge, nous forgeons, vous forgez, ils forgent
hier, j'ai forgé — demain, je forgerai

forme — la — *(n.)*

cette boîte a une forme ronde

cette boîte a une forme carrée

fou — le — *(n. ou adj.)* **folle** *(f.)*

il est fou
(il ne sait plus ce qu'il dit)

fort *(adj.)* voir « **force** »

fort *(adv.)*

il frappe fort à la porte pour qu'on l'entende

fourchette — la — *(n.)*

fossé — le — *(n.)*

il y a un fossé de chaque côté de la route

fourneau — le — *(n.)* **les fourneaux**

un fourneau à charbon

un fourneau à gaz

frais *(adj.)* **fraîche** *(f.)*

de l'eau froide

à l'ombre, il fait frais *(il ne fait pas trop chaud)*

de l'eau fraîche

de l'eau chaude

des légumes frais

des légumes secs

franc — le — *(n.)*

une pièce d'un franc

France — la — *(n.)*
français *(adj.)*

il est français, il habite la France

frapper *(v.)*

Jean a frappé Pierre à la figure

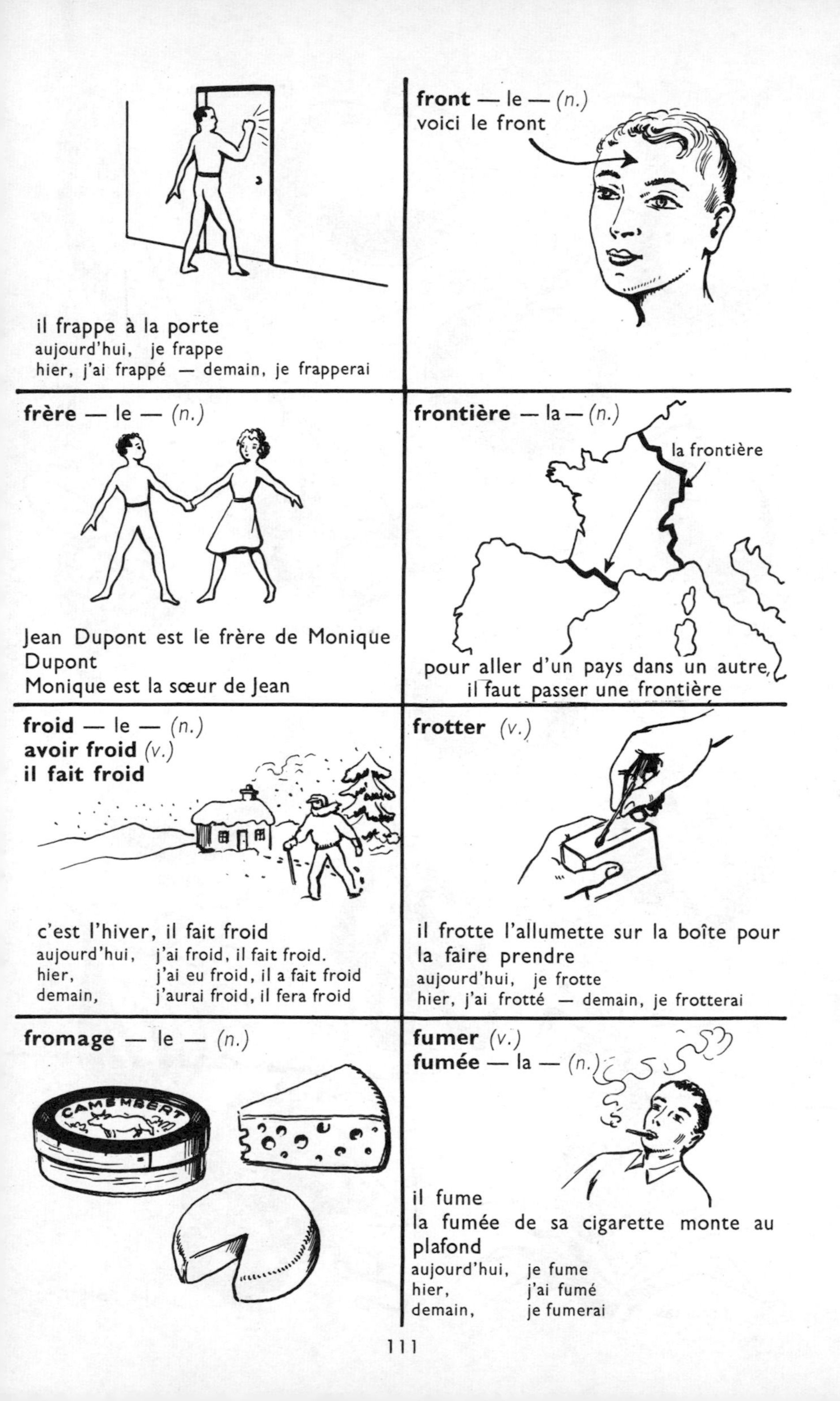

il frappe à la porte
aujourd'hui, je frappe
hier, j'ai frappé — demain, je frapperai

front — le — *(n.)*
voici le front

frère — le — *(n.)*

Jean Dupont est le frère de Monique Dupont
Monique est la sœur de Jean

frontière — la — *(n.)*

pour aller d'un pays dans un autre, il faut passer une frontière

froid — le — *(n.)*
avoir froid *(v.)*
il fait froid

c'est l'hiver, il fait froid
aujourd'hui, j'ai froid, il fait froid.
hier, j'ai eu froid, il a fait froid
demain, j'aurai froid, il fera froid

frotter *(v.)*

il frotte l'allumette sur la boîte pour la faire prendre
aujourd'hui, je frotte
hier, j'ai frotté — demain, je frotterai

fromage — le — *(n.)*

fumer *(v.)*
fumée — la — *(n.)*

il fume
la fumée de sa cigarette monte au plafond
aujourd'hui, je fume
hier, j'ai fumé
demain, je fumerai

fruit — le — *(n.)*

la poire
la pomme
la banane
la pêche
la prune
les cerises
la fraise
l'orange
l'abricot
le citron
la datte
la figue
l'ananas
le raisin

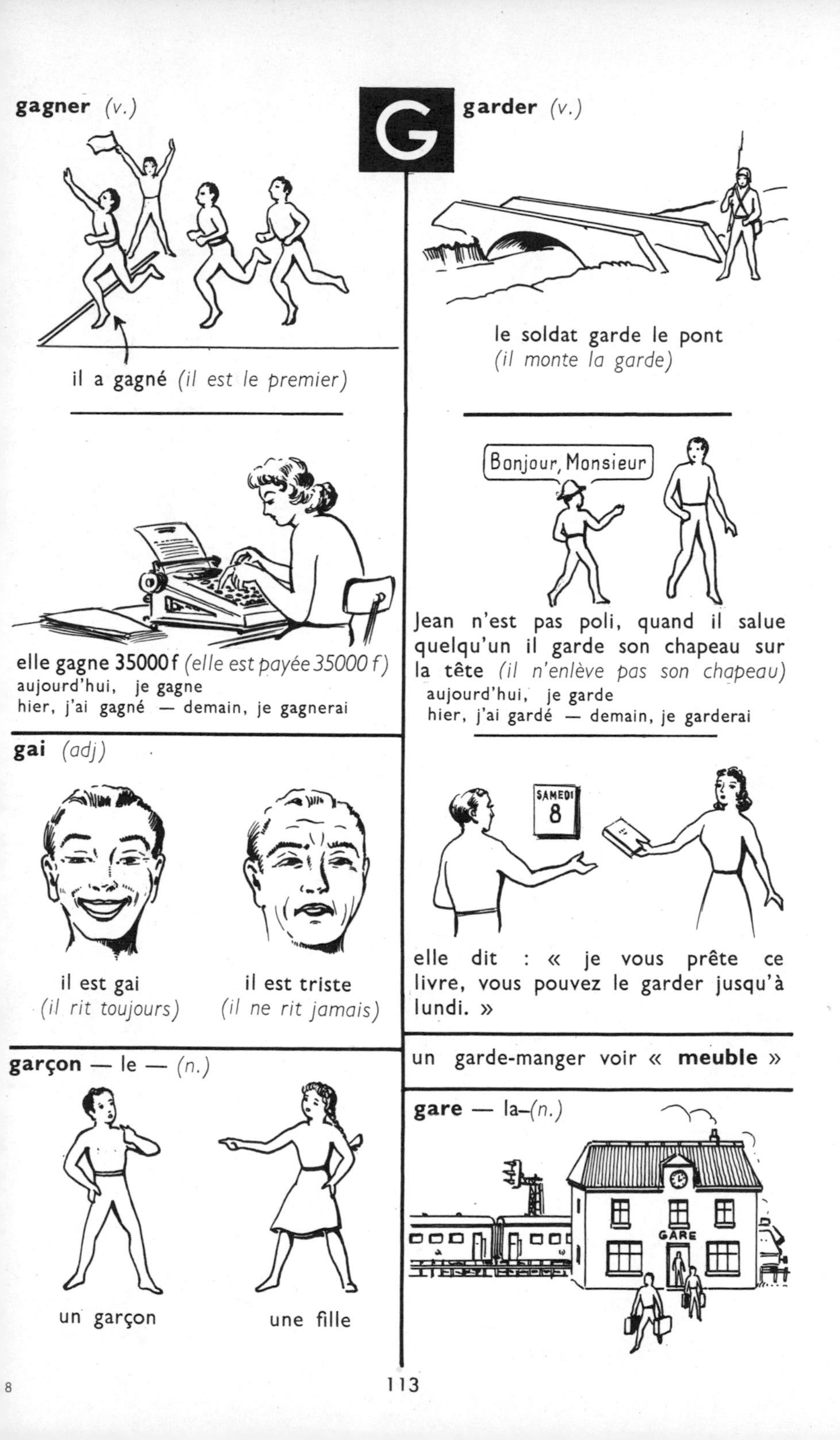

gagner *(v.)*

il a gagné *(il est le premier)*

elle gagne **35000 f** *(elle est payée 35000 f)*
aujourd'hui, je gagne
hier, j'ai gagné — demain, je gagnerai

gai *(adj)*

il est gai *(il rit toujours)*

il est triste *(il ne rit jamais)*

garçon — le — *(n.)*

un garçon

une fille

garder *(v.)*

le soldat garde le pont *(il monte la garde)*

Jean n'est pas poli, quand il salue quelqu'un il garde son chapeau sur la tête *(il n'enlève pas son chapeau)*
aujourd'hui, je garde
hier, j'ai gardé — demain, je garderai

elle dit : « je vous prête ce livre, vous pouvez le garder jusqu'à lundi. »

un garde-manger voir « **meuble** »

gare — la– *(n.)*

gâteau — le — *(n.)* **les gâteaux**

un fourneau à gaz

gauche *(adj.)*

le pied droit et le pied gauche

la gauche — *(n.)*
à gauche *(adv.)*
à gauche de *(prép.)*

le garçon marche à droite de sa mère *(prép.)*
la fille marche à gauche de sa mère *(prép.)*
elle est à la gauche de sa mère *(n.)*

gaz — le — *(n.)*

il y a du gaz dedans

gêner *(v.)*

la dame gêne l'enfant *(il ne peut rien voir)*
aujourd'hui, je gêne
hier, j'ai gêné — demain, je gênerai

genou — le — *(n.)* **les genoux**

il est à genoux

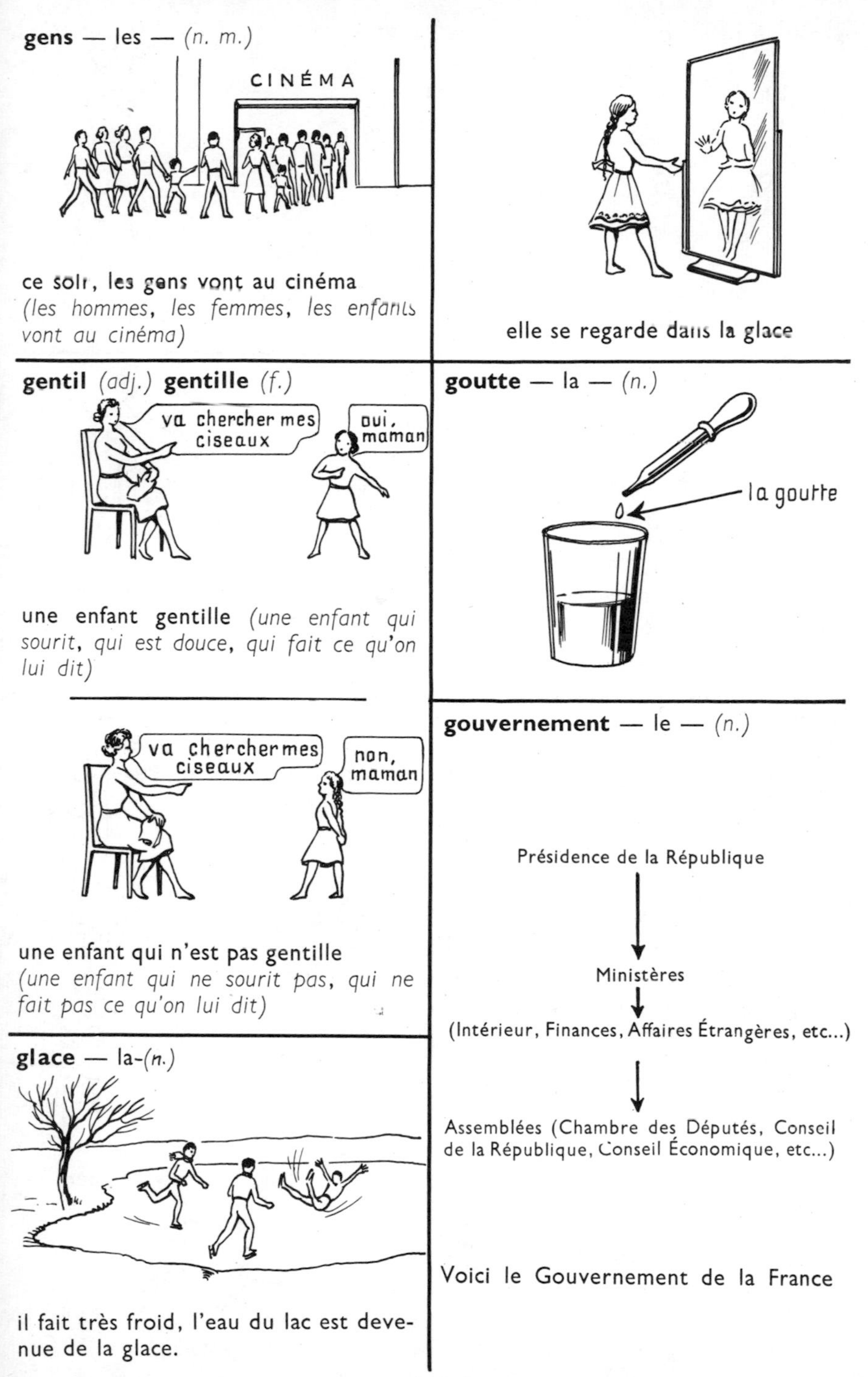

gens — les — *(n. m.)*

ce soir, les gens vont au cinéma *(les hommes, les femmes, les enfants vont au cinéma)*

gentil *(adj.)* **gentille** *(f.)*

une enfant gentille *(une enfant qui sourit, qui est douce, qui fait ce qu'on lui dit)*

une enfant qui n'est pas gentille *(une enfant qui ne sourit pas, qui ne fait pas ce qu'on lui dit)*

glace — la-*(n.)*

il fait très froid, l'eau du lac est devenue de la glace.

elle se regarde dans la glace

goutte — la — *(n.)*

gouvernement — le — *(n.)*

Présidence de la République

↓

Ministères

↓

(Intérieur, Finances, Affaires Étrangères, etc...)

↓

Assemblées (Chambre des Députés, Conseil de la République, Conseil Économique, etc...)

Voici le Gouvernement de la France

grain — le — (n.)
un grain de blé
un grain de café
un grain de riz
grand (adj.)
il est petit
il est grand
graine — la — (n.)
il sème les graines
grandir (v.)
cet enfant a grandi, ses vêtements sont devenus trop petits
aujourd'hui, je grandis,
hier, j'ai grandi — demain, je grandirai
graisse — la — (n.)
il est gras, il a de la graisse
l'huile
le beurre
la margarine
des graisses
grand-père - le - la grand- mère (f.)
les grand-pères
les grand-mères
la grand-mère
le grand-père
la mère
le père
les enfants

gras *(adj.)* **grasse** *(f.)*

il est gras, il a de la graisse

un petit chien — un gros chien

aujourd'hui, je grossis
hier, j'ai grossi — demain, je grossirai

grenier — le-*(n.)*

le grenier est une pièce sous le toît

groupe — le — *(n.)*

un homme — un groupe d'hommes
(plusieurs hommes ensemble)

gris *(adj.)*

noir et blanc donnent gris

le ciel est gris
(le ciel est couvert de nuages)

guérir *(v.)*
guéri *(adj.)* **guérie** *(f.)*

hier, j'étais malade
aujourd'hui, je suis guéri
(je ne suis plus malade)
aujourd'hui, je guéris
hier, j'ai guéri — demain, je guérirai

gros *(adj.)* **grosse** *(f.)*
grossir *(v.)*

cet homme est gros

cet homme est maigre, il a besoin de grossir *(de devenir gros)*

guerre — la — *(n.)*

c'est la guerre,
les pays se battent

habit - un - (n.)
le chapeau
le col
la cravate
la veste
le manteau
le pantalon
les chaussures
des habits de femme
le manteau
la robe
le sac
le chemisier
la jupe
les bas
le pyjama
la chemisette
la culotte
les chaussettes (f)
les sandalettes (f)
la robe de chambre
la chemise de nuit
linge d homme :
la chemise
le slip
les chaussettes
linge de femme :
la combinaison
la culotte
les chapeaux
d'homme
de femme
le béret d'enfant
le béret de femme
la casquette d'enfant
la casquette d'homme

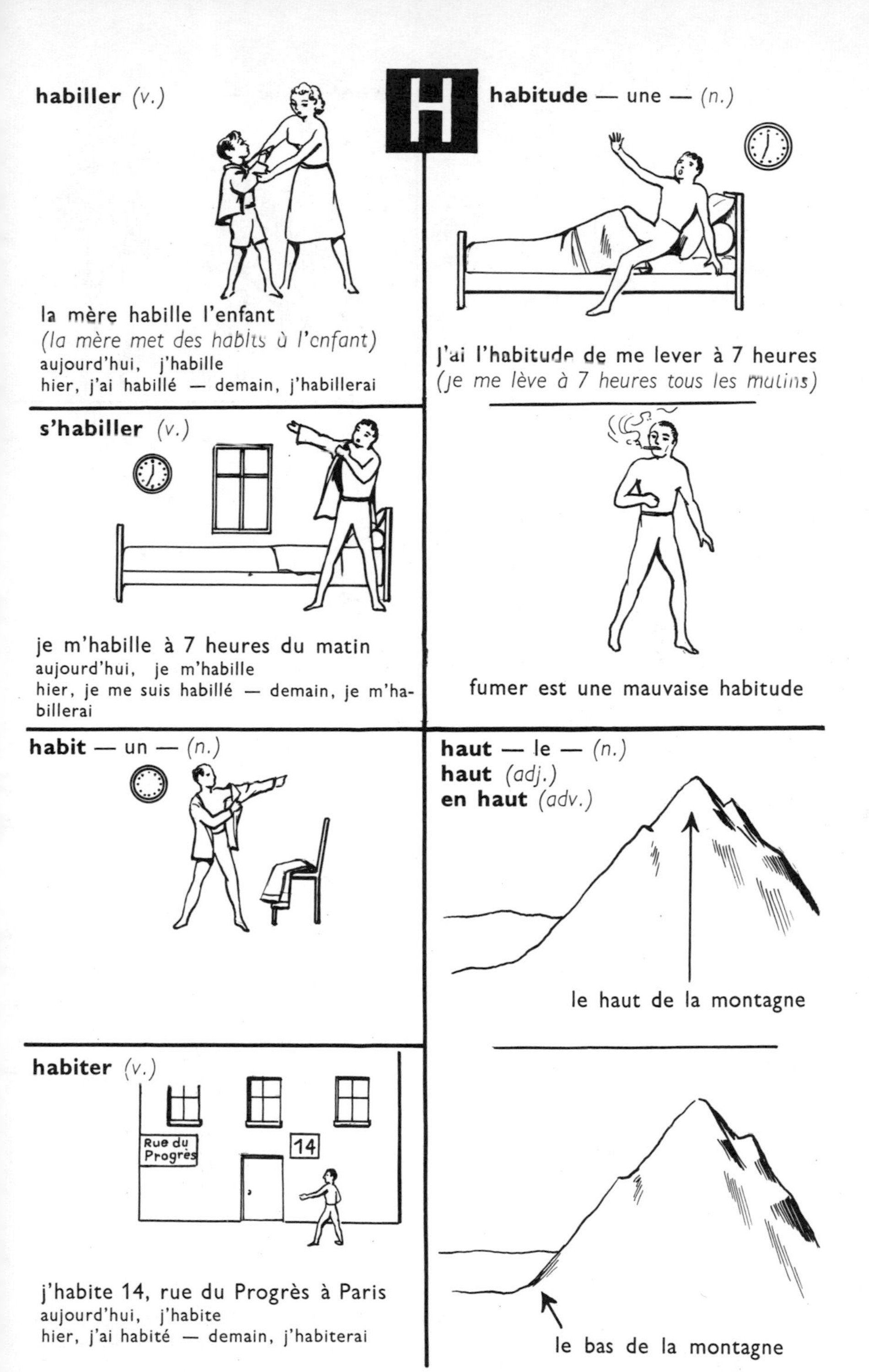

H

habiller *(v.)*

la mère habille l'enfant
(la mère met des habits à l'enfant)
aujourd'hui, j'habille
hier, j'ai habillé — demain, j'habillerai

habitude — une — *(n.)*

J'ai l'habitude de me lever à 7 heures
(je me lève à 7 heures tous les matins)

fumer est une mauvaise habitude

s'habiller *(v.)*

je m'habille à 7 heures du matin
aujourd'hui, je m'habille
hier, je me suis habillé — demain, je m'habillerai

habit — un — *(n.)*

haut — le — *(n.)*
haut *(adj.)*
en haut *(adv.)*

le haut de la montagne

habiter *(v.)*

j'habite 14, rue du Progrès à Paris
aujourd'hui, j'habite
hier, j'ai habité — demain, j'habiterai

le bas de la montagne

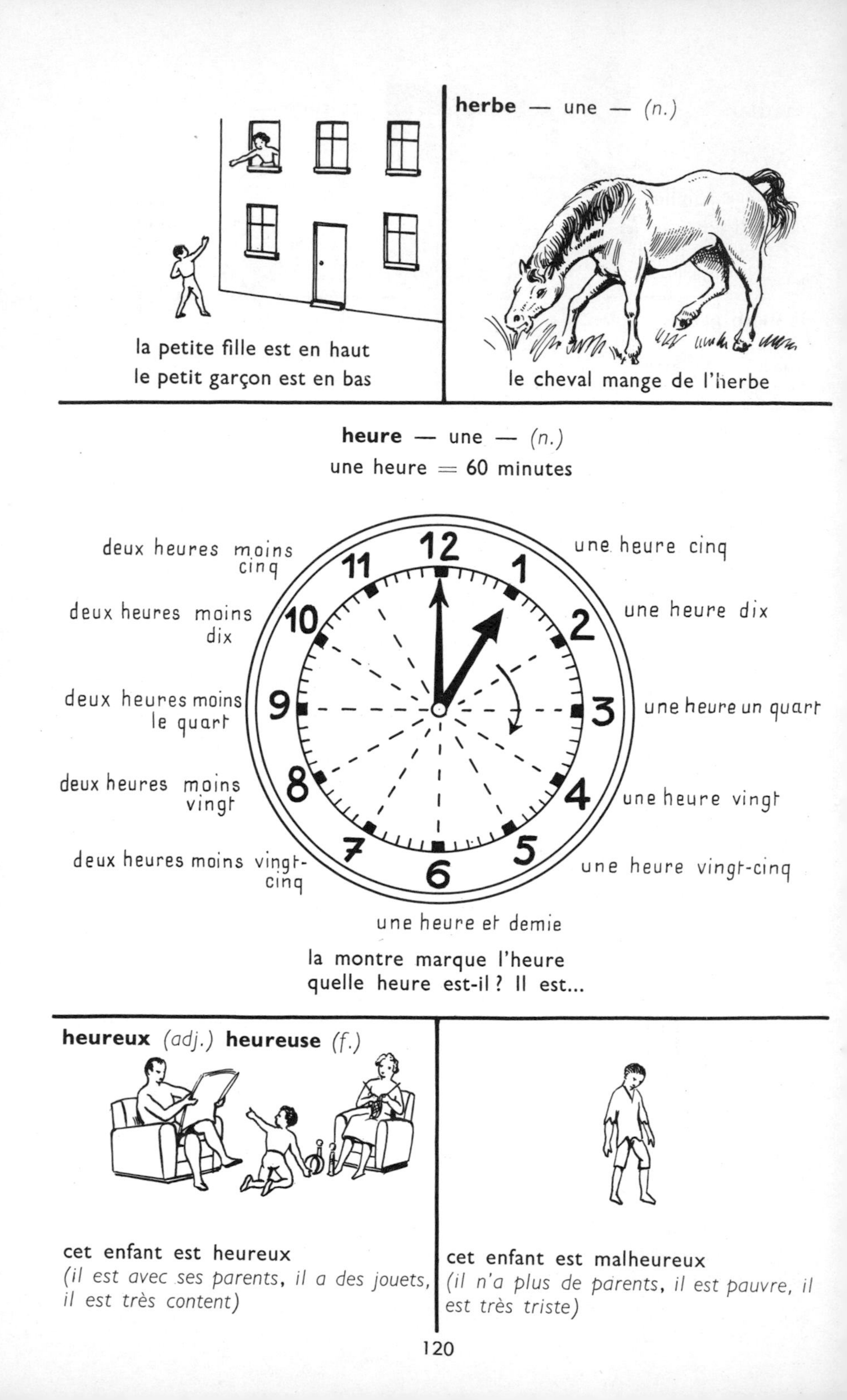

la petite fille est en haut
le petit garçon est en bas

herbe — une — *(n.)*

le cheval mange de l'herbe

heure — une — *(n.)*

une heure = 60 minutes

la montre marque l'heure
quelle heure est-il ? Il est...

heureux *(adj.)* **heureuse** *(f.)*

cet enfant est heureux
(il est avec ses parents, il a des jouets, il est très content)

cet enfant est malheureux
(il n'a plus de parents, il est pauvre, il est très triste)

heureusement *(adv.)*

heureusement que l'homme a retenu le petit enfant
(l'enfant a de la chance que l'homme l'ait retenu)

hier *(adv.)*

aujourd'hui, c'est le dimanche 12 décembre; hier, c'était le 11; demain, ce sera le 13.

Histoire — l' — *(n. f.)*

Histoire de France

les Gaulois — les Romains — le Moyen- Age — sous Louis XIV

la Révolution — Napoléon Bonaparte — le Président de la République, — les deux dernières guerres

histoire — une — *(n.)*

Grand-mère raconte une histoire

hiver — l' — *(n. m.)*

c'est l'hiver, il fait froid

c'est l'été, il fait chaud

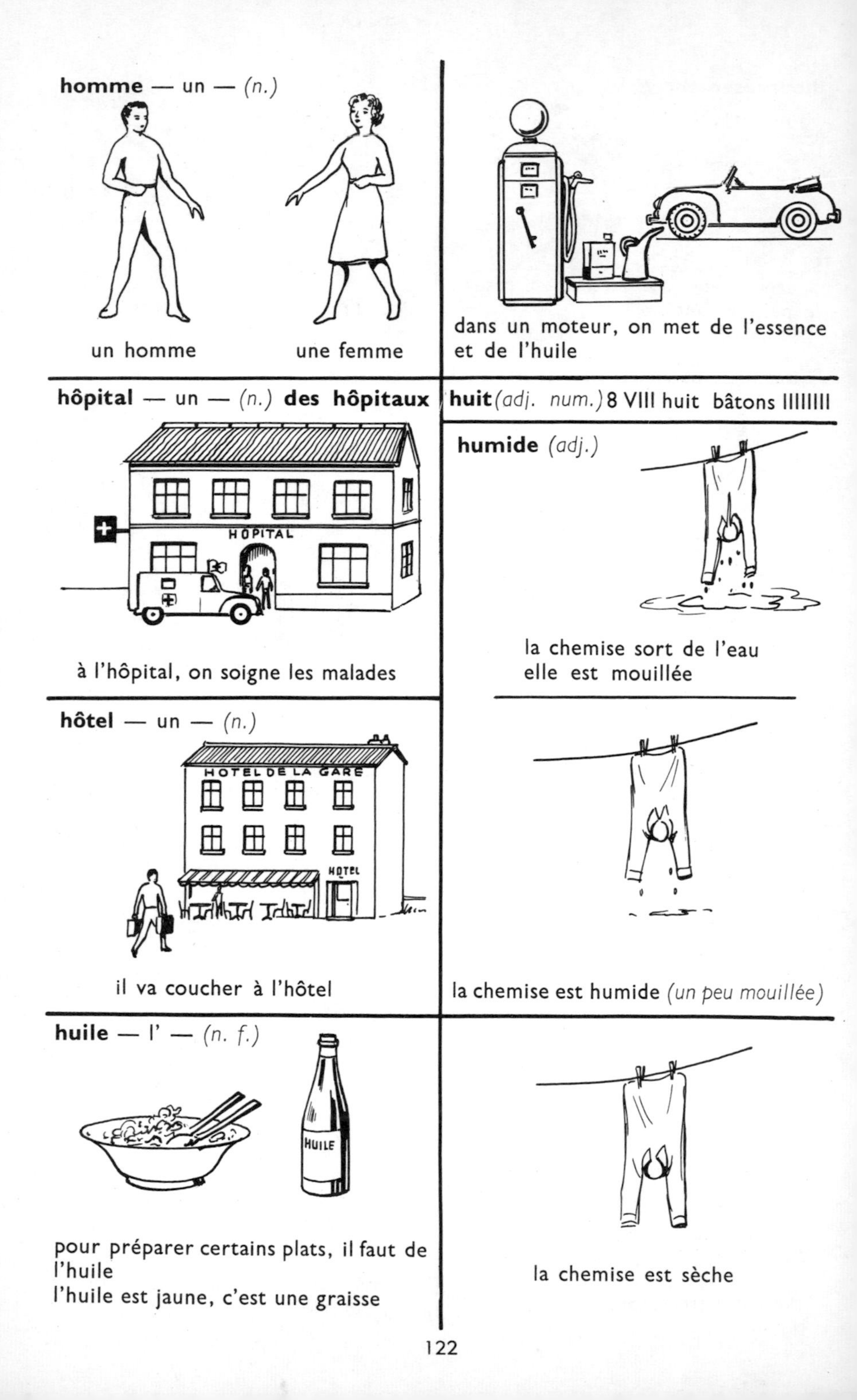

homme — un — *(n.)*

un homme — une femme

hôpital — un — *(n.)* **des hôpitaux**

à l'hôpital, on soigne les malades

hôtel — un — *(n.)*

il va coucher à l'hôtel

huile — l' — *(n. f.)*

pour préparer certains plats, il faut de l'huile
l'huile est jaune, c'est une graisse

dans un moteur, on met de l'essence et de l'huile

huit *(adj. num.)* 8 VIII huit bâtons IIIIIIII

humide *(adj.)*

la chemise sort de l'eau
elle est mouillée

la chemise est humide *(un peu mouillée)*

la chemise est sèche

I
ici *(adv.)*
Jeanne est ici,
Paul est là,
Pierre est
là-bas.
Pierre
Paul
Jeanne
la mère dit : « Jeanne est ici » *(près de moi)* Paul est là *(un peu plus loin)*
Pierre est là-bas *(très loin)*
île — une — *(n.)*
il est seul sur son île
idée — une — *(n.)*
Qu'est-ce qu'on fait ?
j'ai une idée : jouons aux billes
j'ai une idée *(je pense à quelque chose)*
image — une — *(n.)*
un livre sans images
il *(pr. pers.)* 3e pers. m. sing.-sujet
il marche
un livre avec des images
ils *(pr. pers.)* 3e pers. m. pl. sujet
Ils marchent
important *(adj.)*
Réveillez-vous vite, c'est important
c'est important, il y a un télégramme pour vous
(c'est sérieux)

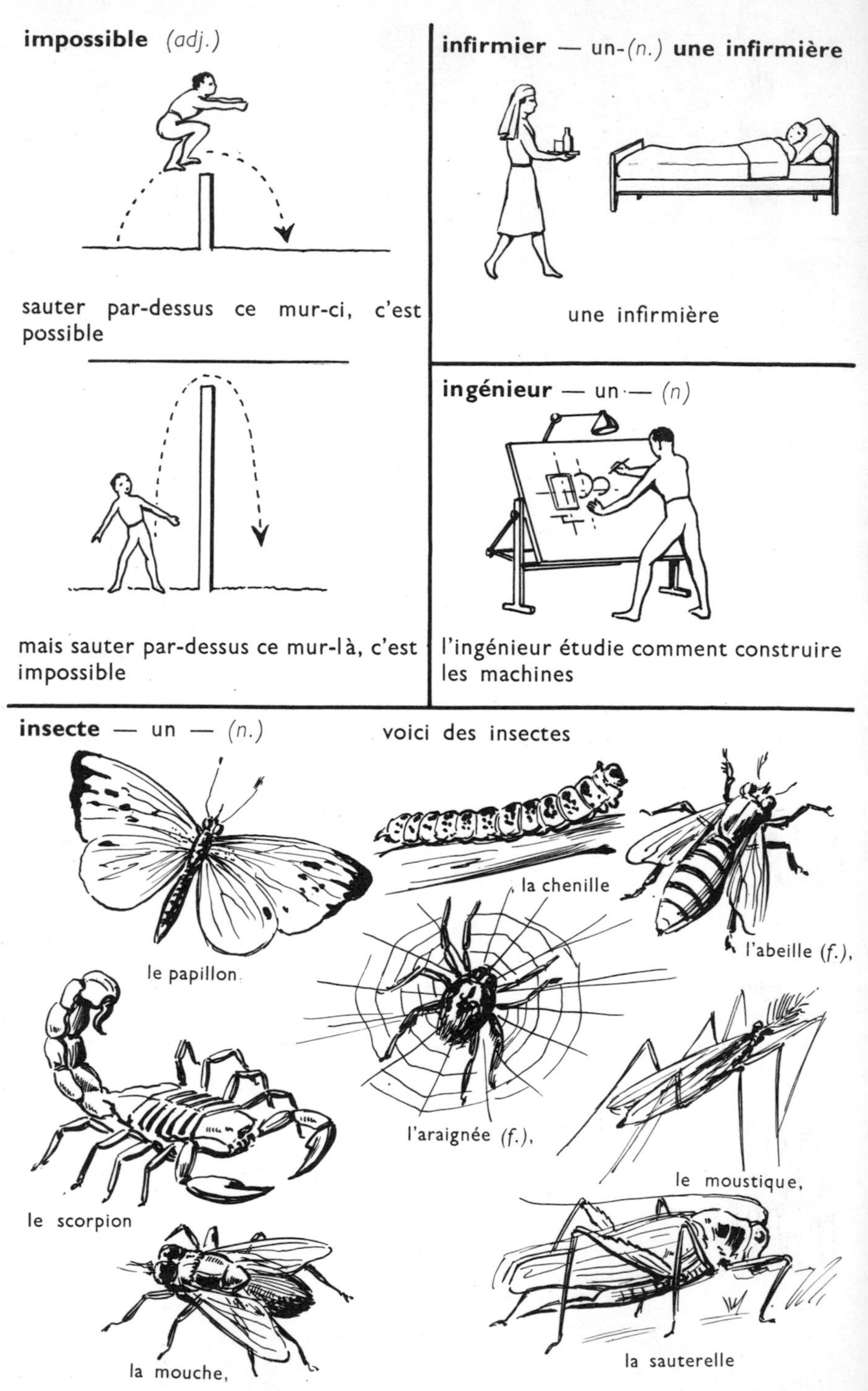

impossible *(adj.)*

sauter par-dessus ce mur-ci, c'est possible

mais sauter par-dessus ce mur-là, c'est impossible

infirmier — un-*(n.)* **une infirmière**

une infirmière

ingénieur — un — *(n)*

l'ingénieur étudie comment construire les machines

insecte — un — *(n.)*

voici des insectes

le papillon

la chenille

l'abeille *(f.)*,

l'araignée *(f.)*,

le moustique,

le scorpion

la mouche,

la sauterelle

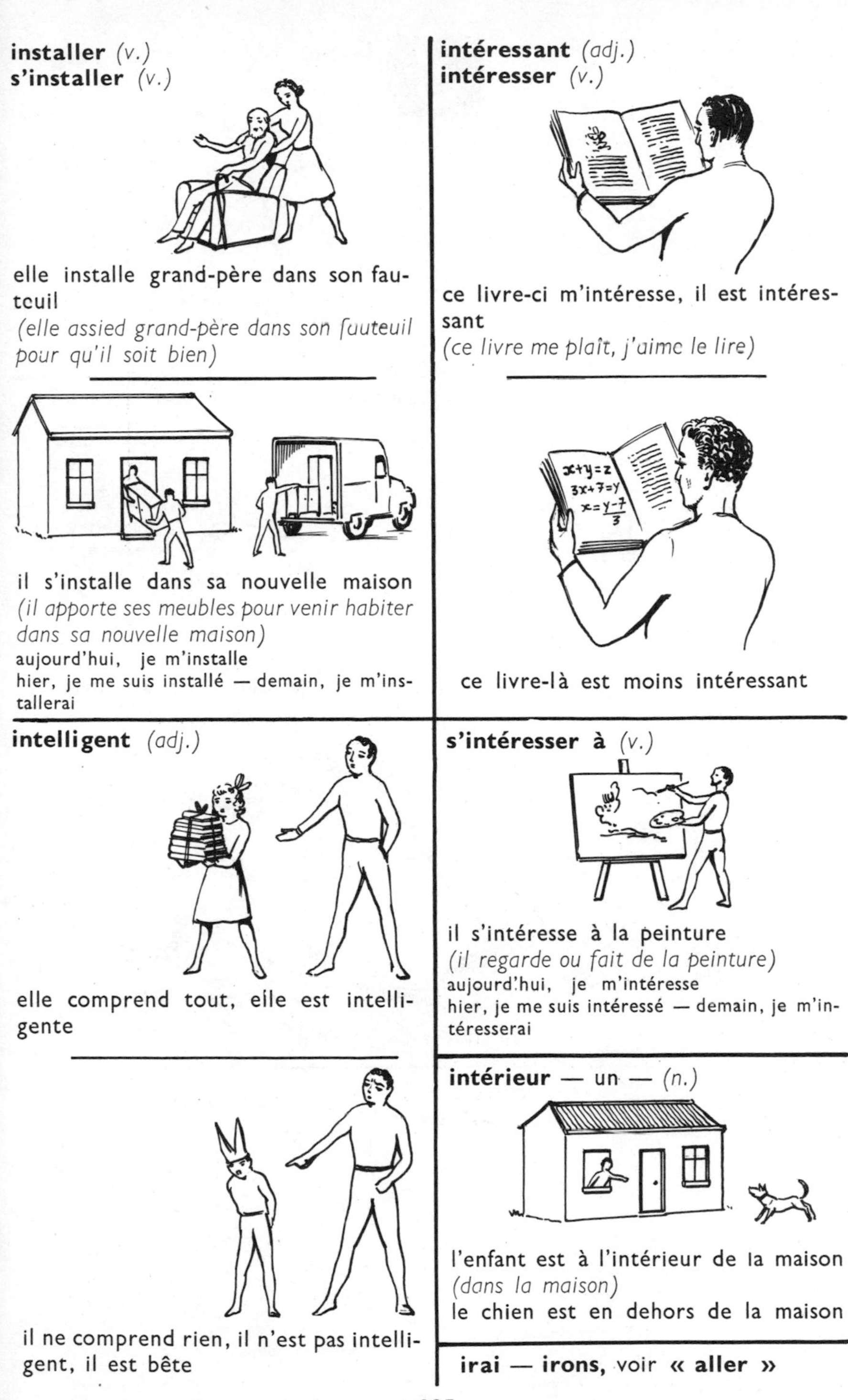

installer *(v.)*
s'installer *(v.)*

elle installe grand-père dans son fauteuil
(elle assied grand-père dans son fauteuil pour qu'il soit bien)

il s'installe dans sa nouvelle maison
(il apporte ses meubles pour venir habiter dans sa nouvelle maison)
aujourd'hui, je m'installe
hier, je me suis installé — demain, je m'installerai

intelligent *(adj.)*

elle comprend tout, elle est intelligente

il ne comprend rien, il n'est pas intelligent, il est bête

intéressant *(adj.)*
intéresser *(v.)*

ce livre-ci m'intéresse, il est intéressant
(ce livre me plaît, j'aime le lire)

ce livre-là est moins intéressant

s'intéresser à *(v.)*

il s'intéresse à la peinture
(il regarde ou fait de la peinture)
aujourd'hui, je m'intéresse
hier, je me suis intéressé — demain, je m'intéresserai

intérieur — un — *(n.)*

l'enfant est à l'intérieur de la maison
(dans la maison)
le chien est en dehors de la maison

irai — **irons,** voir « **aller** »

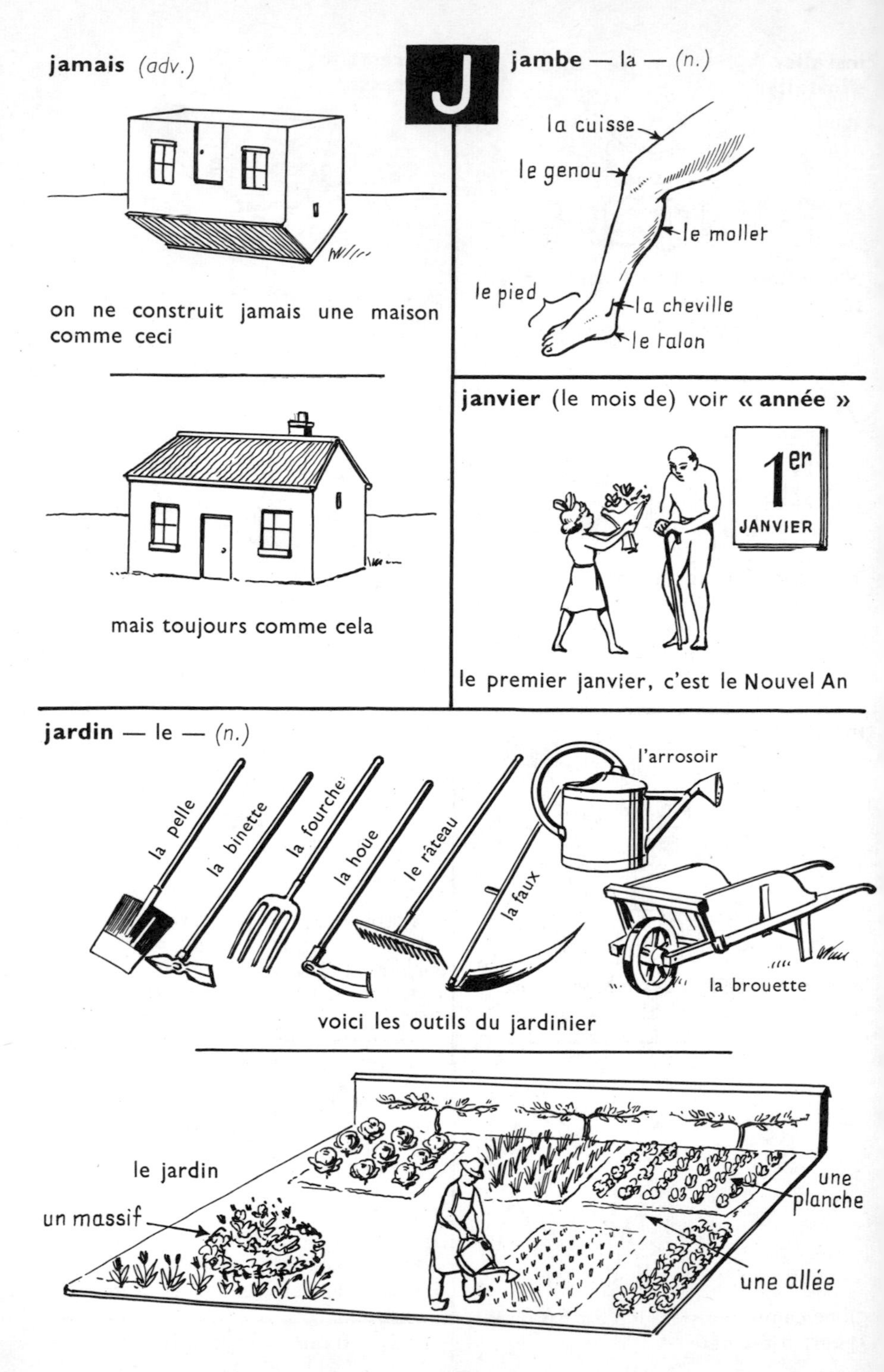
J
jamais (adv.)
on ne construit jamais une maison comme ceci
mais toujours comme cela
jambe — la — (n.)
la cuisse
le genou
le mollet
le pied
la cheville
le talon
janvier (le mois de) voir « année »
1er
JANVIER
le premier janvier, c'est le Nouvel An
jardin — le — (n.)
l'arrosoir
la pelle
la binette
la fourche
la houe
le râteau
la faux
la brouette
voici les outils du jardinier
le jardin
un massif
une planche
une allée

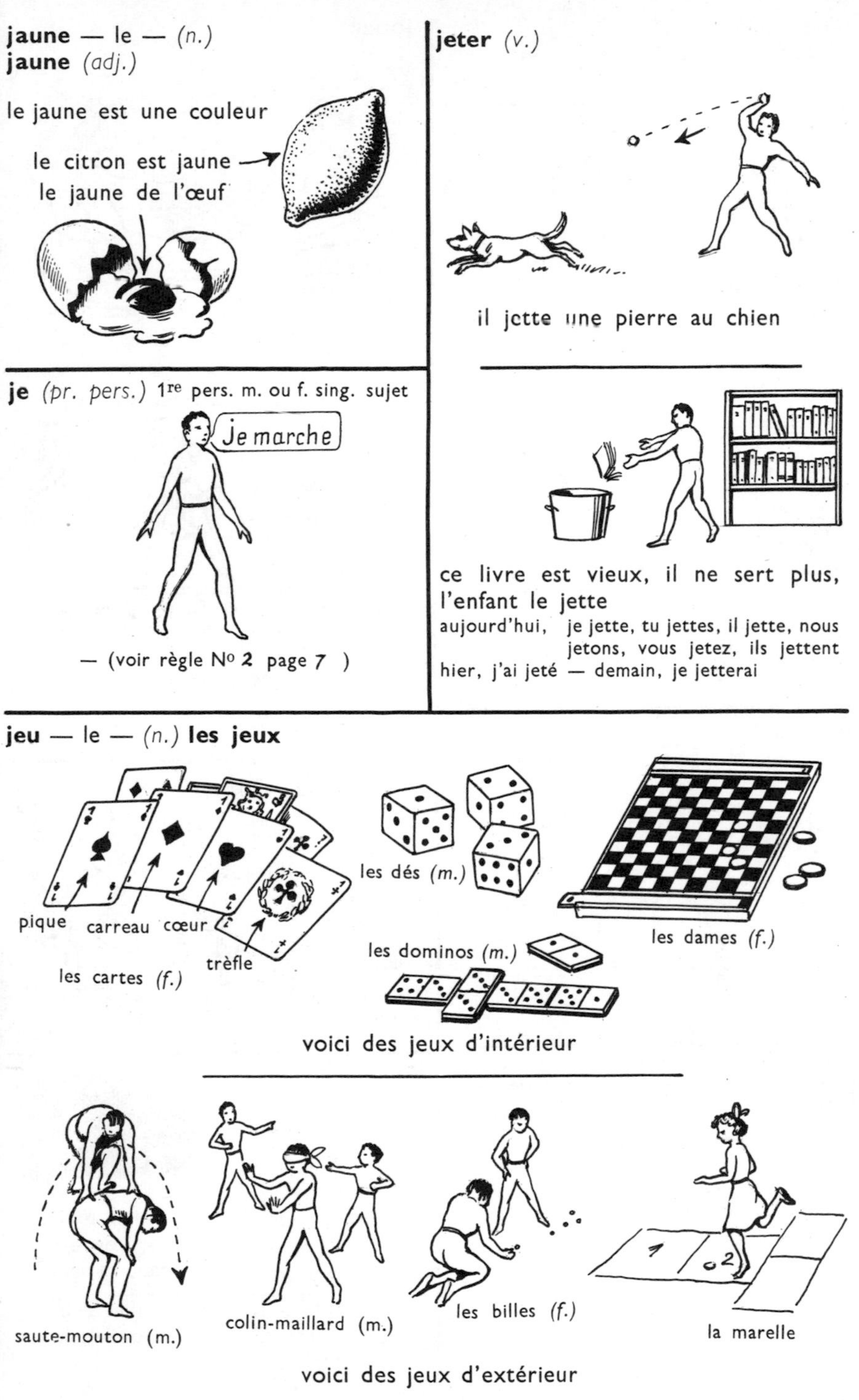

jaune — le — *(n.)*
jaune *(adj.)*

le jaune est une couleur

le citron est jaune
le jaune de l'œuf

jeter *(v.)*

il jette une pierre au chien

ce livre est vieux, il ne sert plus, l'enfant le jette

aujourd'hui, je jette, tu jettes, il jette, nous jetons, vous jetez, ils jettent
hier, j'ai jeté — demain, je jetterai

je *(pr. pers.)* 1re pers. m. ou f. sing. sujet

— (voir règle No **2** page 7)

jeu — le — *(n.)* **les jeux**

pique carreau cœur trèfle

les cartes *(f.)*

les dés *(m.)*

les dominos *(m.)*

les dames *(f.)*

voici des jeux d'intérieur

saute-mouton (m.)

colin-maillard (m.)

les billes *(f.)*

la marelle

voici des jeux d'extérieur

jeudi — le — *(n.)*
le jeudi est le 4e jour de la semaine
le jeudi, en France, il n'y a pas d'école

jeune *(adj.)*

il est jeune — il est vieux

jeune homme — un — *(n.)*

un enfant, un jeune homme, un homme

jeune fille — une — *(n.)*

une enfant, une jeune fille, une femme
(un jeune homme ou une jeune fille ne sont pas mariés)

joli *(adj.)* voir **« beau »**

joue — la — *(n.)*

les joues

jouer *(v.)*

ils jouent aux dames

ils jouent une pièce de théâtre
aujourd'hui, je joue
hier, j'ai joué — demain, je jouerai

jouet — le — *(n.)*

des quilles (f.) — une balle — une toupie — des soldats (m.) — une poupée
des jouets

jour — le — *(n.)*

c'est le jour, le soleil brille, il fait jour

il fait nuit la lune est dans le ciel,

il y a 7 jours dans la semaine : lundi, mardi, mercredi, jeudi, vendredi, samedi, dimanche.

journal — le — *(n.)* **les journaux**

papa lit le journal chaque jour

journée — la — *(n.)*

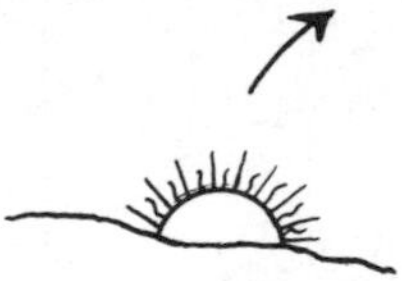

le soleil se lève, la journée commence

le soleil se couche, la journée finit

juge — le — *(n.)*
juger *(v.)*

le juge rend la justice, il juge
aujourd'hui, je juge, tu juges, il juge, nous jugeons, vous jugez, ils jugent
hier, j'ai jugé — demain, je jugerai

juillet (le mois de) voir **« année »**
le 14 juillet, c'est la fête des Français

juin (le mois de) voir **« année »**

jupe — la — *(n.)*

une jupe

jusque *(prép.)* (voir règle N° 2 page 7)

il travaille tous les jours depuis sept heures jusqu'à midi

il court depuis l'arbre jusqu'à la maison

juste *(adj.)*

ce n'est pas juste

c'est juste

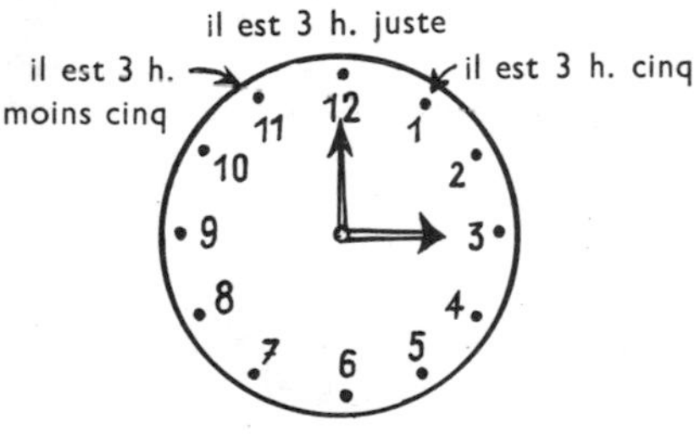

Pierre et Paul n'ont pas été sages, le maître les punit tous les deux, le maître est juste

justice — la — *(n.)*

le juge rend la justice, il juge

Pierre et Paul n'ont pas été sages, le maître punit seulement Pierre, le maître n'est pas juste

justement *(adv.)*

j'allais justement sortir *(j'étais prête à sortir quand vous avez frappé)*

K

kilo — le — *(n.)*

1 kilo = 2 livres = 1000 grammes

kilomètre — le — *(n.)*

1 kilomètre = 1000 mètres

L

l' *(art. ou pr.)*
(voir règle N° 2 page 7).

la *(art. f. sing.)* (voir règle N° 2 page 7).
s'emploie devant les mots féminins

la poule

la *(pr. pers.)* 3e pers. f. sing.
(voir règle N° 2 page 7)
compl.

compl. de l'impératif

là-dessous *(adv.)*

le chien est là-dessous
(sous le meuble que je montre)

là *(adv.)*
là-bas *(adv.)*

la mère dit : « Jeanne est ici » *(près de moi)* « Paul est là » *(un peu plus loin)*
« Pierre est là-bas » *(très loin)*

là-haut *(adv.)*

je vais monter là-haut
(en haut de l'arbre que je montre)

là-dedans *(adv.)*

la bouteille est là-dedans
(dans le meuble que je montre)

labourer *(v.)*

il laboure la terre avec une charrue
aujourd'hui, je laboure
hier, j'ai labouré — demain, je labourerai

là-dessus *(adv.)*

le chat est là-dessus
(sur le meuble que je montre)

lac — le — *(n.)*

laid *(adj.)*

il est beau

il n'est pas beau, il est laid

il ne faut pas manger ses ongles, c'est très laid

laine — la — *(n.)*

le corps des moutons est couvert de laine

laisser *(v.)*

il a eu tort de laisser son parapluie à la maison *(de ne pas prendre son parapluie)*

il a laissé de la viande

il porte le panier

il a laissé tomber le panier

la mère dit : « laisse ta sœur tranquille » *(ne lui fais pas de mal)*

aujourd'hui, je laisse
hier, j'ai laissé — demain, je laisserai

lait — le — (n.)
la vache donne du lait
lame — la — (n.)
la lame
le manche
lampe — la — (n.)
une lampe électrique
une lampe tempête
une lampe à acétylène
des lampes
lancer (v.)
il lance la balle (il jette la balle très fort)
aujourd'hui, je lance, tu lances, il lance, nous lançons, vous lancez, ils lancent
hier, j'ai lancé — demain, je lancerai
langue — la — (n.)
la langue
il tire la langue
Bonjour
Good morning
Buenos días
chacun parle la langue de son pays
large (adj.)
le chemin est étroit, la route est large
laver (v.)
elle lave du linge
aujourd'hui, je lave
hier, j'ai lavé — demain, je laverai

se laver *(v.)*

le matin, je me lave avec de l'eau et du savon
aujourd'hui, je me lave
hier, je me suis lavé — demain, je me laverai

le *(art. m. sing.)* (voir règle No 2 page 7)
s'emploie devant les noms masculins

le *(pr. pers.)* 3e pers. masc. sing.
(voir règle No 2 page 7)
compl.

compl. de l'impératif

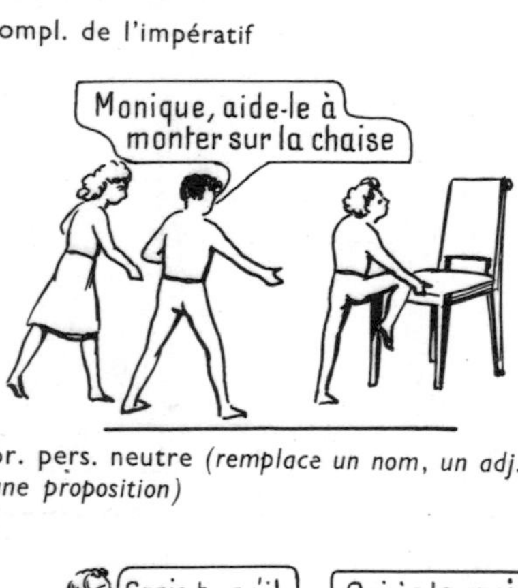

pr. pers. neutre *(remplace un nom, un adj. ou une proposition)*

oui, je le crois *(oui, je crois qu'il viendra)*

léger *(adj.)* **légère** *(f.)*

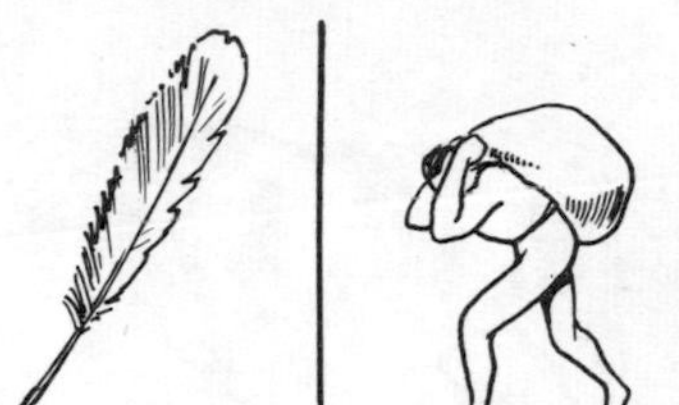

la plume est légère *(la plume ne pèse pas beaucoup)*

le sac est lourd *(le sac pèse beaucoup)*

lent *(adj.)*

il est rapide *(il va vite)*

elle n'est pas rapide, elle est lente

les *(art. m. ou f. pl.) voir aussi* **« aux »** *et* **« des »**

les *(pr. pers.)* 3e pers. m. ou f. pl. compl.

légume — un — *(n.)*

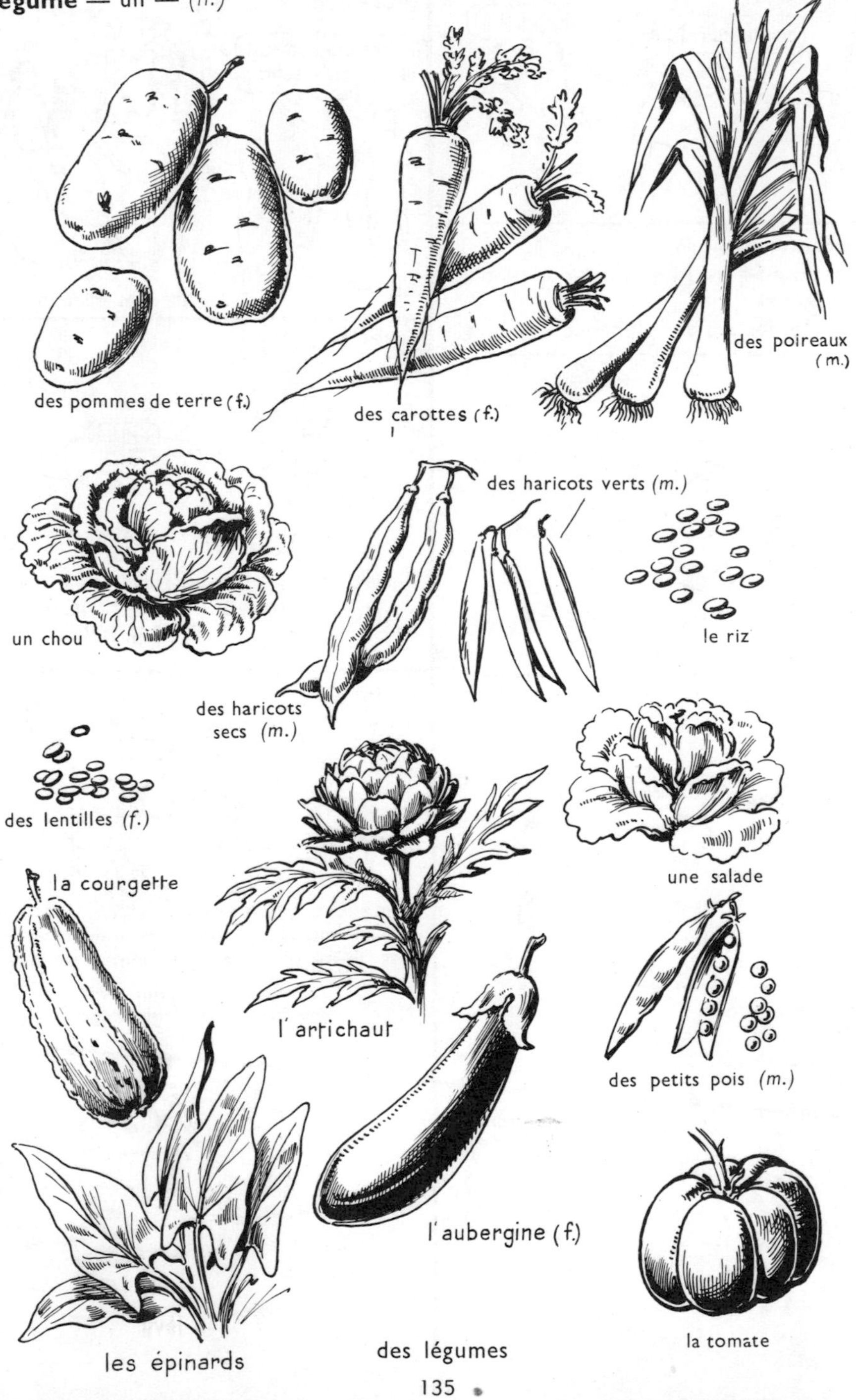

des légumes

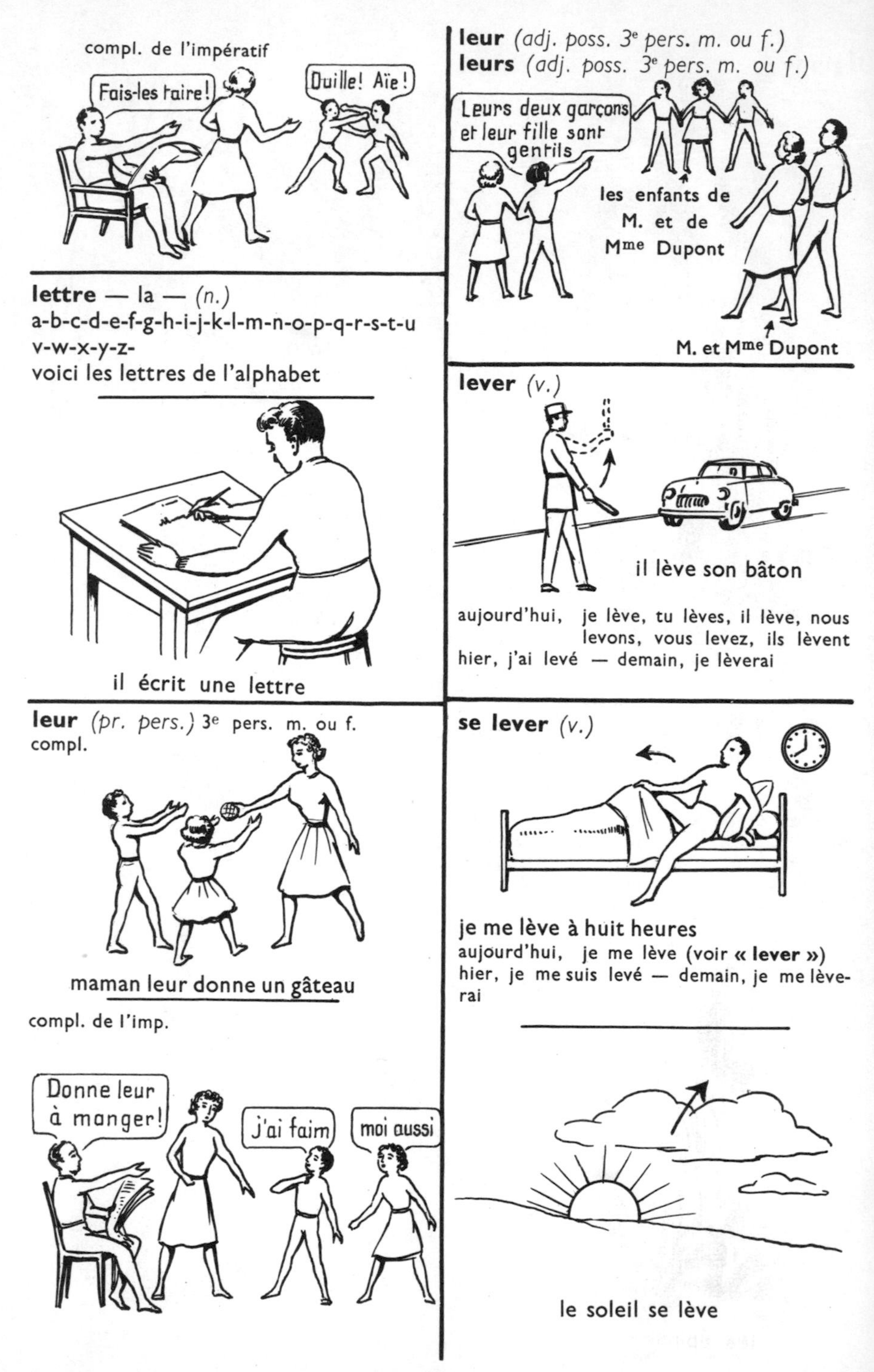

compl. de l'impératif

lettre — la — *(n.)*

a-b-c-d-e-f-g-h-i-j-k-l-m-n-o-p-q-r-s-t-u v-w-x-y-z-

voici les lettres de l'alphabet

il écrit une lettre

leur *(pr. pers.)* 3e pers. m. ou f. compl.

maman leur donne un gâteau

compl. de l'imp.

leur *(adj. poss. 3e pers. m. ou f.)*

leurs *(adj. poss. 3e pers. m. ou f.)*

lever *(v.)*

il lève son bâton

aujourd'hui, je lève, tu lèves, il lève, nous levons, vous levez, ils lèvent

hier, j'ai levé — demain, je lèverai

se lever *(v.)*

je me lève à huit heures

aujourd'hui, je me lève (voir « **lever** »)

hier, je me suis levé — demain, je me lèverai

le soleil se lève

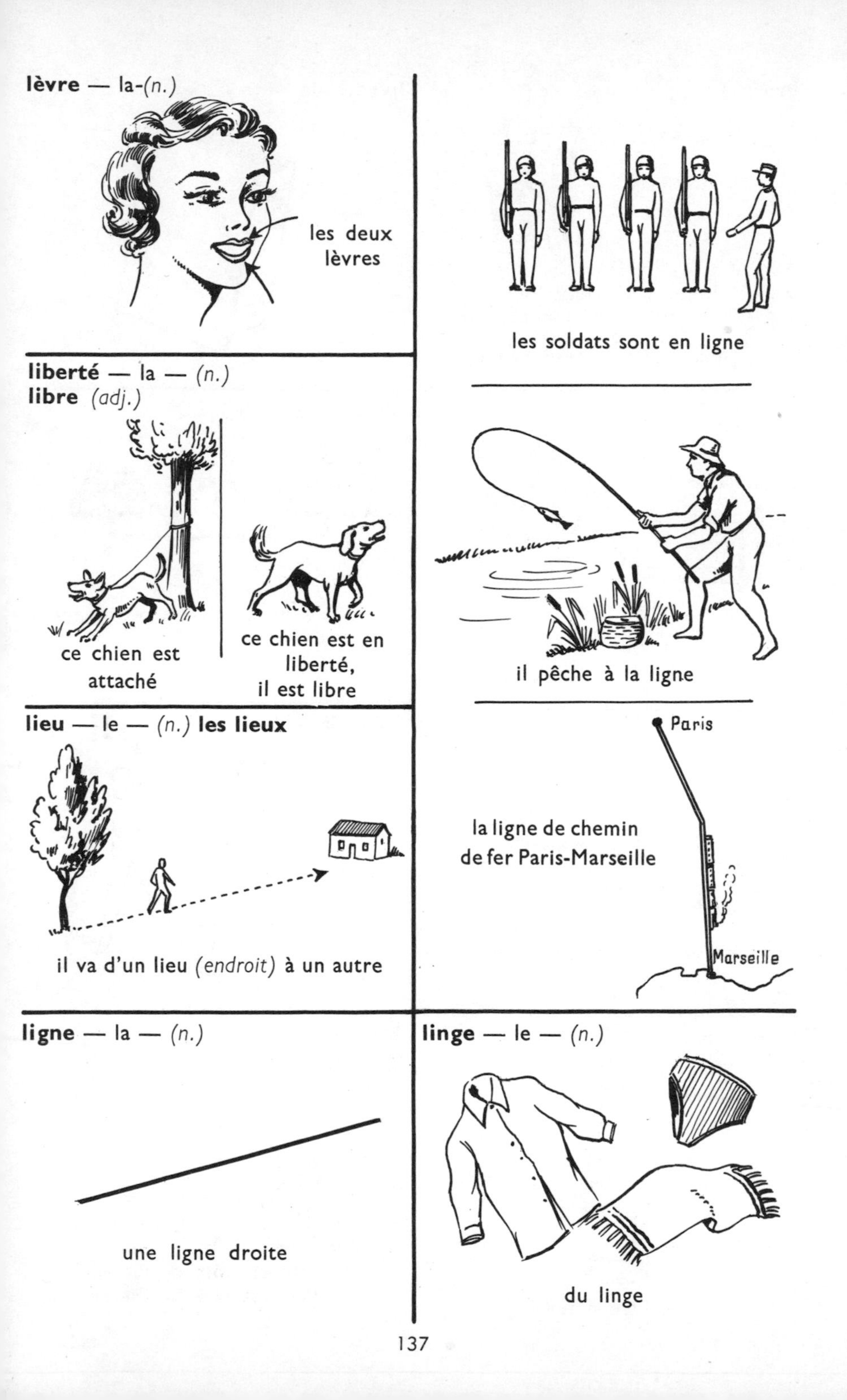

lèvre — la-(*n.*)
les deux lèvres
liberté — la — (*n.*)
libre (*adj.*)
ce chien est attaché
ce chien est en liberté, il est libre
lieu — le — (*n.*) **les lieux**
il va d'un lieu (*endroit*) à un autre
ligne — la — (*n.*)
une ligne droite
les soldats sont en ligne
il pêche à la ligne
Paris
la ligne de chemin de fer Paris-Marseille
Marseille
linge — le — (*n.*)
du linge

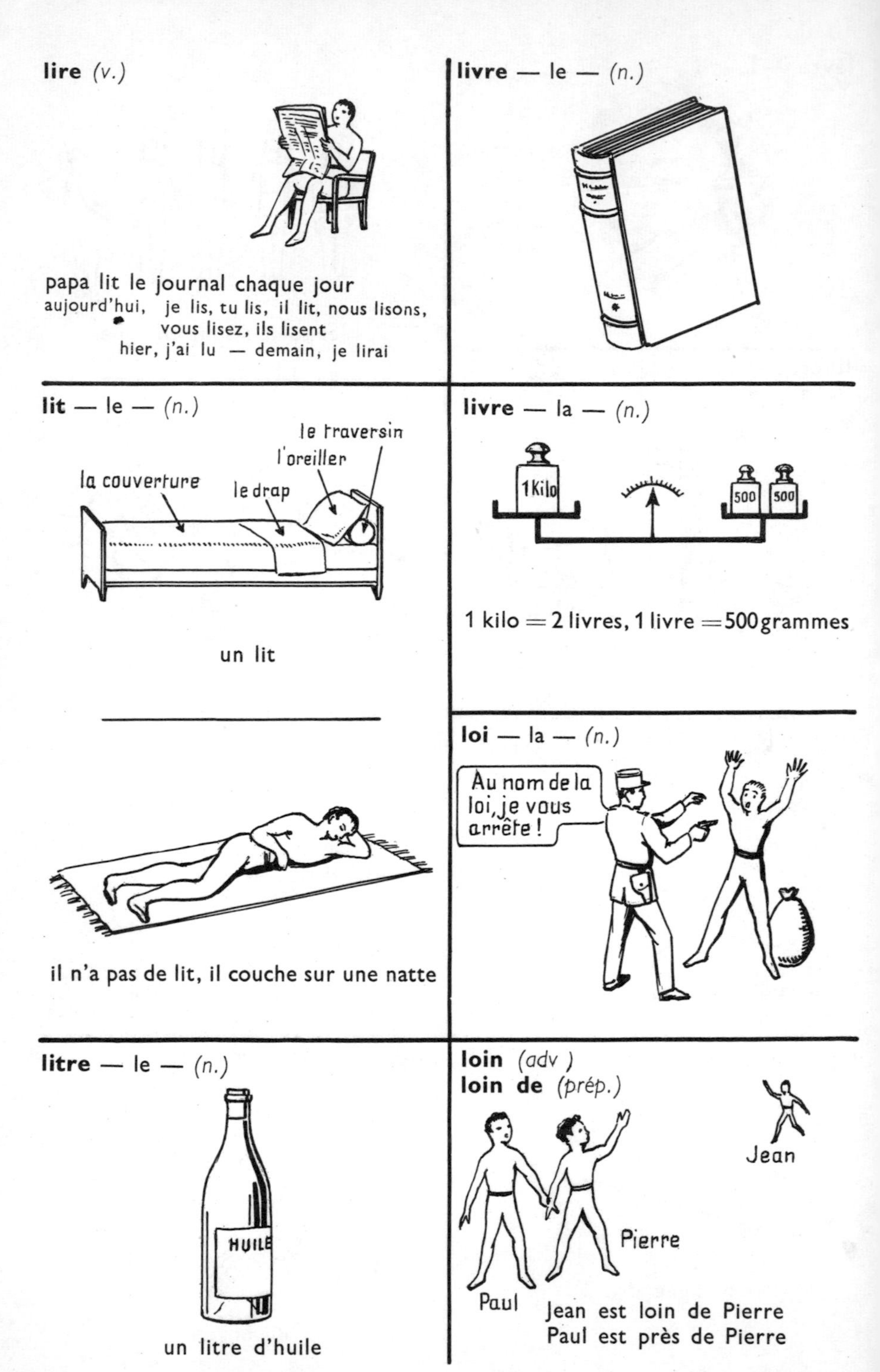

lire *(v.)*

papa lit le journal chaque jour
aujourd'hui, je lis, tu lis, il lit, nous lisons, vous lisez, ils lisent
hier, j'ai lu — demain, je lirai

livre — le — *(n.)*

lit — le — *(n.)*

un lit

il n'a pas de lit, il couche sur une natte

livre — la — *(n.)*

1 kilo = 2 livres, 1 livre = 500 grammes

loi — la — *(n.)*

litre — le — *(n.)*

un litre d'huile

loin *(adv.)*
loin de *(prép.)*

Jean est loin de Pierre
Paul est près de Pierre

long *(adj.)* **longue** *(f.)*

des cheveux courts

des cheveux longs

longtemps *(adv.)*

il y a longtemps qu'il marche *(il y a plusieurs heures)*

louer *(v.)*

cette maison est à louer *(personne ne l'habite)*

aujourd'hui, je loue
hier, j'ai loué — demain, je louerai

lourd *(adj.)*

la plume est légère *(elle ne pèse pas beaucoup)*

le sac est lourd *(il pèse beaucoup)*

lui *(pr. pers.)* 3e pers. m. ou f. sing.
lui-même (voir « **même** »)

sujet,

compl.

compl. de l'imp.

à lui *(poss.)*

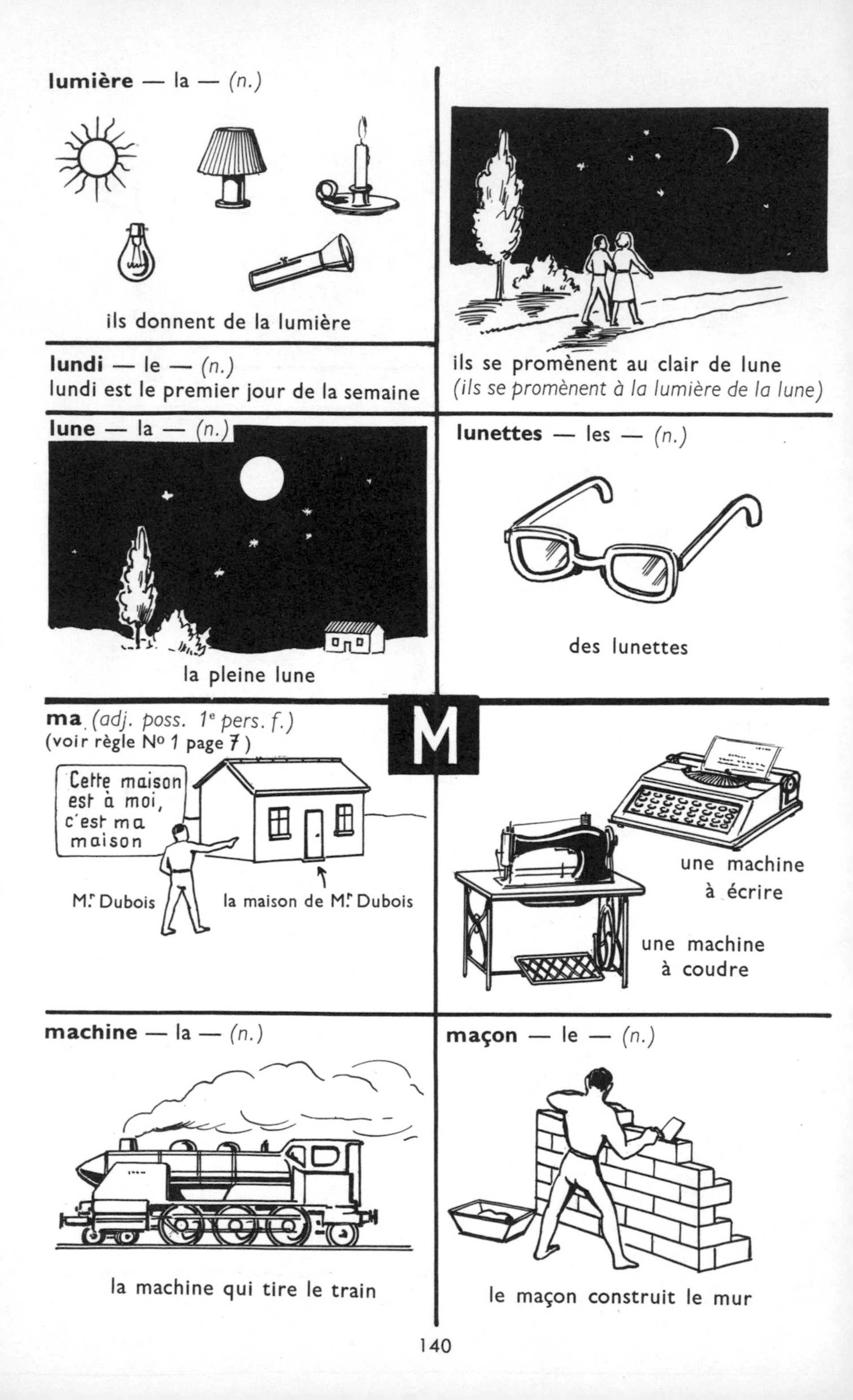

lumière — la — *(n.)*

ils donnent de la lumière

lundi — le — *(n.)*
lundi est le premier jour de la semaine

ils se promènent au clair de lune
(ils se promènent à la lumière de la lune)

lune — la — *(n.)*

la pleine lune

lunettes — les — *(n.)*

des lunettes

M

ma *(adj. poss. 1e pers. f.)*
(voir règle No 1 page 7)

une machine à écrire

une machine à coudre

machine — la — *(n.)*

la machine qui tire le train

maçon — le — *(n.)*

le maçon construit le mur

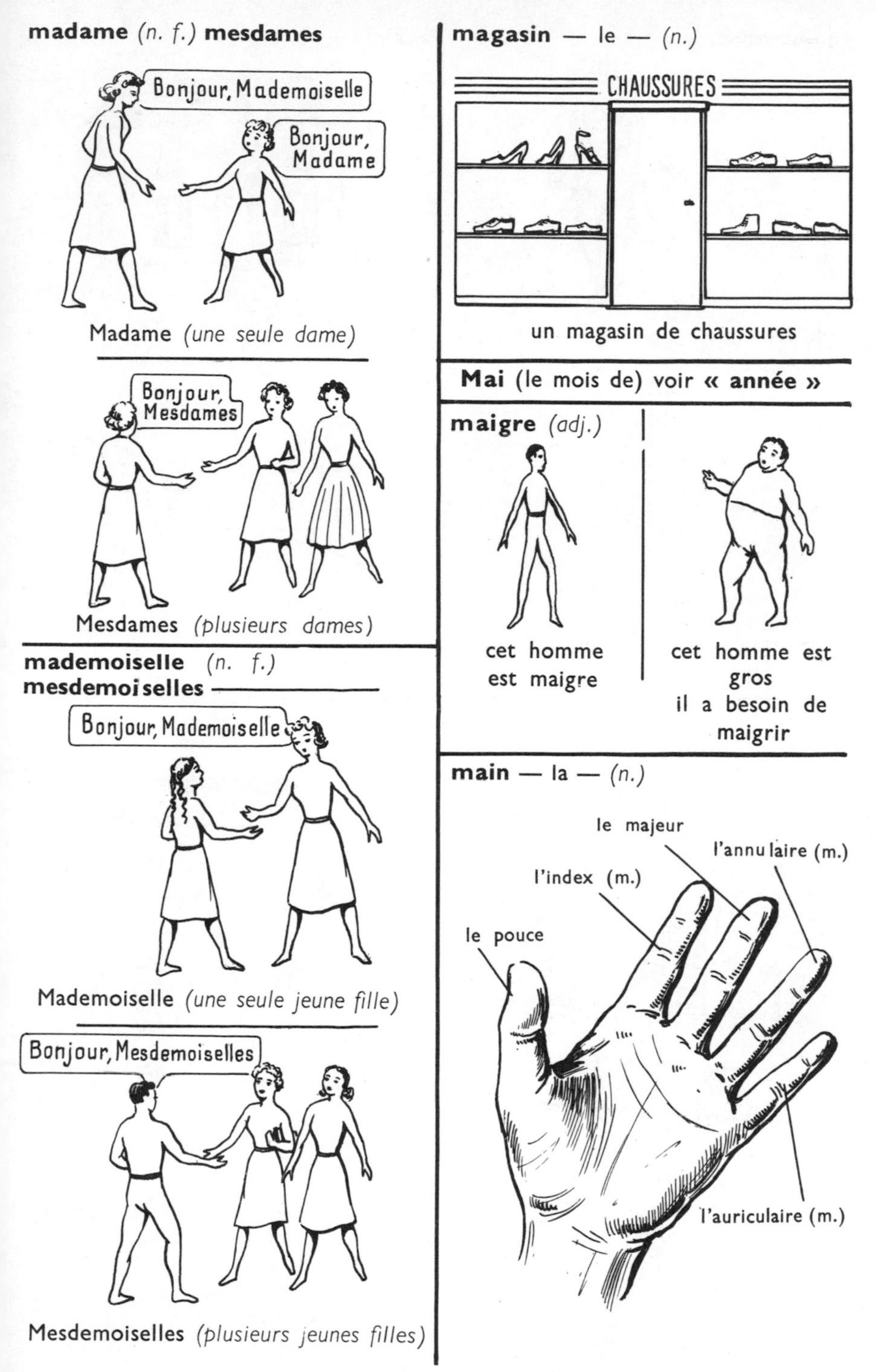

madame *(n. f.)* **mesdames**

Madame *(une seule dame)*

Mesdames *(plusieurs dames)*

mademoiselle *(n. f.)* **mesdemoiselles**

Mademoiselle *(une seule jeune fille)*

Mesdemoiselles *(plusieurs jeunes filles)*

magasin — le — *(n.)*

un magasin de chaussures

Mai (le mois de) voir « **année** »

maigre *(adj.)*

cet homme est maigre

cet homme est gros il a besoin de maigrir

main — la — *(n.)*

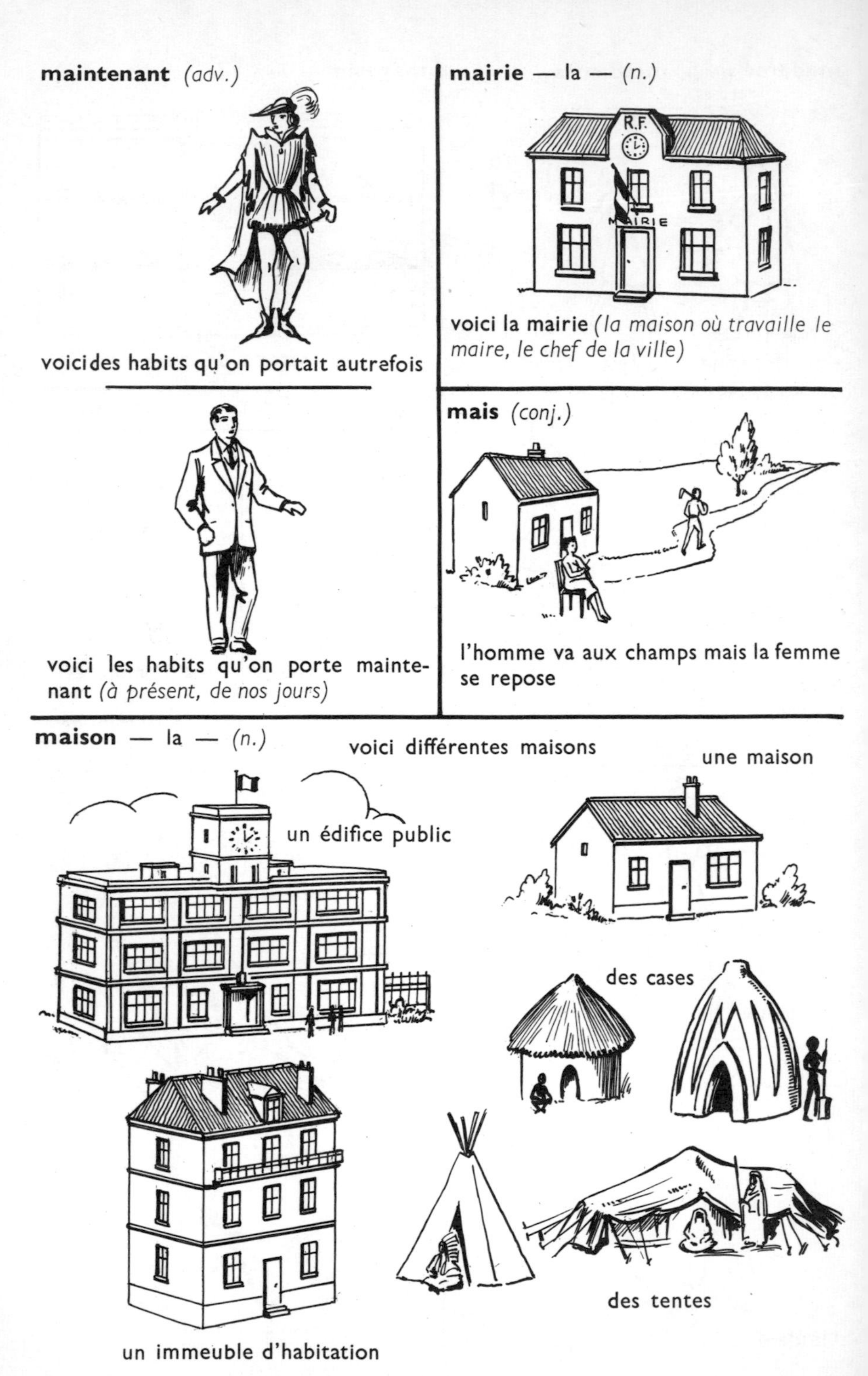

maintenant *(adv.)*

voici des habits qu'on portait autrefois

voici les habits qu'on porte maintenant *(à présent, de nos jours)*

mairie — la — *(n.)*

voici la mairie *(la maison où travaille le maire, le chef de la ville)*

mais *(conj.)*

l'homme va aux champs mais la femme se repose

maison — la — *(n.)*

voici différentes maisons

un édifice public

une maison

des cases

des tentes

un immeuble d'habitation

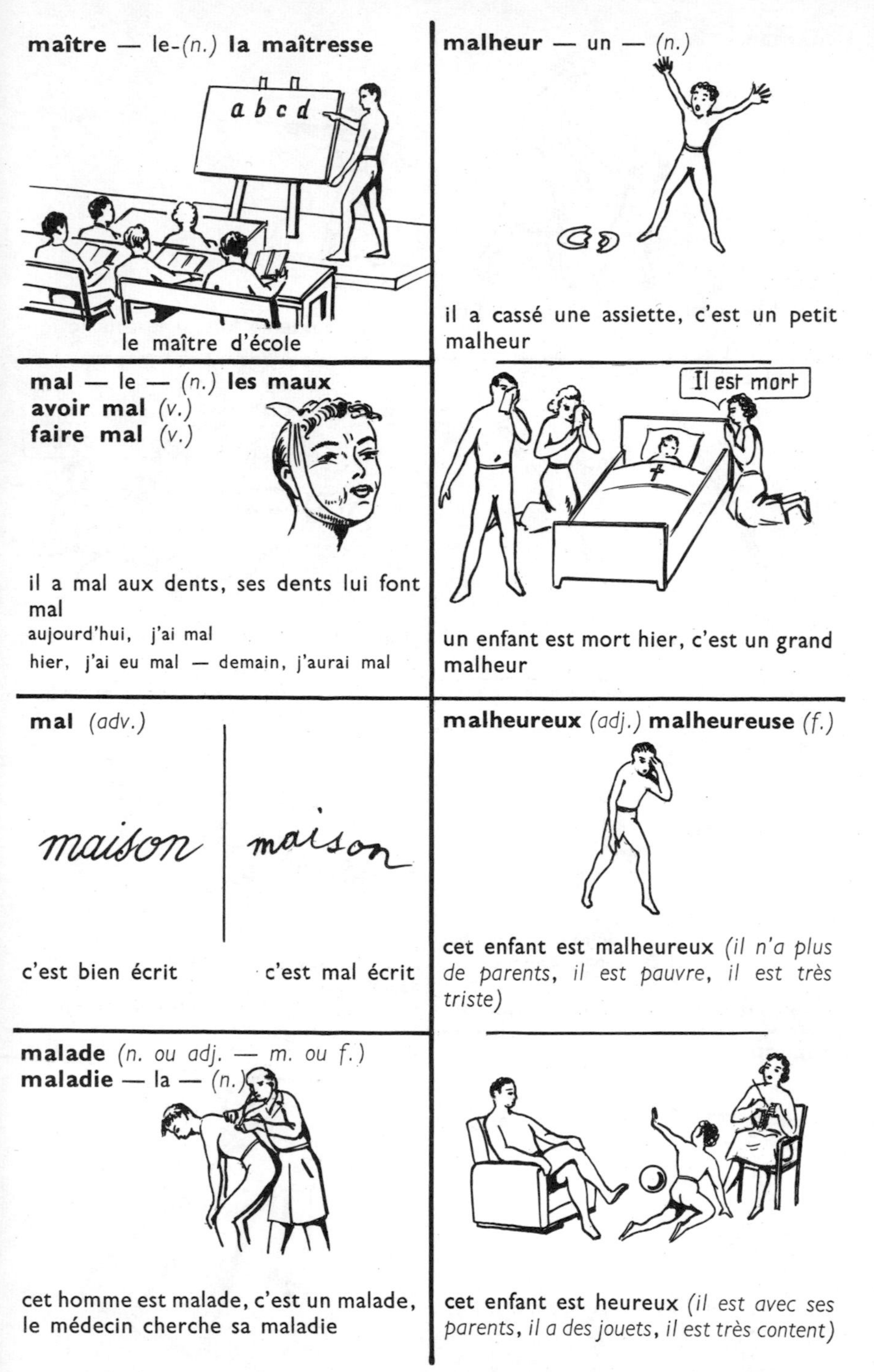

maître — le-(*n.*) **la maîtresse**

le maître d'école

mal — le — (*n.*) **les maux**
avoir mal (*v.*)
faire mal (*v.*)

il a mal aux dents, ses dents lui font mal

aujourd'hui, j'ai mal

hier, j'ai eu mal — demain, j'aurai mal

mal (*adv.*)

c'est bien écrit — c'est mal écrit

malade (*n. ou adj. — m. ou f.*)
maladie — la — (*n.*)

cet homme est malade, c'est un malade, le médecin cherche sa maladie

malheur — un — (*n.*)

il a cassé une assiette, c'est un petit malheur

un enfant est mort hier, c'est un grand malheur

malheureux (*adj.*) **malheureuse** (*f.*)

cet enfant est malheureux (*il n'a plus de parents, il est pauvre, il est très triste*)

cet enfant est heureux (*il est avec ses parents, il a des jouets, il est très content*)

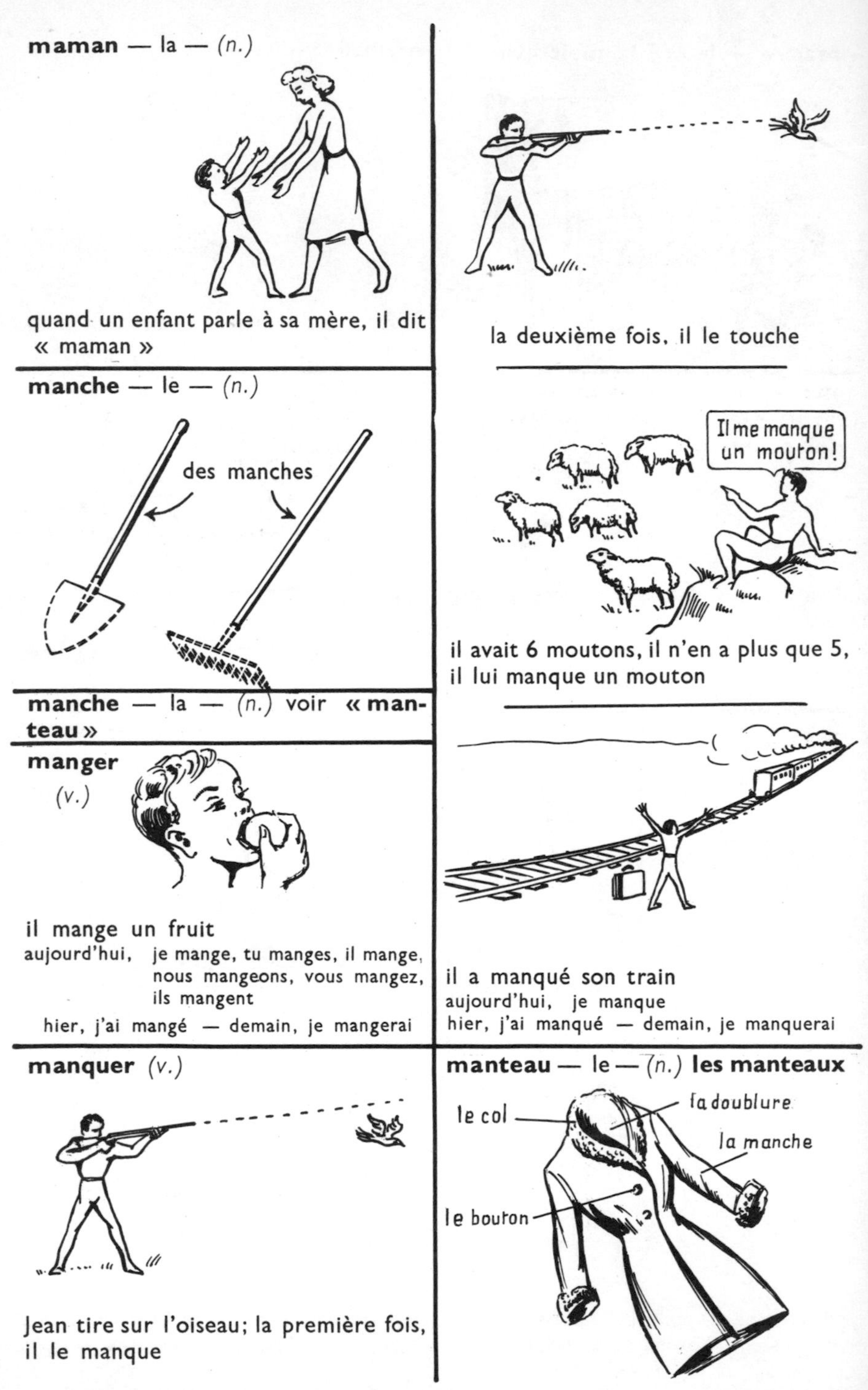

maman — la — *(n.)*

quand un enfant parle à sa mère, il dit « maman »

manche — le — *(n.)*

manche — la — *(n.)* voir **« manteau »**

manger *(v.)*

il mange un fruit

aujourd'hui, je mange, tu manges, il mange, nous mangeons, vous mangez, ils mangent

hier, j'ai mangé — demain, je mangerai

manquer *(v.)*

Jean tire sur l'oiseau; la première fois, il le manque

la deuxième fois, il le touche

il avait 6 moutons, il n'en a plus que 5, il lui manque un mouton

il a manqué son train

aujourd'hui, je manque

hier, j'ai manqué — demain, je manquerai

manteau — le — *(n.)* **les manteaux**

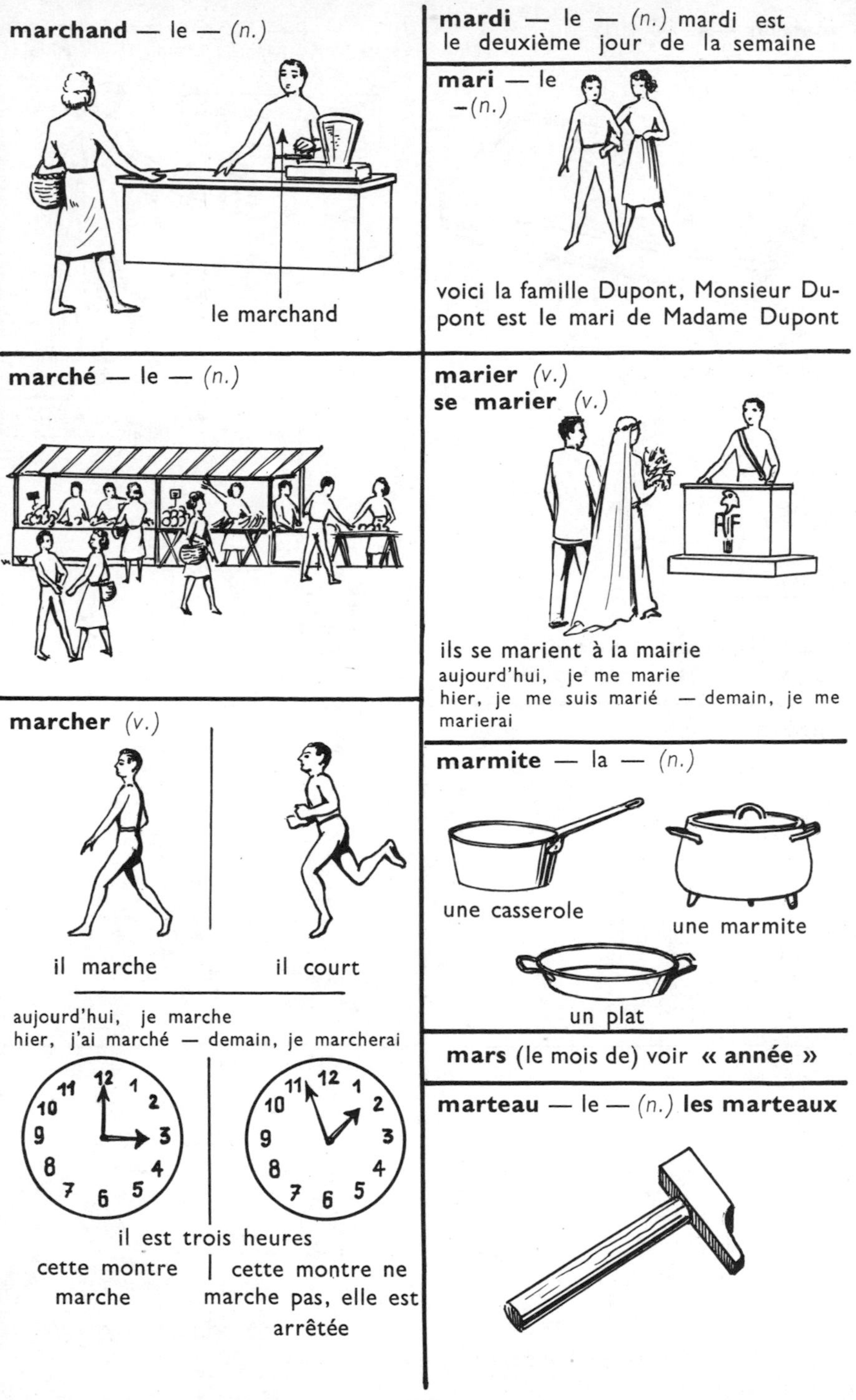

marchand — le — *(n.)*

le marchand

marché — le — *(n.)*

marcher *(v.)*

il marche

il court

aujourd'hui, je marche
hier, j'ai marché — demain, je marcherai

il est trois heures

cette montre marche

cette montre ne marche pas, elle est arrêtée

mardi — le — *(n.)* mardi est le deuxième jour de la semaine

mari — le — *(n.)*

voici la famille Dupont, Monsieur Dupont est le mari de Madame Dupont

marier *(v.)*
se marier *(v.)*

ils se marient à la mairie
aujourd'hui, je me marie
hier, je me suis marié — demain, je me marierai

marmite — la — *(n.)*

une casserole

une marmite

un plat

mars (le mois de) voir **« année »**

marteau — le — *(n.)* **les marteaux**

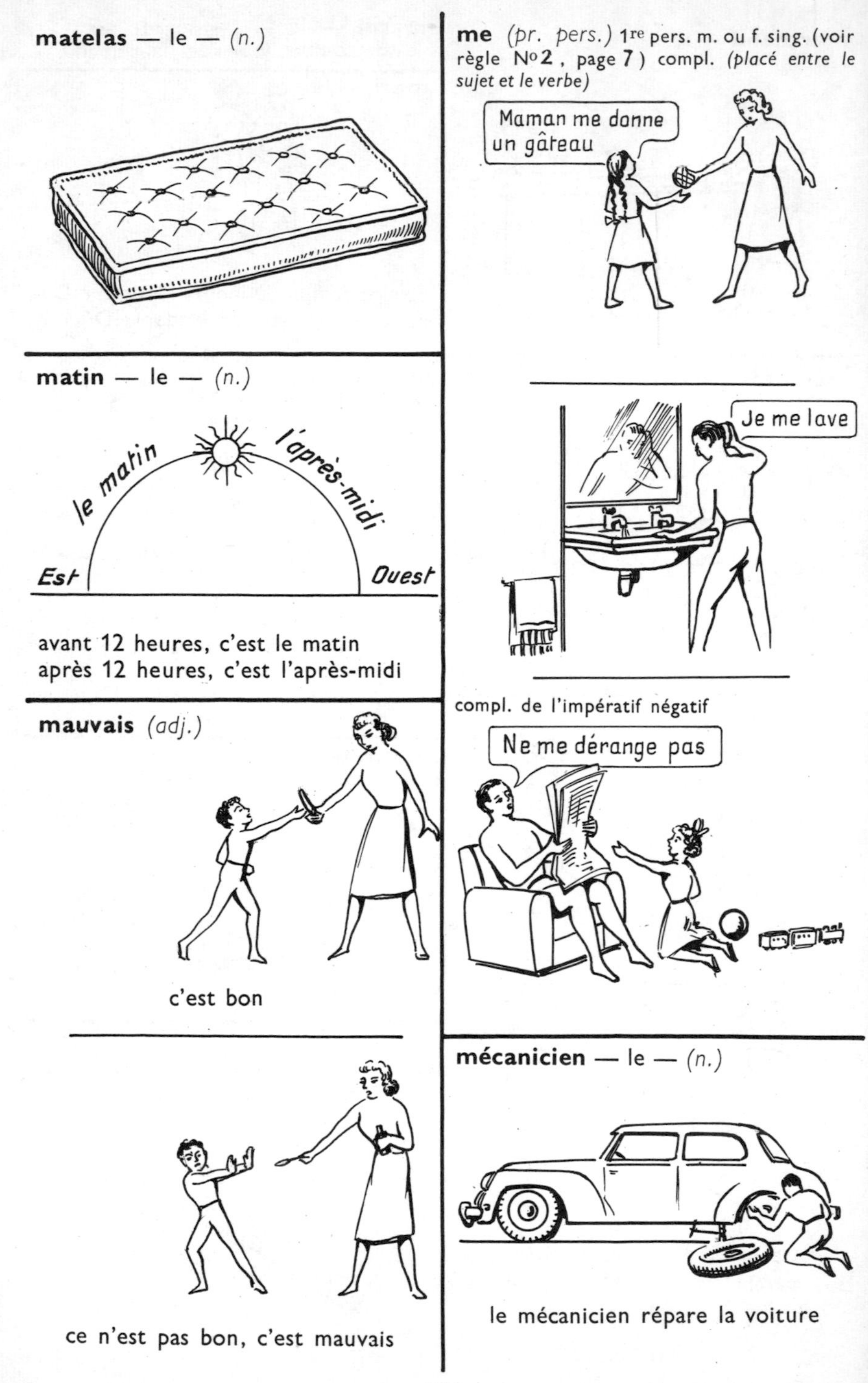

matelas — le — *(n.)*

matin — le — *(n.)*

avant 12 heures, c'est le matin
après 12 heures, c'est l'après-midi

mauvais *(adj.)*

c'est bon

ce n'est pas bon, c'est mauvais

me *(pr. pers.)* 1re pers. m. ou f. sing. (voir règle No 2, page 7) compl. *(placé entre le sujet et le verbe)*

compl. de l'impératif négatif

mécanicien — le — *(n.)*

le mécanicien répare la voiture

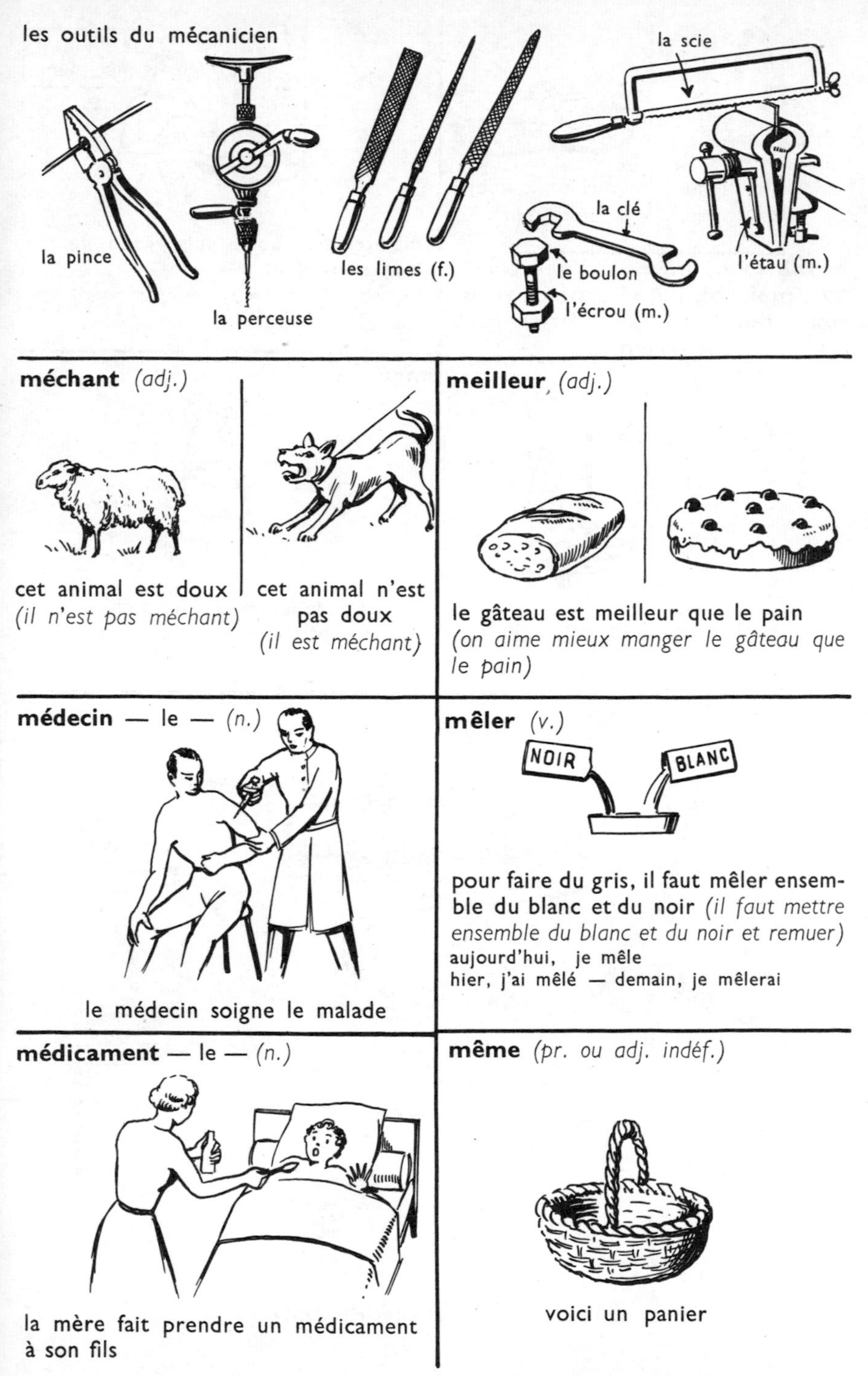

méchant *(adj.)*

cet animal est doux *(il n'est pas méchant)*

cet animal n'est pas doux *(il est méchant)*

meilleur, *(adj.)*

le gâteau est meilleur que le pain *(on aime mieux manger le gâteau que le pain)*

médecin — le — *(n.)*

le médecin soigne le malade

mêler *(v.)*

pour faire du gris, il faut mêler ensemble du blanc et du noir *(il faut mettre ensemble du blanc et du noir et remuer)*
aujourd'hui, je mêle
hier, j'ai mêlé — demain, je mêlerai

médicament — le — *(n.)*

la mère fait prendre un médicament à son fils

même *(pr. ou adj. indéf.)*

voici un panier

voici le même panier

voici un panier différent

même *(adv.)* **même** *s'ajoute au pr. pers.* **moi, toi, lui, elle, nous, vous, eux, elles** *pour donner des pr. pers. renforcés* : **moi-même...**

le matin je me lave, dit le père

maintenant que je suis grand, je me lave moi-même
(avant j'étais trop petit, maman me lavait)

ménage — le — *(n.)*

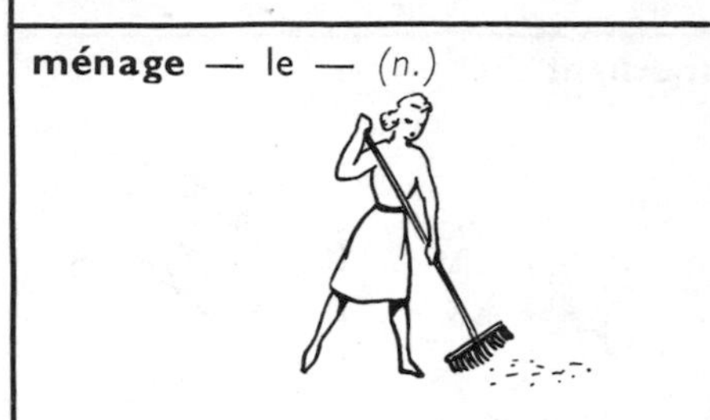

le matin, la femme fait le ménage *(elle balaie le plancher et essuie les meubles)*

ménager *(adj.)* **ménagère** *(f.)*

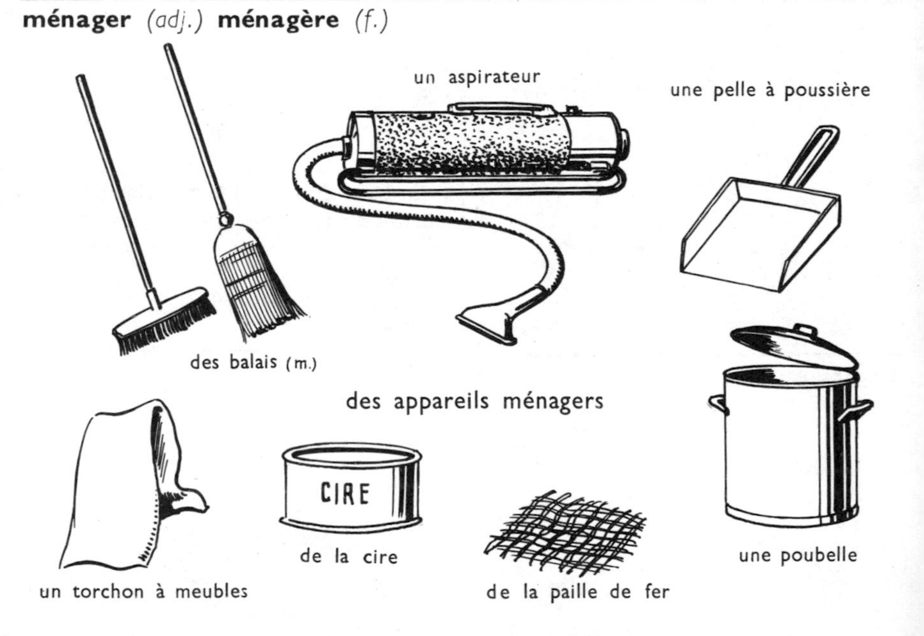

voilà ce qu'il faut pour faire le ménage

ménagère — la — *(n.)*

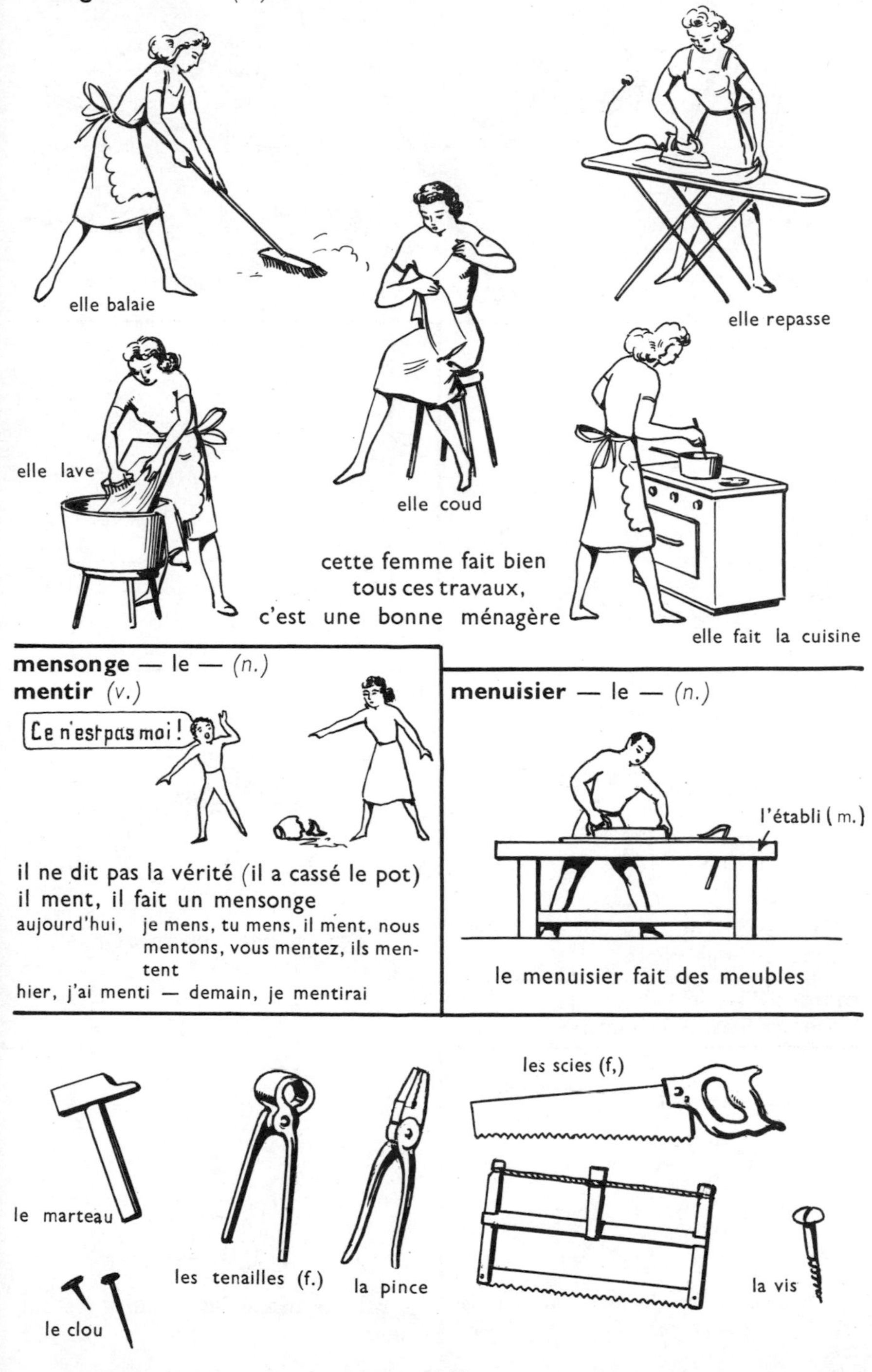

cette femme fait bien
tous ces travaux,
c'est une bonne ménagère

mensonge — le — *(n.)*
mentir *(v.)*

il ne dit pas la vérité (il a cassé le pot)
il ment, il fait un mensonge
aujourd'hui, je mens, tu mens, il ment, nous mentons, vous mentez, ils mentent
hier, j'ai menti — demain, je mentirai

menuisier — le — *(n.)*

le menuisier fait des meubles

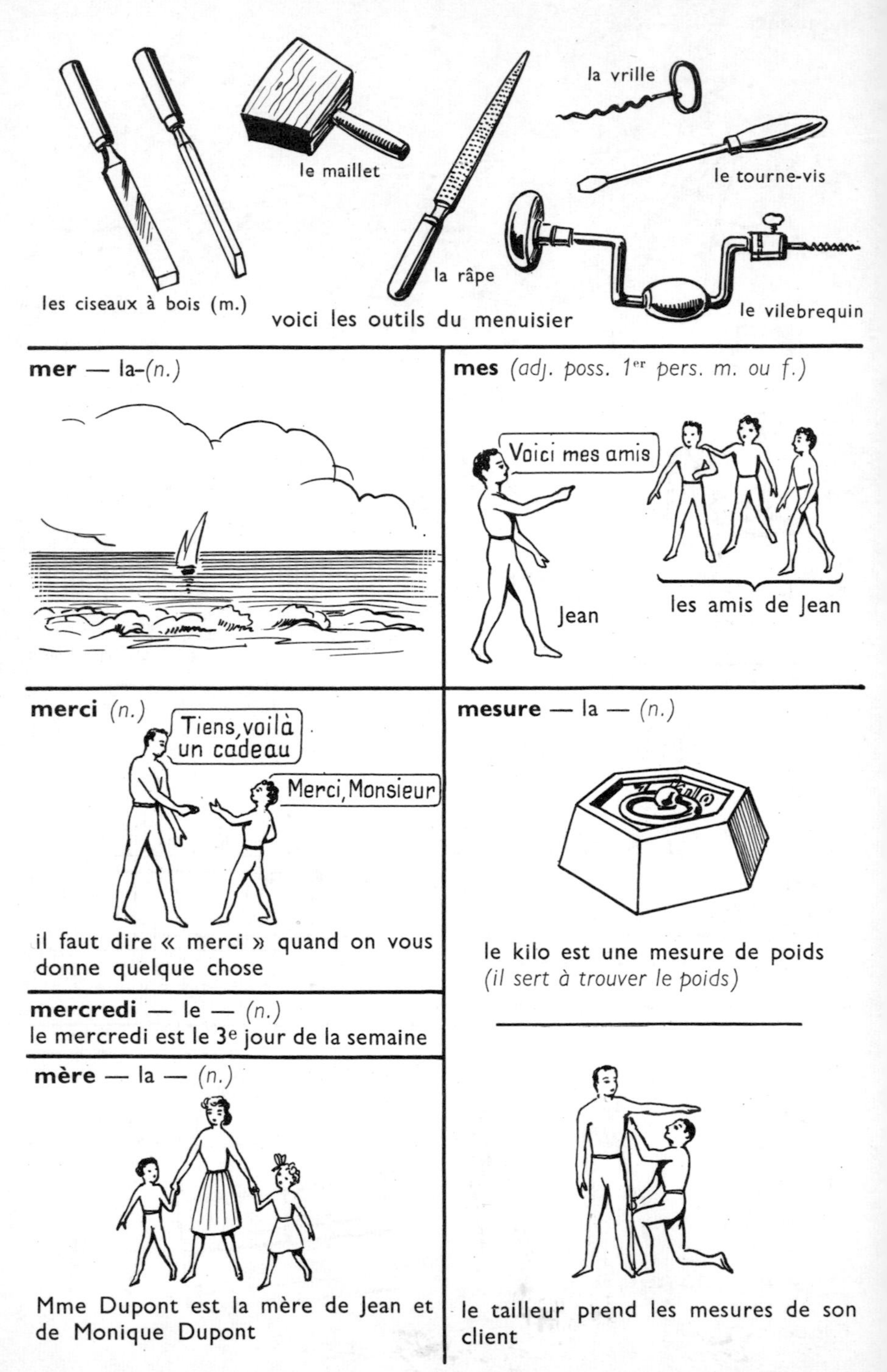

voici les outils du menuisier

mer — la-*(n.)*

mes *(adj. poss. 1er pers. m. ou f.)*

merci *(n.)*

il faut dire « merci » quand on vous donne quelque chose

mercredi — le — *(n.)*
le mercredi est le 3e jour de la semaine

mère — la — *(n.)*

Mme Dupont est la mère de Jean et de Monique Dupont

mesure — la — *(n.)*

le kilo est une mesure de poids
(il sert à trouver le poids)

le tailleur prend les mesures de son client

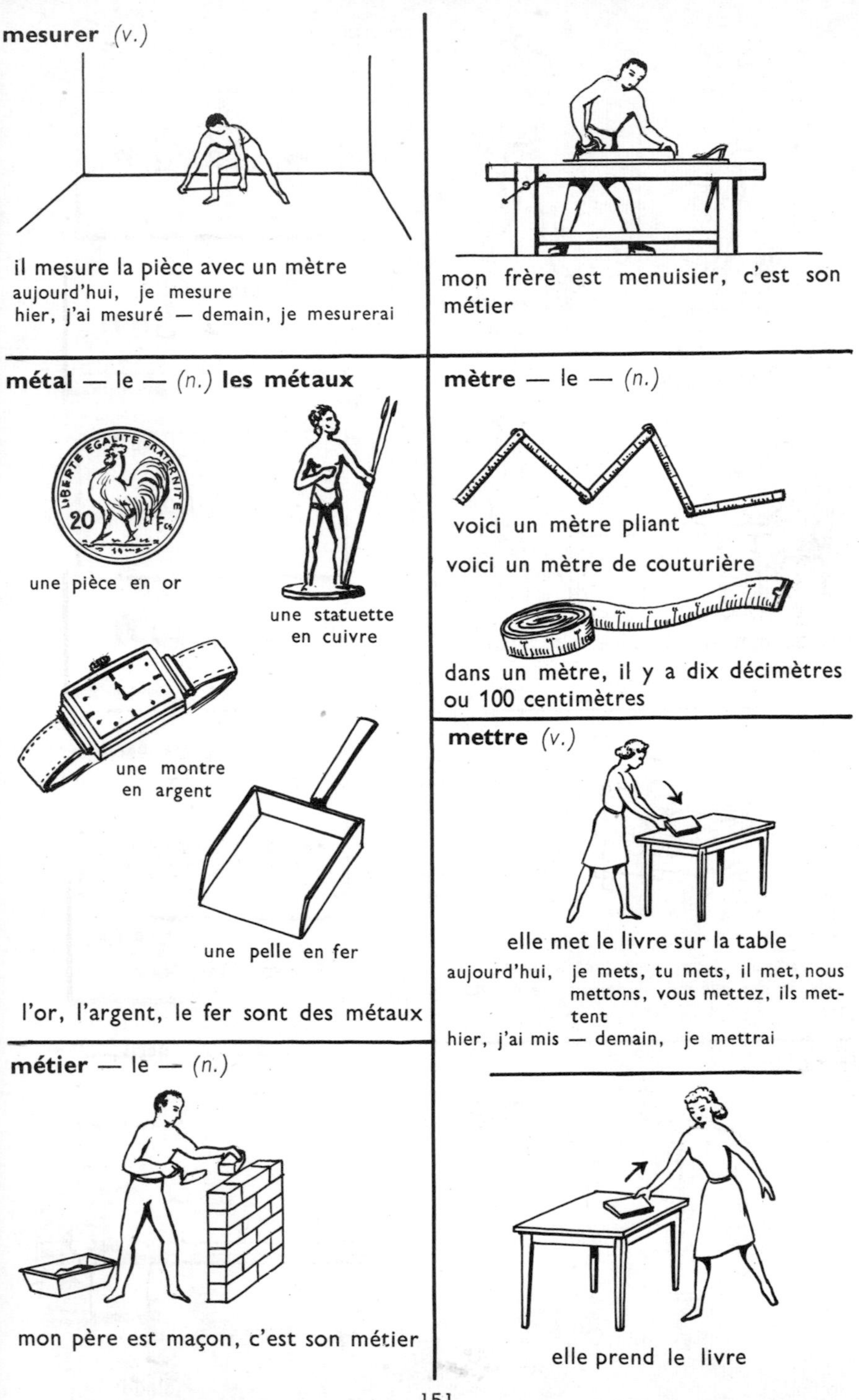

mesurer *(v.)*

il mesure la pièce avec un mètre
aujourd'hui, je mesure
hier, j'ai mesuré — demain, je mesurerai

mon frère est menuisier, c'est son métier

métal — le — *(n.)* **les métaux**

une pièce en or

une statuette en cuivre

une montre en argent

une pelle en fer

l'or, l'argent, le fer sont des métaux

métier — le — *(n.)*

mon père est maçon, c'est son métier

mètre — le — *(n.)*

voici un mètre pliant

voici un mètre de couturière

dans un mètre, il y a dix décimètres ou 100 centimètres

mettre *(v.)*

elle met le livre sur la table

aujourd'hui, je mets, tu mets, il met, nous mettons, vous mettez, ils mettent
hier, j'ai mis — demain, je mettrai

elle prend le livre

il met son chapeau

il enlève son chapeau

se mettre *(v.)*

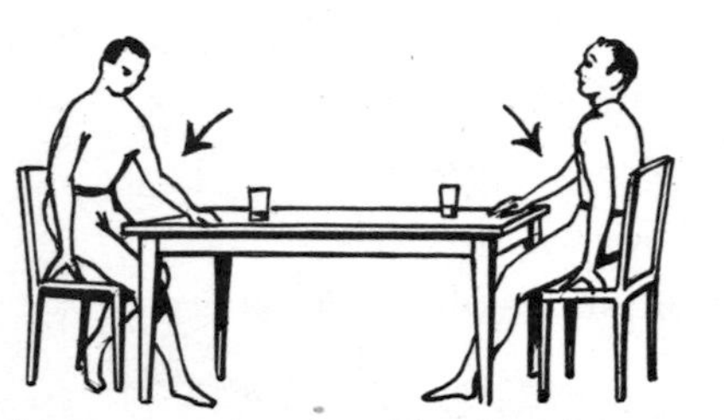

ils se mettent à table *(ils s'asseyent à table)*

il se met à *(il commence à)* travailler

aujourd'hui, je me mets (voir « **mettre** »)
hier, je me suis mis — demain, je me mettrai

midi *(n.)*

il est midi

mieux *(adv.)*

c'est mal écrit

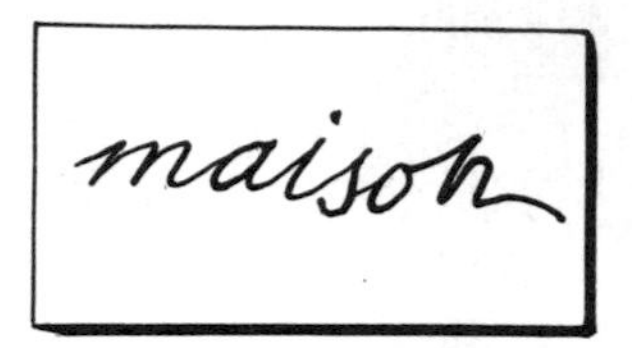

c'est mieux écrit

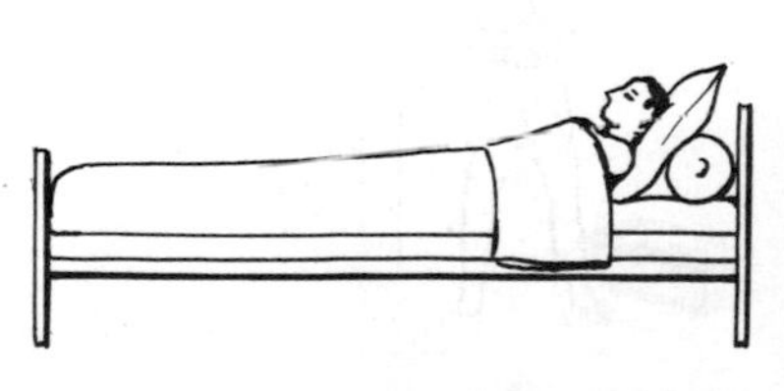

c'est bien écrit

il est malade

meuble — le — *(n.)*

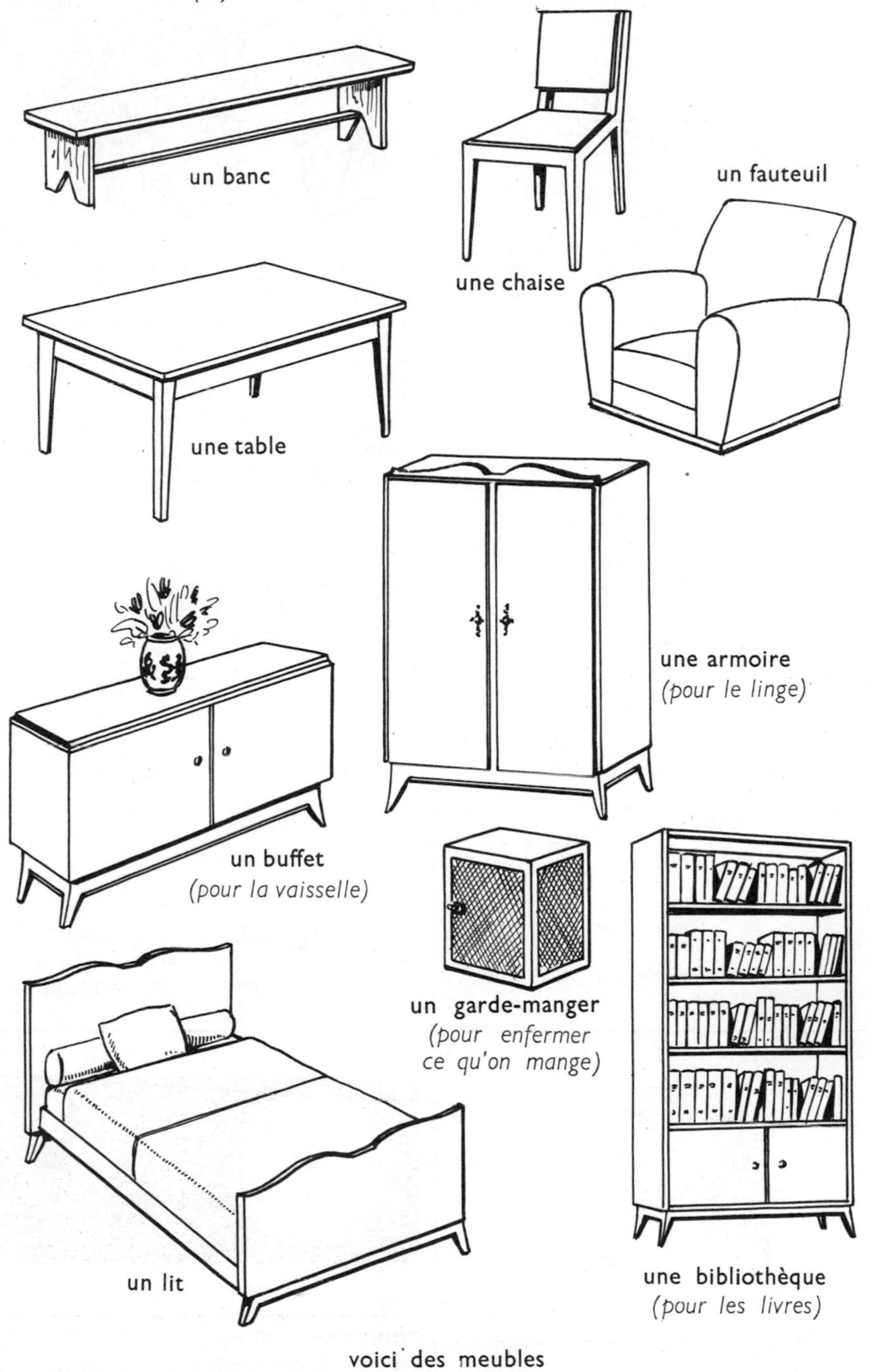

voici des meubles

il va mieux *(il est moins malade)*

le tambour n'est pas au milieu des femmes

il est guéri

mille *(adj. num.)*
1000
10 × 100 = 1000
millier — un — *(n.)*
un millier de francs
(à peu près mille francs)
milliard — un–*(n.)*
1 000 000 000
million — un — *(n.)*
1 000 000

milieu — le — *(n.)* **les milieux**

la feuille est pliée par le milieu

au milieu de *(prép.)*

le tambour est au milieu des femmes

mince *(adj.)*

un livre mince

un livre épais

minuit *(n.)*

il est minuit

minute — la — *(n.)*
il y a 60 minutes dans une heure

moderne *(adj.)*

une vieille voiture

une voiture moderne

moi *(pr. pers.)* 1re pers. m. ou f. sing.
sujet

compl.

compl. de l'impératif

à moi *(poss.)*

moi-même, voir « **même** »

moins, voir « **autant** et **aussi** »

mois — le — *(n.)*
il y a 12 mois dans l'année :
janvier, février, mars, avril, mai, juin, juillet, août, septembre, octobre, novembre, décembre.
dans un mois il y a trente jours

moisson — la — *(n.)*

ils font la moisson

moitié — la — *(n.)*

voici un bâton

on scie ce bâton par le milieu

cela fait deux moitiés de bâton.

moment — le — *(n.)*

voulez-vous attendre un moment
(quelques minutes)

mon *(adj. poss. 1er pers. m.)*

M. Dubois

le chapeau de M. Dubois

monde — le — *(n.)*

il n'y a personne dans la rue

il y a beaucoup de monde dans la rue

monnaie — la — *(n.)*

des pièces de monnaie

avez-vous la monnaie de 1000 f ?
(pouvez-vous me rendre des petits billets et des pièces)

monsieur - le — **les messieurs** *(pl.)*

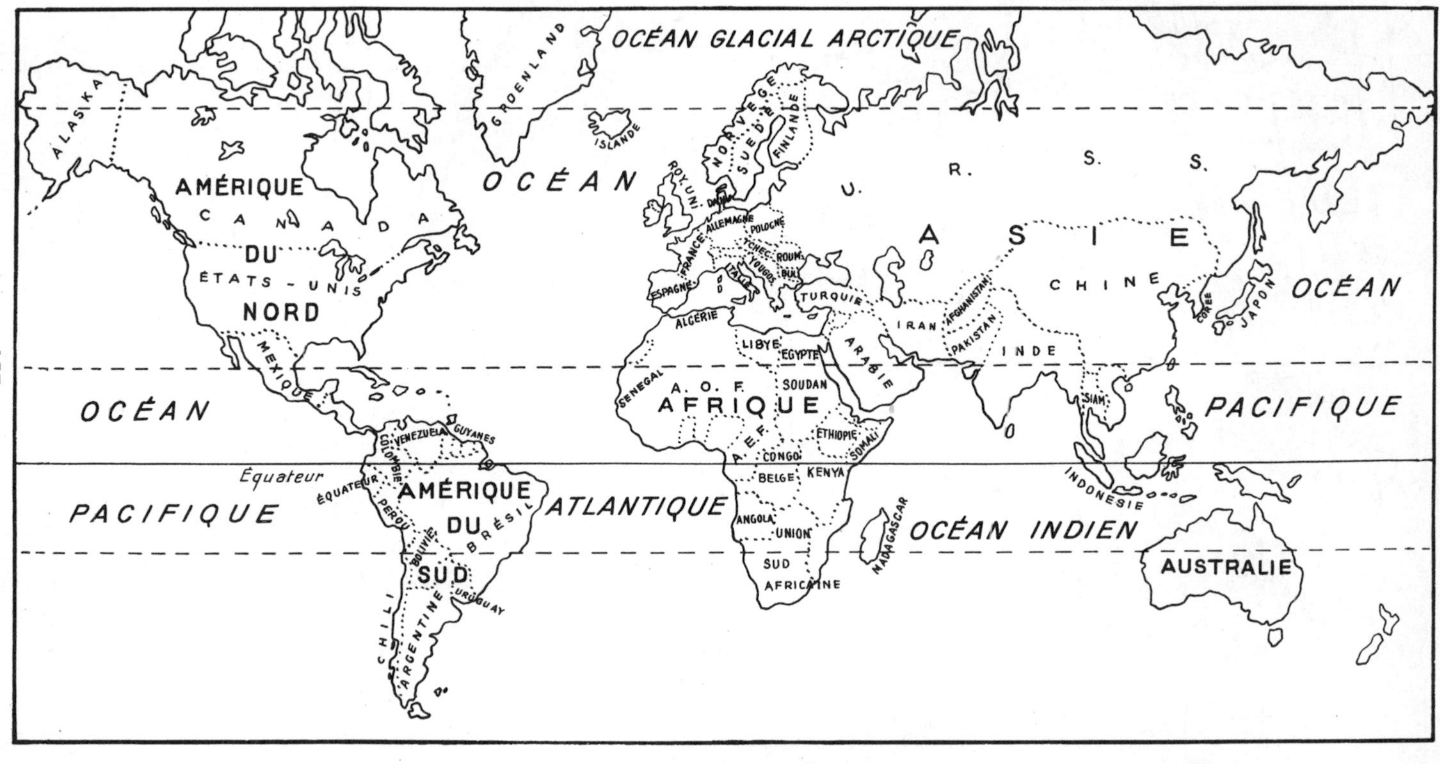

la carte du monde

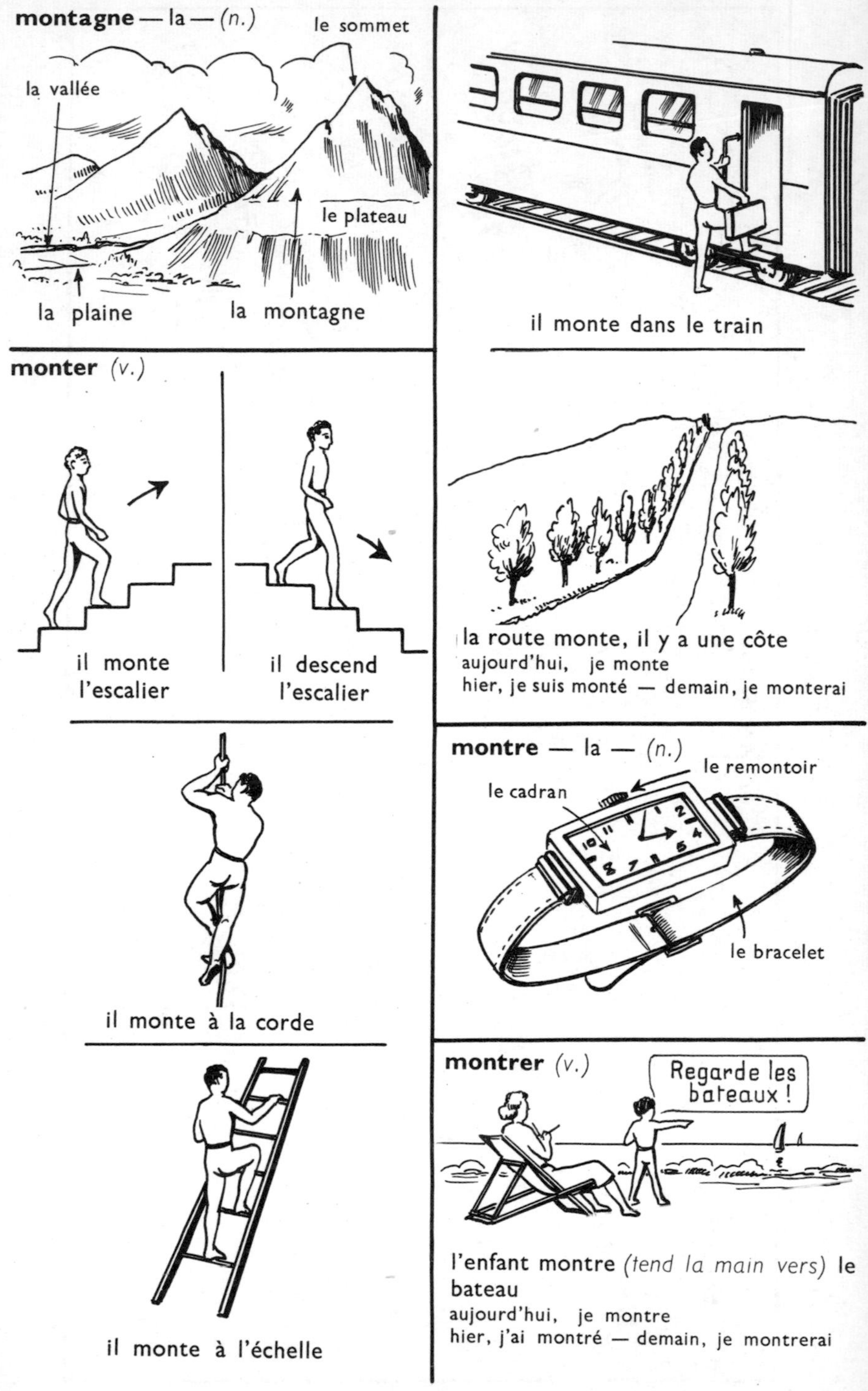
montagne — la — (n.)
le sommet
la vallée
le plateau
la plaine
la montagne
il monte dans le train
monter (v.)
il monte l'escalier
il descend l'escalier
la route monte, il y a une côte
aujourd'hui, je monte
hier, je suis monté — demain, je monterai
il monte à la corde
montre — la — (n.)
le remontoir
le cadran
le bracelet
il monte à l'échelle
montrer (v.)
Regarde les bateaux !
l'enfant montre (tend la main vers) le bateau
aujourd'hui, je montre
hier, j'ai montré — demain, je montrerai

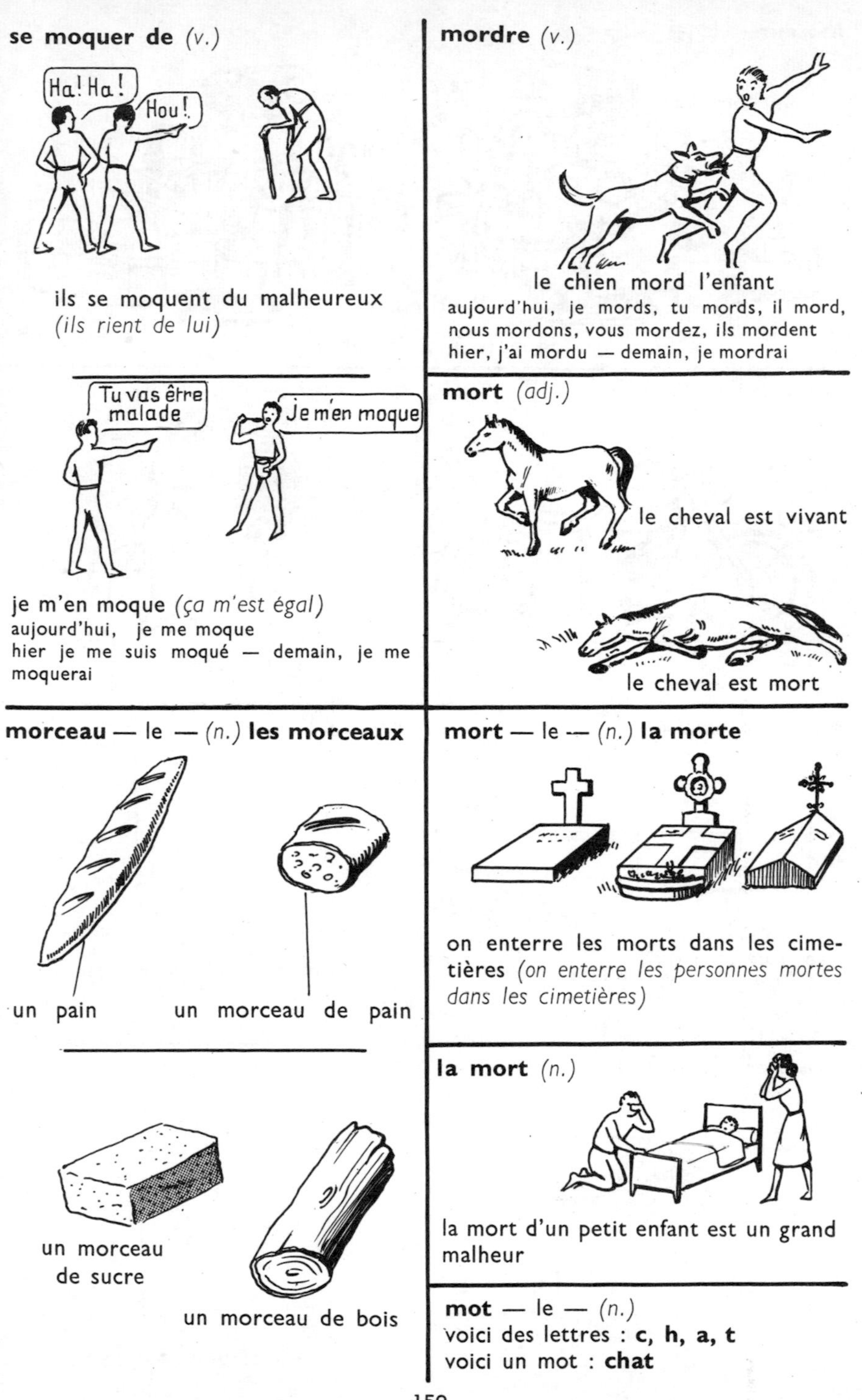

se moquer de *(v.)*

ils se moquent du malheureux
(ils rient de lui)

je m'en moque *(ça m'est égal)*
aujourd'hui, je me moque
hier je me suis moqué — demain, je me moquerai

morceau — le — *(n.)* **les morceaux**

un pain

un morceau de pain

un morceau de sucre

un morceau de bois

mordre *(v.)*

le chien mord l'enfant
aujourd'hui, je mords, tu mords, il mord, nous mordons, vous mordez, ils mordent
hier, j'ai mordu — demain, je mordrai

mort *(adj.)*

le cheval est vivant

le cheval est mort

mort — le — *(n.)* **la morte**

on enterre les morts dans les cimetières *(on enterre les personnes mortes dans les cimetières)*

la mort *(n.)*

la mort d'un petit enfant est un grand malheur

mot — le — *(n.)*
voici des lettres : **c, h, a, t**
voici un mot : **chat**

moteur — le — *(n.)*

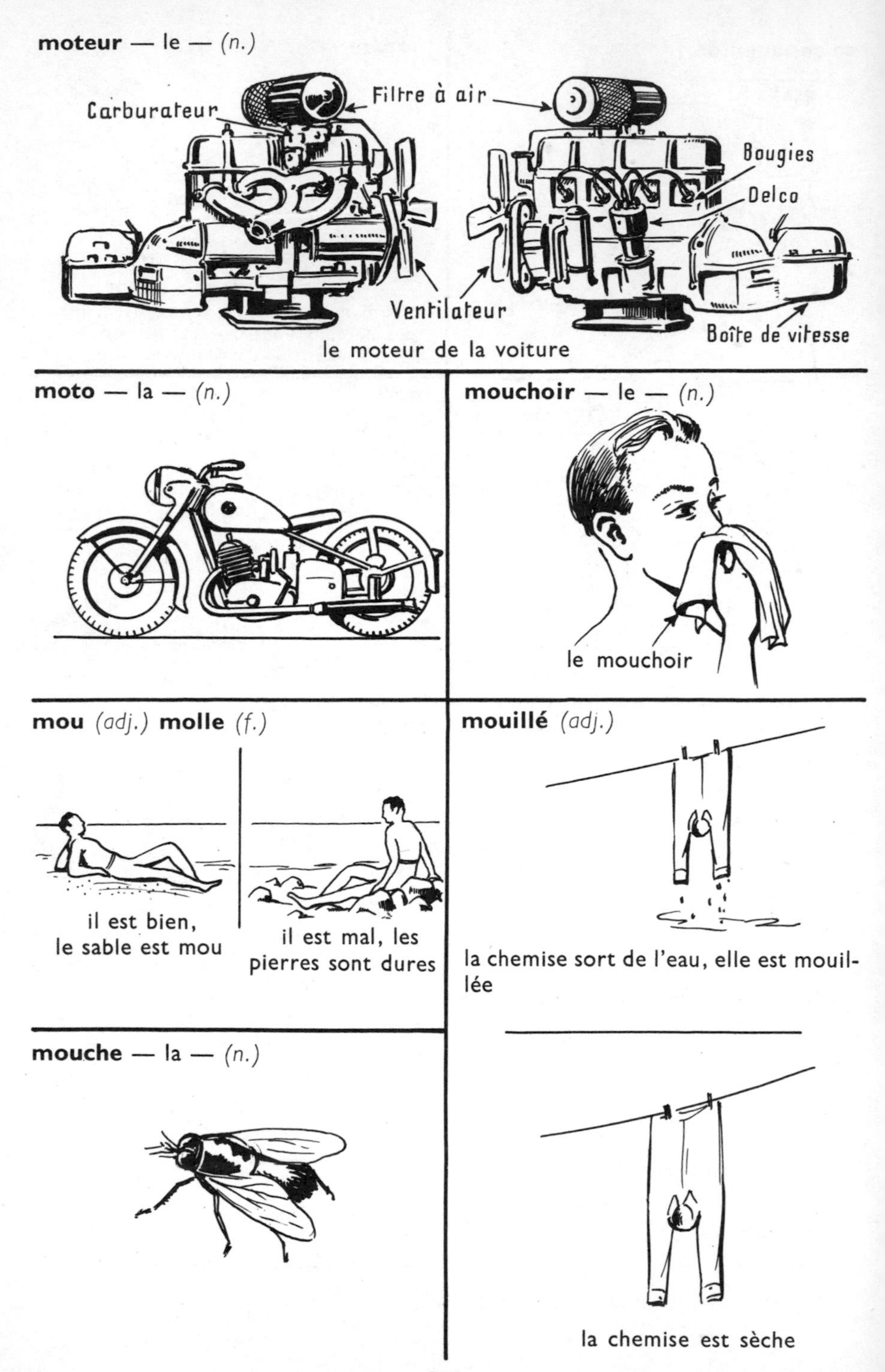

le moteur de la voiture

moto — la — *(n.)*

mouchoir — le — *(n.)*

le mouchoir

mou *(adj.)* **molle** *(f.)*

il est bien,
le sable est mou

il est mal, les
pierres sont dures

mouillé *(adj.)*

la chemise sort de l'eau, elle est mouillée

la chemise est sèche

mouche — la — *(n.)*

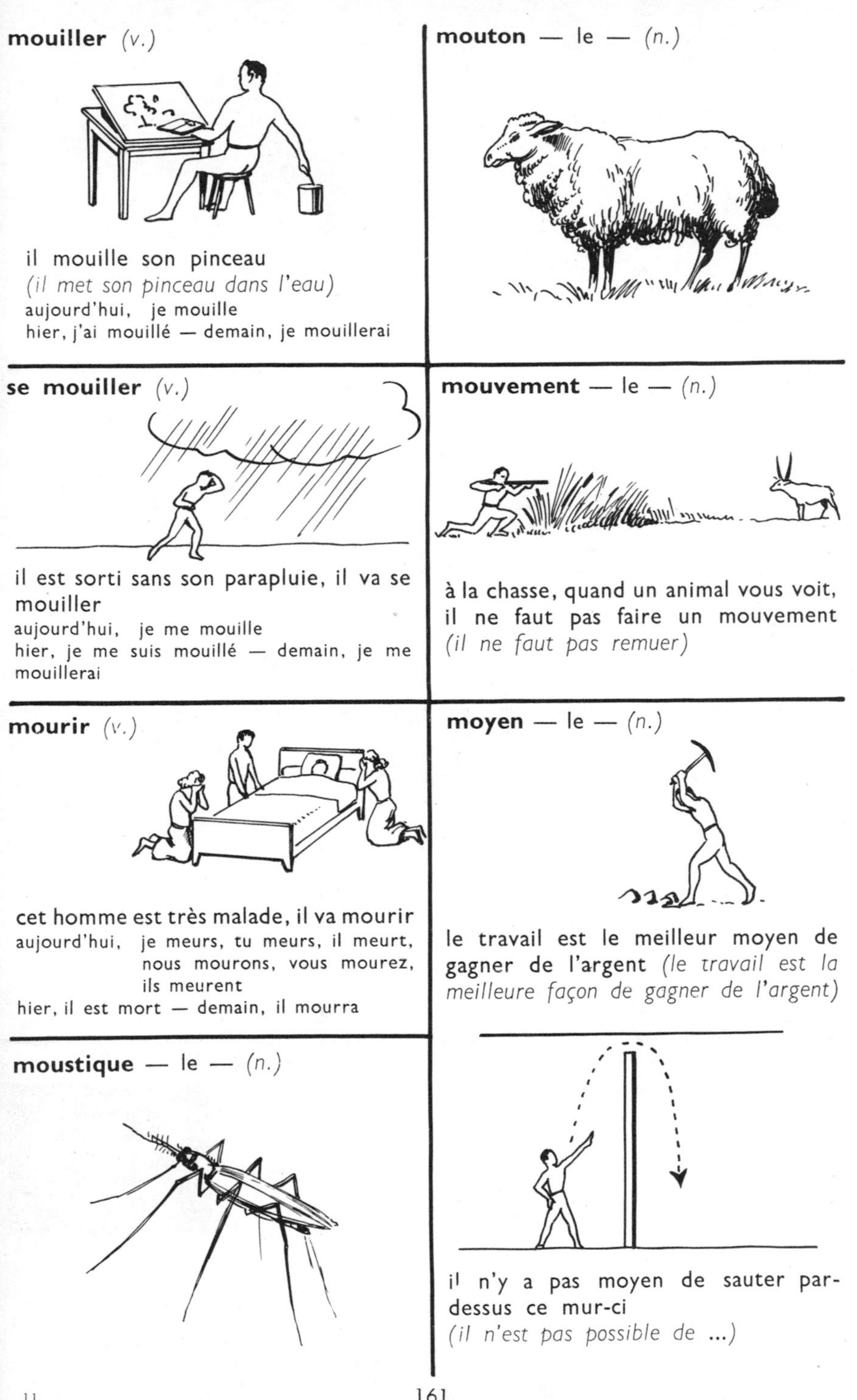

mouiller *(v.)*

il mouille son pinceau
(il met son pinceau dans l'eau)
aujourd'hui, je mouille
hier, j'ai mouillé — demain, je mouillerai

mouton — le — *(n.)*

se mouiller *(v.)*

il est sorti sans son parapluie, il va se mouiller
aujourd'hui, je me mouille
hier, je me suis mouillé — demain, je me mouillerai

mouvement — le — *(n.)*

à la chasse, quand un animal vous voit, il ne faut pas faire un mouvement
(il ne faut pas remuer)

mourir *(v.)*

cet homme est très malade, il va mourir
aujourd'hui, je meurs, tu meurs, il meurt, nous mourons, vous mourez, ils meurent
hier, il est mort — demain, il mourra

moyen — le — *(n.)*

le travail est le meilleur moyen de gagner de l'argent *(le travail est la meilleure façon de gagner de l'argent)*

il n'y a pas moyen de sauter par-dessus ce mur-ci
(il n'est pas possible de ...)

moustique — le — *(n.)*

muet *(n. ou adj.)* **muette** *(f.)*

un muet ne peut pas parler

mûr *(adj.)*

elle est rouge, et bien mûre

elle est verte, elle n'est pas mûre

mur — le — *(n.)*

le mur de la maison, le mur du jardin

musique — la — *(n.)*

ils font de la musique

N

nager *(v.)*

aujourd'hui, je nage, tu nages, il nage, nous nageons, vous nagez, ils nagent
hier, j'ai nagé — demain, je nagerai

naturellement *(bien entendu)*

naturel *(adj.)* **naturelle**
naturellement *(adv.)*

il est naturel pour le poisson de vivre dans l'eau

ne *(adv.)* (voir règle N° 2 page 7)

il fait jour

il ne fait pas jour

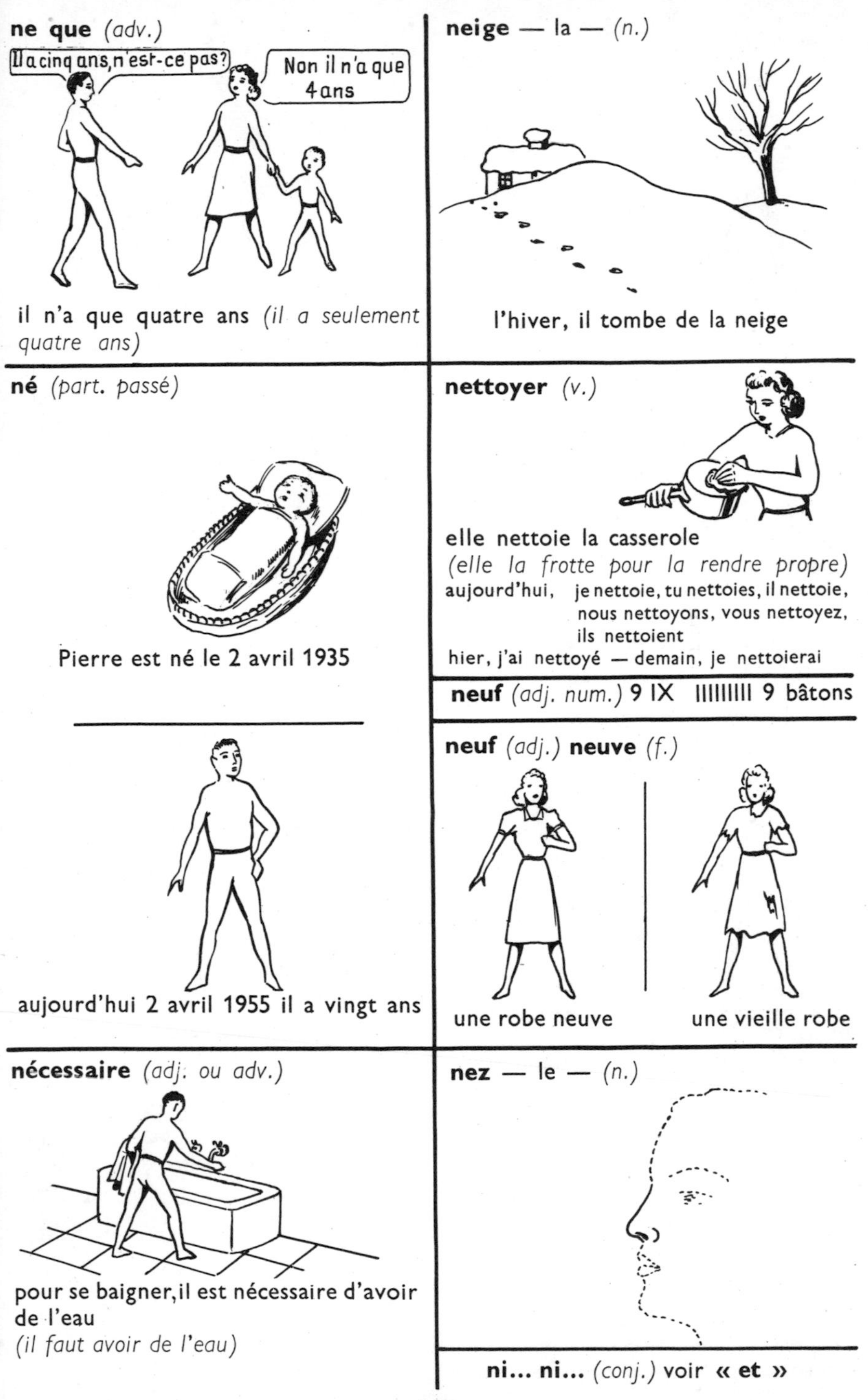

ne que *(adv.)*

il n'a que quatre ans *(il a seulement quatre ans)*

neige — la — *(n.)*

l'hiver, il tombe de la neige

né *(part. passé)*

Pierre est né le 2 avril 1935

aujourd'hui 2 avril 1955 il a vingt ans

nettoyer *(v.)*

elle nettoie la casserole
(elle la frotte pour la rendre propre)
aujourd'hui, je nettoie, tu nettoies, il nettoie, nous nettoyons, vous nettoyez, ils nettoient
hier, j'ai nettoyé — demain, je nettoierai

neuf *(adj. num.)* 9 IX IIIIIIIII 9 bâtons

neuf *(adj.)* **neuve** *(f.)*

une robe neuve — une vieille robe

nécessaire *(adj. ou adv.)*

pour se baigner, il est nécessaire d'avoir de l'eau
(il faut avoir de l'eau)

nez — le — *(n.)*

ni... ni... *(conj.)* voir « **et** »

noir — le — *(n.)*
noir *(adj.)*

il est noir — il est blanc

comment se nomme-t-il ?
il se nomme Jean, c'est son nom

nom — le — *(n.)*

mon nom est André *(je m'appelle André)*

le nom de cet animal est le mouton

non — non plus *(adv.)*

nombre — le — *(n.)*
12 — 47 — 638 voici des nombres

quel est le nombre de ces oiseaux ?
(combien y a-t-il d'oiseaux ?)

nommer *(v.)* voir **« nom »**

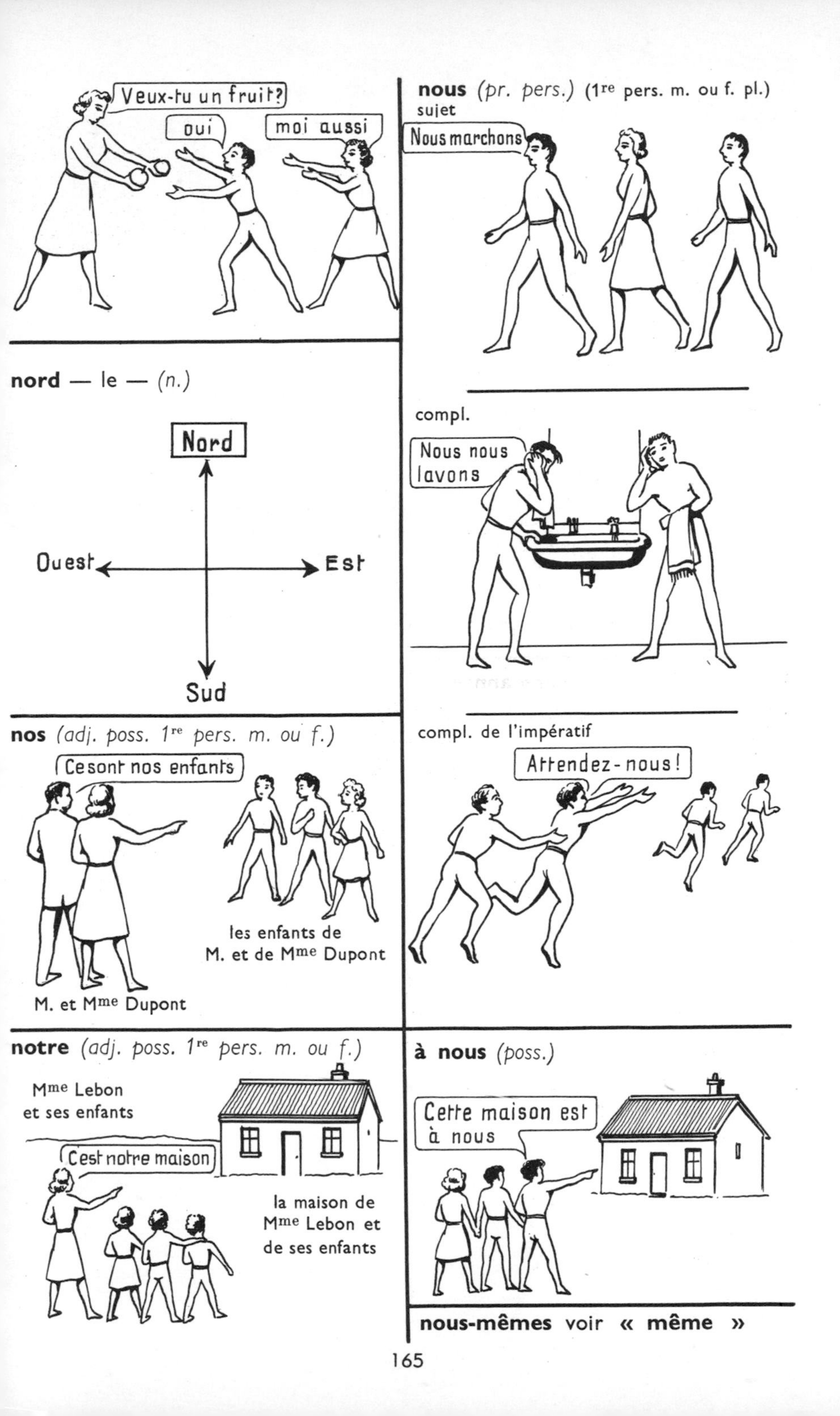
Veux-tu un fruit?
oui
moi aussi
nous (pr. pers.) (1re pers. m. ou f. pl.)
sujet
Nous marchons
nord — le — (n.)
Nord
Ouest
Est
Sud
compl.
Nous nous lavons
nos (adj. poss. 1re pers. m. ou f.)
Ce sont nos enfants
les enfants de M. et de Mme Dupont
M. et Mme Dupont
compl. de l'impératif
Attendez-nous!
notre (adj. poss. 1re pers. m. ou f.)
Mme Lebon et ses enfants
C'est notre maison
la maison de Mme Lebon et de ses enfants
à nous (poss.)
Cette maison est à nous
nous-mêmes voir « même »

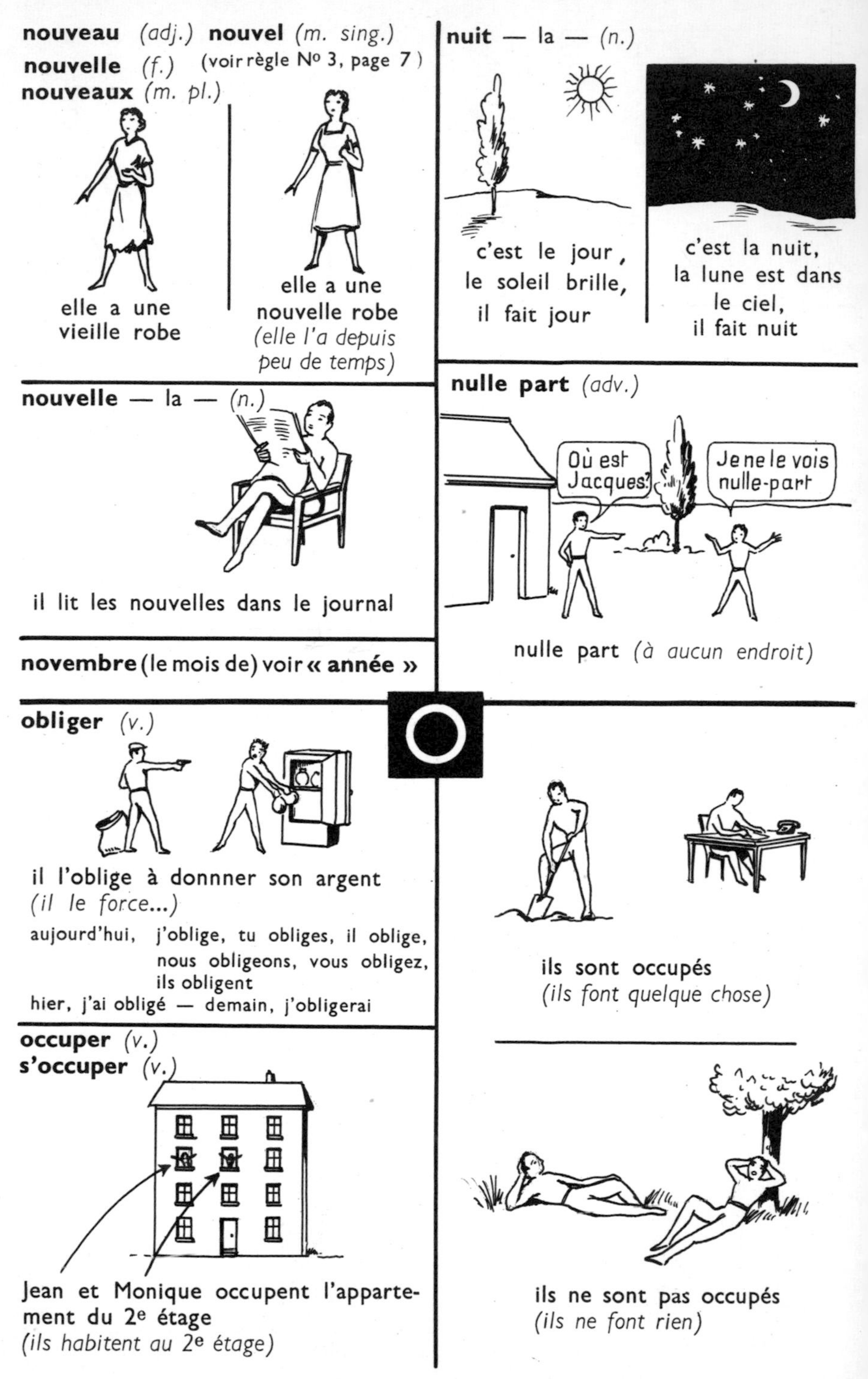

nouveau *(adj.)* **nouvel** *(m. sing.)*
nouvelle *(f.)* (voir règle No 3, page 7)
nouveaux *(m. pl.)*

elle a une vieille robe

elle a une nouvelle robe *(elle l'a depuis peu de temps)*

nouvelle — la — *(n.)*

il lit les nouvelles dans le journal

novembre (le mois de) voir **« année »**

obliger *(v.)*

il l'oblige à donnner son argent *(il le force...)*

aujourd'hui, j'oblige, tu obliges, il oblige, nous obligeons, vous obligez, ils obligent
hier, j'ai obligé — demain, j'obligerai

occuper *(v.)*
s'occuper *(v.)*

Jean et Monique occupent l'appartement du 2e étage
(ils habitent au 2e étage)

nuit — la — *(n.)*

c'est le jour, le soleil brille, il fait jour

c'est la nuit, la lune est dans le ciel, il fait nuit

nulle part *(adv.)*

nulle part *(à aucun endroit)*

O

ils sont occupés
(ils font quelque chose)

ils ne sont pas occupés
(ils ne font rien)

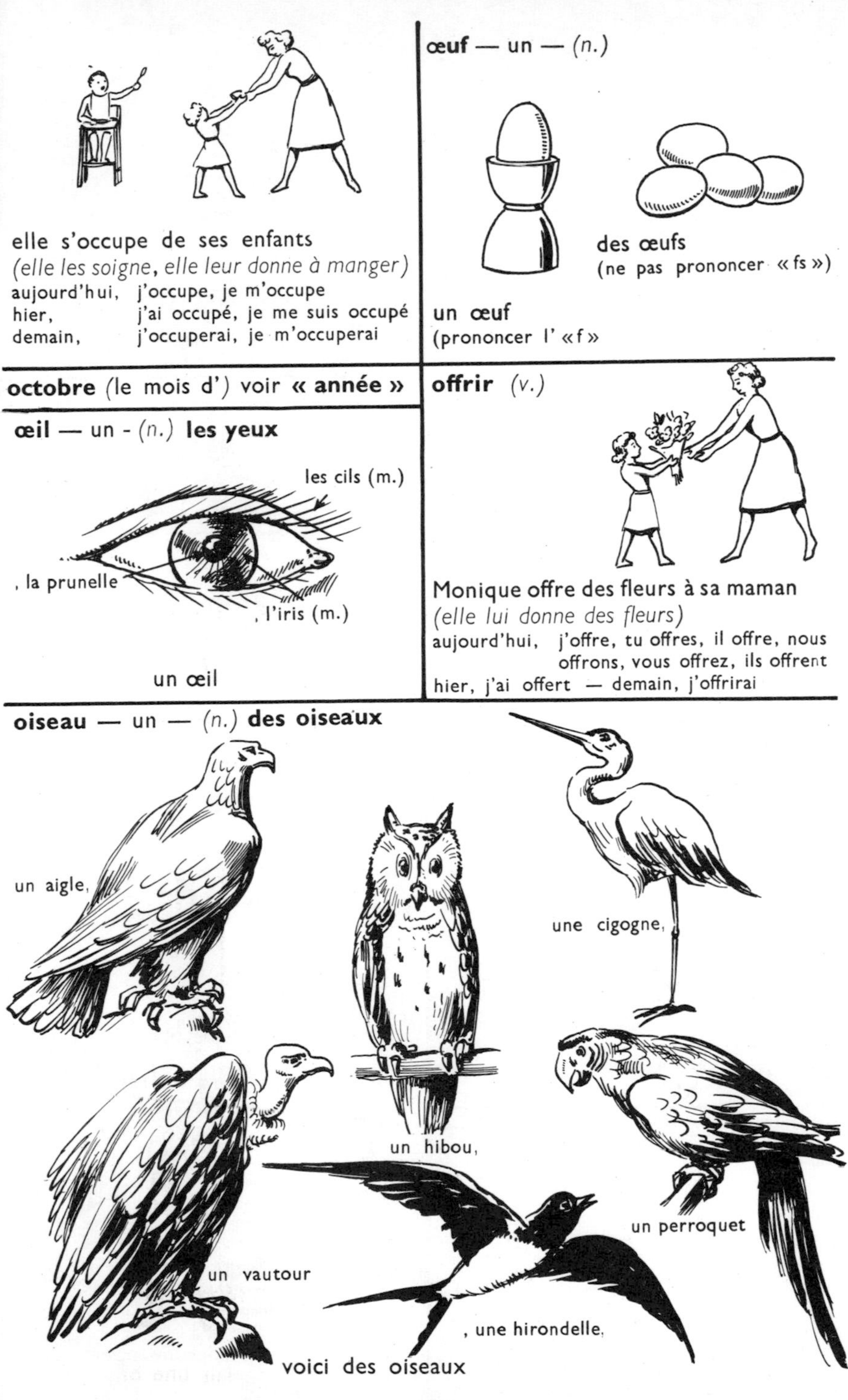

elle s'occupe de ses enfants
(elle les soigne, elle leur donne à manger)
aujourd'hui, j'occupe, je m'occupe
hier, j'ai occupé, je me suis occupé
demain, j'occuperai, je m'occuperai

octobre *(*le mois d'*)* voir **« année »**

œil — un - *(n.)* **les yeux**

un œil

œuf — un — *(n.)*

offrir *(v.)*

Monique offre des fleurs à sa maman
(elle lui donne des fleurs)
aujourd'hui, j'offre, tu offres, il offre, nous offrons, vous offrez, ils offrent
hier, j'ai offert — demain, j'offrirai

oiseau — un — *(n.)* **des oiseaux**

voici des oiseaux

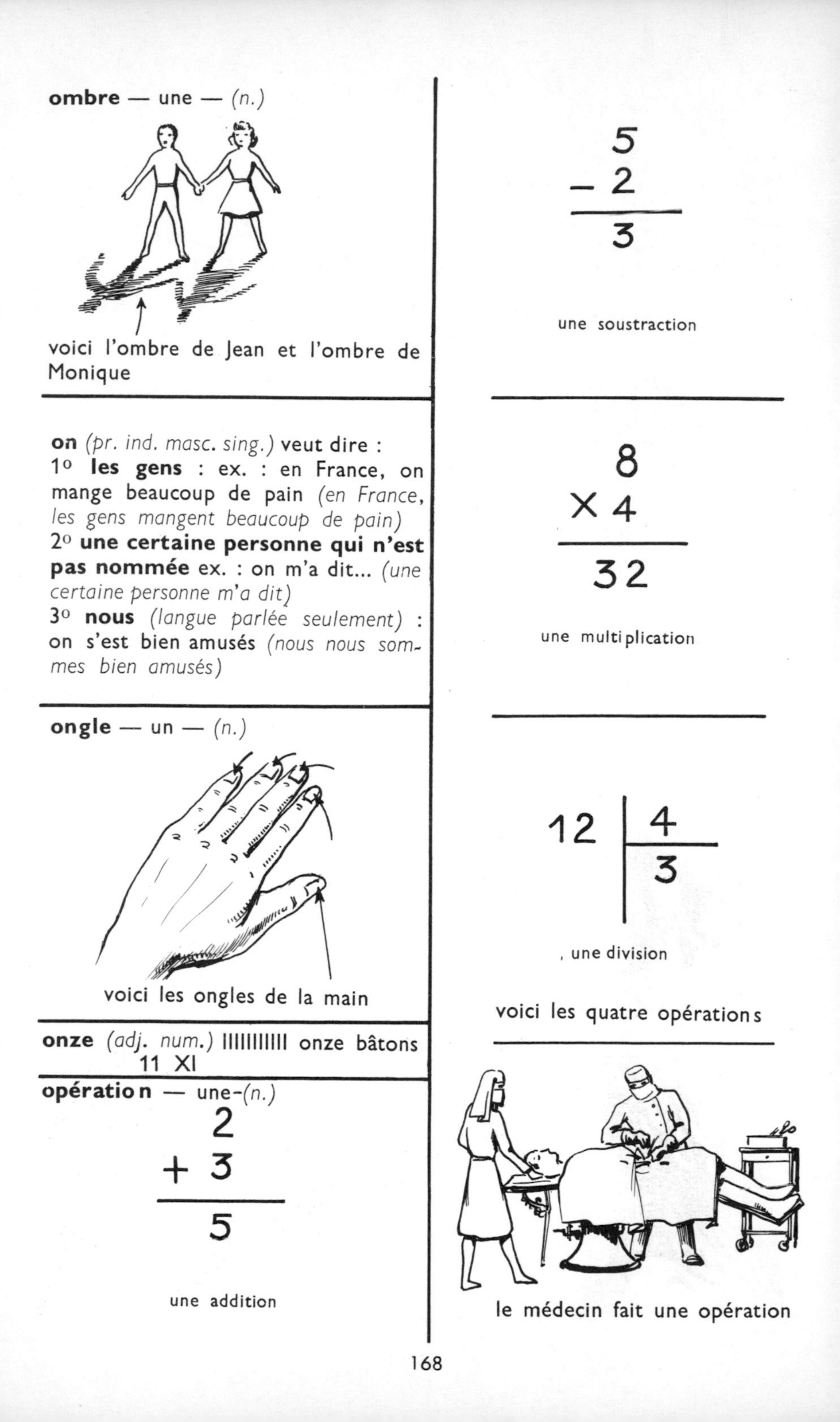

ombre — une — *(n.)*

voici l'ombre de Jean et l'ombre de Monique

on *(pr. ind. masc. sing.)* **veut dire :**
1° **les gens** : ex. : en France, on mange beaucoup de pain *(en France, les gens mangent beaucoup de pain)*
2° **une certaine personne qui n'est pas nommée** ex. : on m'a dit... *(une certaine personne m'a dit)*
3° **nous** *(langue parlée seulement)* : on s'est bien amusés *(nous nous sommes bien amusés)*

ongle — un — *(n.)*

voici les ongles de la main

onze *(adj. num.)* IIIIIIIIIII onze bâtons
11 XI

opération — une-*(n.)*

$$\begin{array}{r} 2 \\ +\ 3 \\ \hline 5 \end{array}$$

une addition

$$\begin{array}{r} 5 \\ -\ 2 \\ \hline 3 \end{array}$$

une soustraction

$$\begin{array}{r} 8 \\ \times\ 4 \\ \hline 32 \end{array}$$

une multiplication

$$12 \;\big|\; \underline{4} \quad 3$$

, une division

voici les quatre opérations

le médecin fait une opération

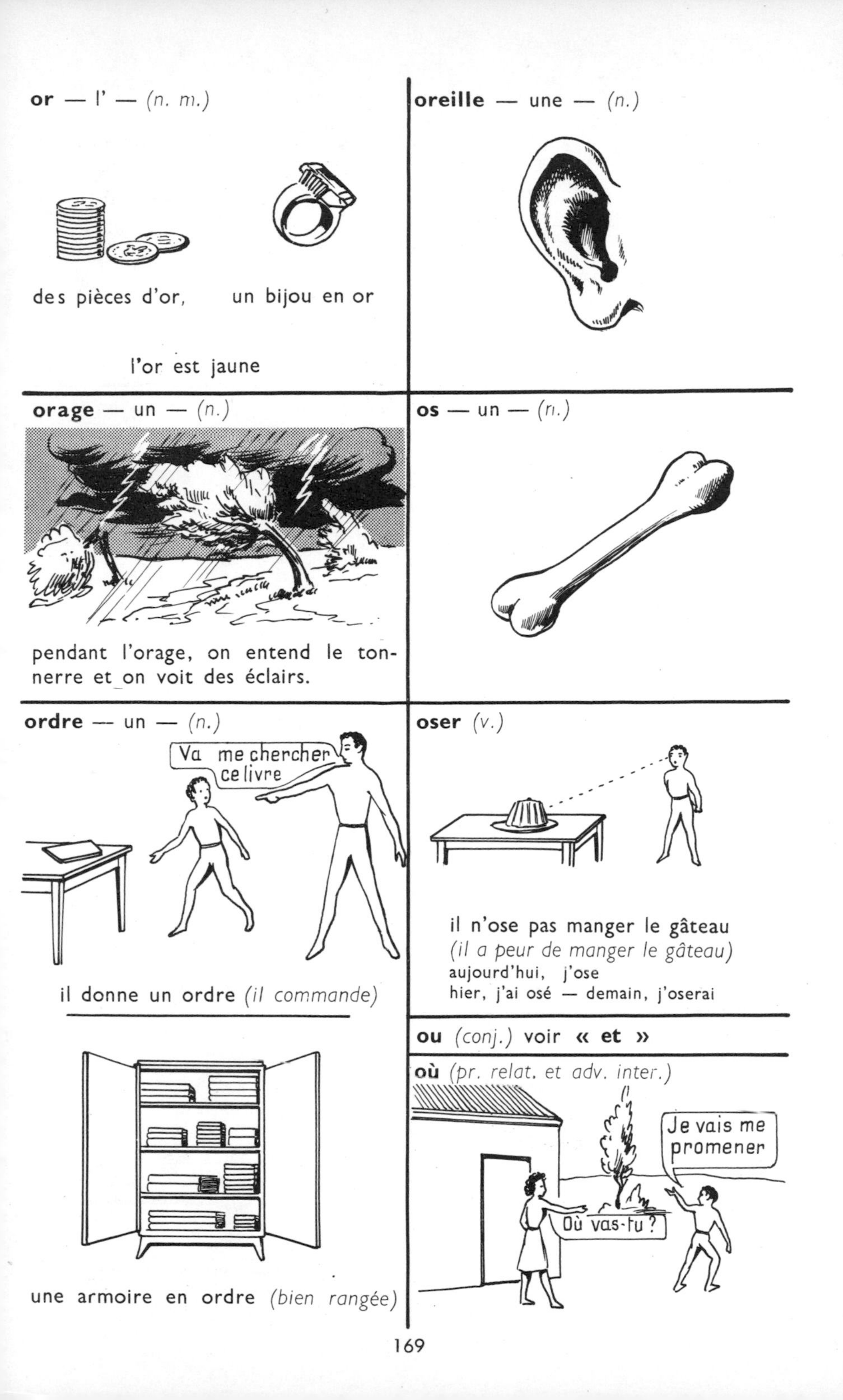

or — l' — *(n. m.)*

des pièces d'or, un bijou en or

l'or est jaune

oreille — une — *(n.)*

orage — un — *(n.)*

pendant l'orage, on entend le tonnerre et on voit des éclairs.

os — un — *(n.)*

ordre — un — *(n.)*

il donne un ordre *(il commande)*

une armoire en ordre *(bien rangée)*

oser *(v.)*

il n'ose pas manger le gâteau
(il a peur de manger le gâteau)
aujourd'hui, j'ose
hier, j'ai osé — demain, j'oserai

ou *(conj.)* voir **« et »**

où *(pr. relat. et adv. inter.)*

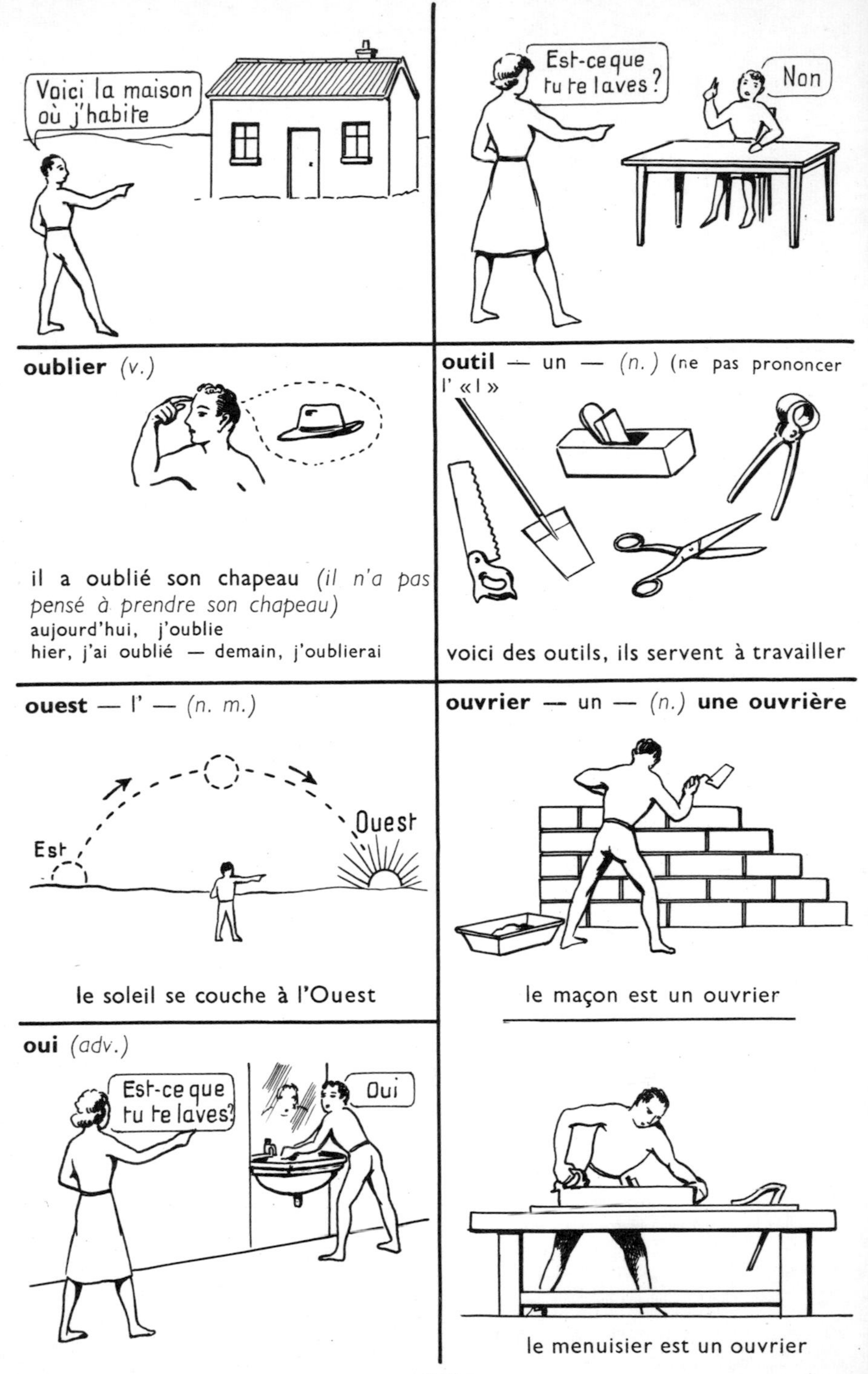

oublier *(v.)*

il a oublié son chapeau *(il n'a pas pensé à prendre son chapeau)*
aujourd'hui, j'oublie
hier, j'ai oublié — demain, j'oublierai

ouest — l' — *(n. m.)*

le soleil se couche à l'Ouest

oui *(adv.)*

outil — un — *(n.)* (ne pas prononcer l' « l »)

voici des outils, ils servent à travailler

ouvrier — un — *(n.)* **une ouvrière**

le maçon est un ouvrier

le menuisier est un ouvrier

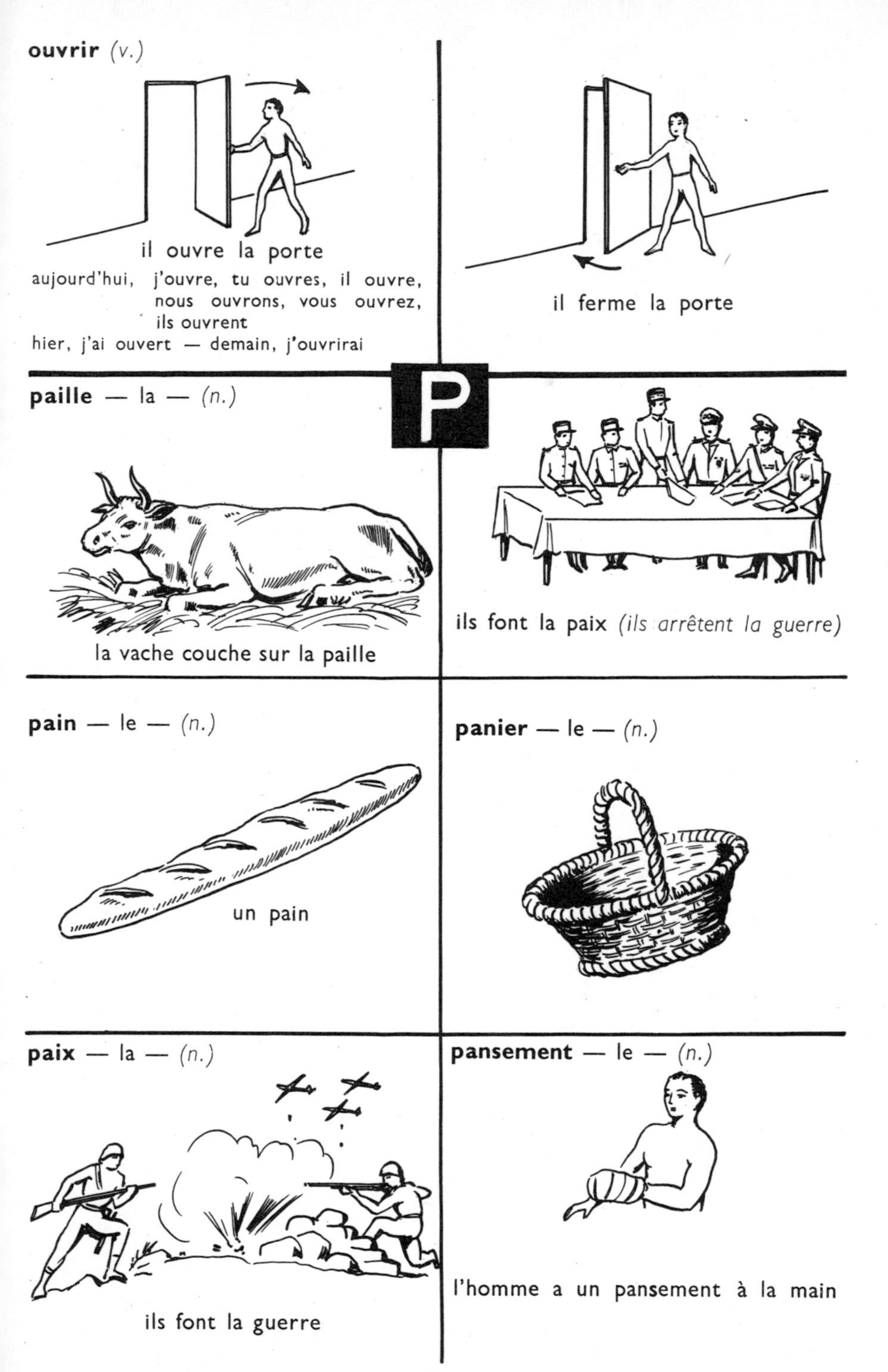

ouvrir *(v.)*

il ouvre la porte

aujourd'hui, j'ouvre, tu ouvres, il ouvre, nous ouvrons, vous ouvrez, ils ouvrent

hier, j'ai ouvert — demain, j'ouvrirai

il ferme la porte

P

paille — la — *(n.)*

la vache couche sur la paille

ils font la paix *(ils arrêtent la guerre)*

pain — le — *(n.)*

un pain

panier — le — *(n.)*

paix — la — *(n.)*

ils font la guerre

pansement — le — *(n.)*

l'homme a un pansement à la main

pantalon — le — *(n.)*

papa *(n. m.)*

j'appelle mon père « **papa** »

papier — le — *(n.)*

une feuille de papier

du papier à lettres

paquet — le — *(n.)*

par *(prép.)*

Jean prend Monique par le bras

Jean a frappé Monique
Monique a été frappée par Jean

Pour aller de Marseille à Paris, nous sommes passés par Lyon
(nous avons traversé la ville de Lyon)

paraître *(v.)*

le soleil est caché, il va paraître

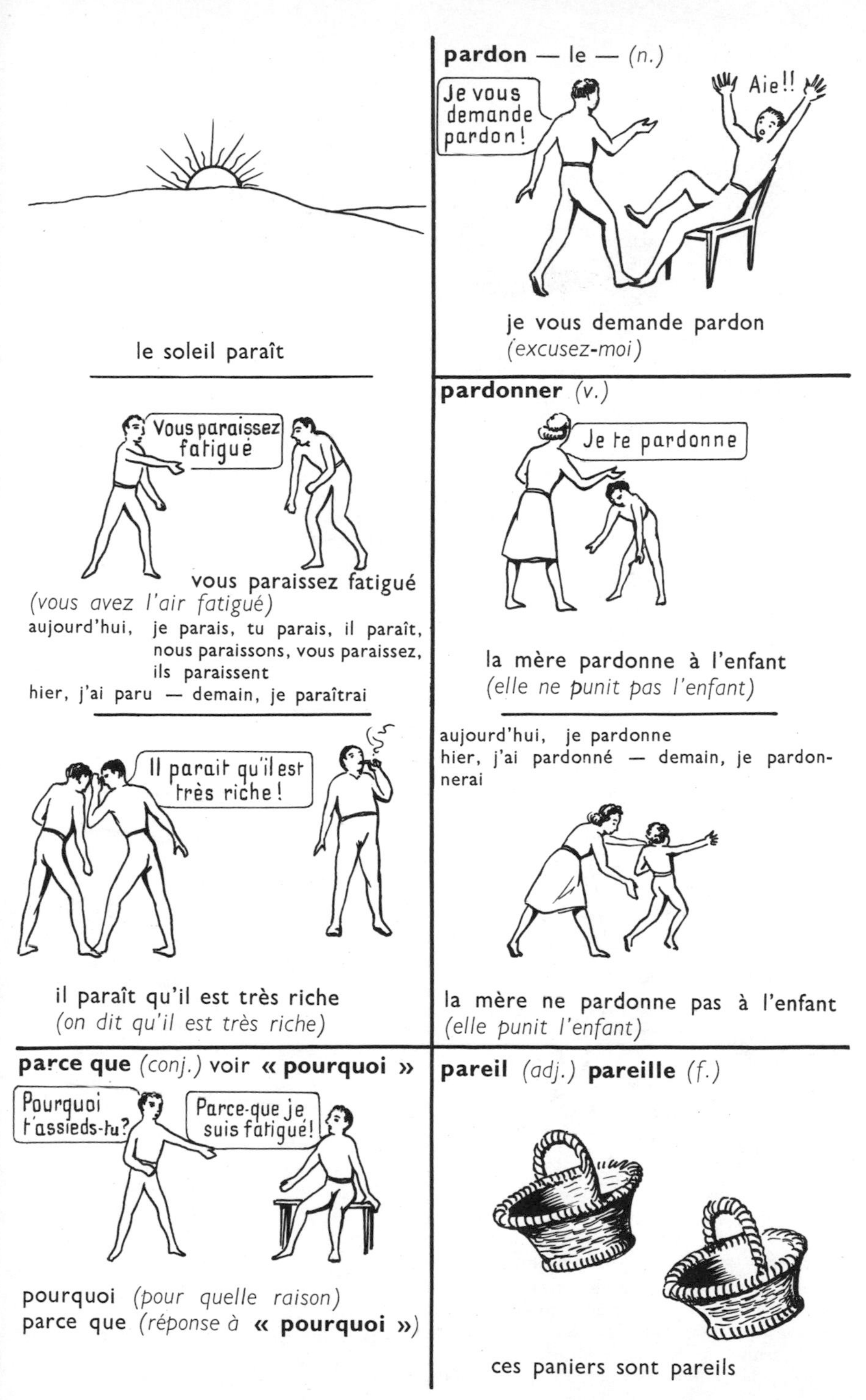

le soleil paraît

vous paraissez fatigué
(vous avez l'air fatigué)
aujourd'hui, je parais, tu parais, il paraît, nous paraissons, vous paraissez, ils paraissent
hier, j'ai paru — demain, je paraîtrai

il paraît qu'il est très riche
(on dit qu'il est très riche)

parce que *(conj.)* voir **« pourquoi »**

pourquoi *(pour quelle raison)*
parce que *(réponse à* **« pourquoi »***)*

pardon — le — *(n.)*

je vous demande pardon
(excusez-moi)

pardonner *(v.)*

la mère pardonne à l'enfant
(elle ne punit pas l'enfant)

aujourd'hui, je pardonne
hier, j'ai pardonné — demain, je pardonnerai

la mère ne pardonne pas à l'enfant
(elle punit l'enfant)

pareil *(adj.)* **pareille** *(f.)*

ces paniers sont pareils

ces paniers sont différents

parents — les — *(toujours pluriel) (n.)*

les grands-parents

les parents

les enfants

parent — un — *(n.)* une **parente** *(f.)*

oncle : frère du père ou de la mère
tante : sœur du père ou de la mère
cousins, cousines : fils ou filles de l'oncle ou de la tante
neveu, nièce : fils ou fille du frère ou de la sœur

parler *(v.)*

elle parle à Pierre

il parle anglais
aujourd'hui, je parle
hier, j'ai parlé —
demain, je parlerai

part — la — *(n.)*
partager *(v.)*

elle partage le gâteau,
elle coupe le gâteau en parts *(morceaux)*

aujourd'hui, je partage, tu partages, il partage, nous partageons, vous partagez, ils partagent
hier, j'ai partagé — demain, je partagerai

partie — une — *(n.)*

la tête, les bras, les jambes sont des parties du corps

ils font une partie de cartes *(ils jouent aux cartes)*

des pas dans la neige

partir *(v.)*

l'autocar part du village

aujourd'hui, je pars, tu pars, il part, nous partons, vous partez, ils partent

hier, je suis parti — demain, je partirai

le cheval va au pas

le cheval court

partout *(adv.)*

l'eau a coulé partout *(dans toute la pièce)*

pas *(adv.)* voir **« ne »**

passer *(v.)*

il passe devant la maison

pas — le-*(n.)*

il fait un pas *(il avance un pied pour marcher)*

un nuage passe dans le ciel *(un nuage traverse le ciel)*

veux-tu me passer le plat *(veux-tu me donner le plat)*

il passe un examen

il passe pour être très intelligent *(on dit qu'il est très intelligent)*
aujourd'hui, je passe
hier, j'ai passé — demain, je passerai

pâte — la-*(n.)*

le boulanger fait la pâte pour le pain avec de l'eau, de la farine et du sel

patron — le — *(n.)* **la patronne**

les employés travaillent, le patron commande

patte — la — *(n.)*

les pattes

pauvre *(adj.)*

il est pauvre

il est riche

pays — le — *(n.)*

un **pays pauvre** *(un pays qui a une mauvaise terre)*

la France, l'Angleterre sont des pays

un **pays riche** *(un pays qui a une bonne terre)*

paysan — un — *(n.)* **une paysanne**

le paysan travaille dans son champ

payer *(v.)*

elle paye le marchand *(elle donne de l'argent)*

aujourd'hui, je paye
hier, j'ai payé — demain, je payerai

peau — la-*(n.)* **les peaux**

il a la peau blanche , il a la peau noire

le samedi, les ouvriers sont payés *(ils reçoivent de l'argent pour leur travail)* **c'est le jour de paye**

la peau du fruit

pêcher *(v.)*
pêcheur — le — *(n.)*

l'homme pêche à la ligne, c'est un pêcheur

il pêche au filet (ou) il pêche avec un filet
aujourd'hui, je pêche
hier, j'ai pêché — demain, je pêcherai

peigne — le-*(n.)*
peigner *(v.)*
se peigner *(v.)*

elle se peigne
aujourd'hui, je peigne, je me peigne
hier, j'ai peigné, je me suis peigné
demain, je peignerai, je me peignerai

peindre *(v.)* voir « **peinture** »

peine — la-*(n.)*

cet enfant a de la peine *(il pleure)*

ils ont de la peine à monter cette armoire
(ils ont du mal à monter cette armoire)

ce n'est pas la peine *(je n'ai pas besoin d'être aidé)*

peinture — la — *(n.)*

il peint, c'est un ouvrier

il peint, il fait de la peinture, c'est un artiste
aujourd'hui, je peins, tu peins, il peint, nous peignons, vous peignez, ils peignent
hier, j'ai peint — demain, je peindrai

des pots de peinture

une boîte de peinture

pelle — la-*(n.)*

pencher *(v.)*

cet arbre est droit

cet arbre penche, il est penché

aujourd'hui, je penche
hier, j'ai penché demain, je pencherai

se pencher *(v.)*

la mère se penche sur son enfant
aujourd'hui, je me penche
— hier, je me suis penché — demain, je me pencherai

pendant *(prép.)*
pendant que *(conj.)*

je dors pendant la nuit *(je dors depuis le commencement jusqu'à la fin de la nuit)*
je dors pendant qu'il fait nuit

pendre *(v.)*

il pend son vêtement

la lampe est pendue au plafond

il a été pendu
aujourd'hui, je pends, tu pends, il pend, nous pendons, vous pendez, ils pendent
hier, j'ai pendu — demain, je pendrai

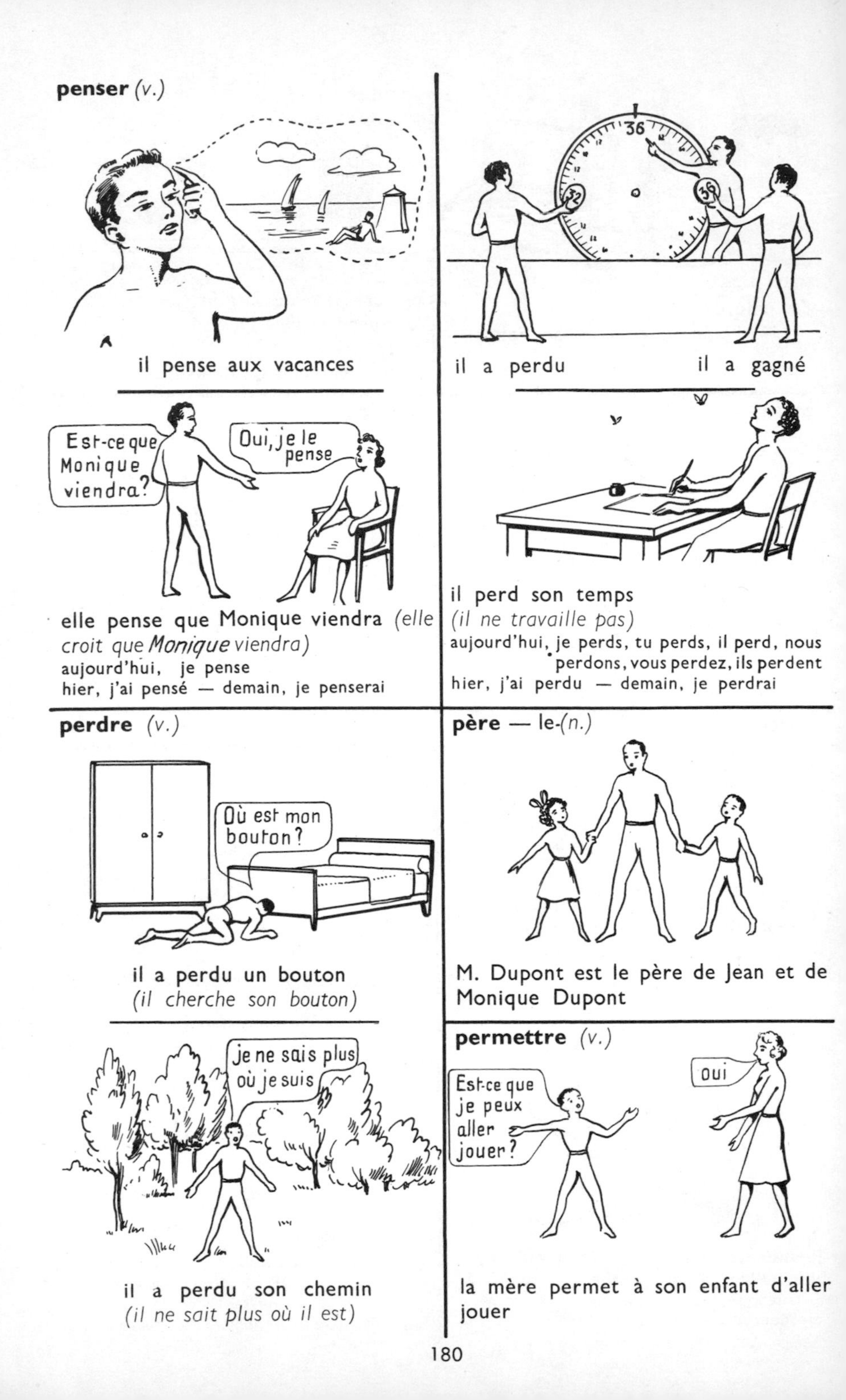

penser *(v.)*

il pense aux vacances

elle pense que Monique viendra *(elle croit que Monique viendra)*
aujourd'hui, je pense
hier, j'ai pensé — demain, je penserai

perdre *(v.)*

il a perdu un bouton
(il cherche son bouton)

il a perdu son chemin
(il ne sait plus où il est)

il a perdu — il a gagné

il perd son temps
(il ne travaille pas)
aujourd'hui, je perds, tu perds, il perd, nous perdons, vous perdez, ils perdent
hier, j'ai perdu — demain, je perdrai

père — le-*(n.)*

M. Dupont est le père de Jean et de Monique Dupont

permettre *(v.)*

la mère permet à son enfant d'aller jouer

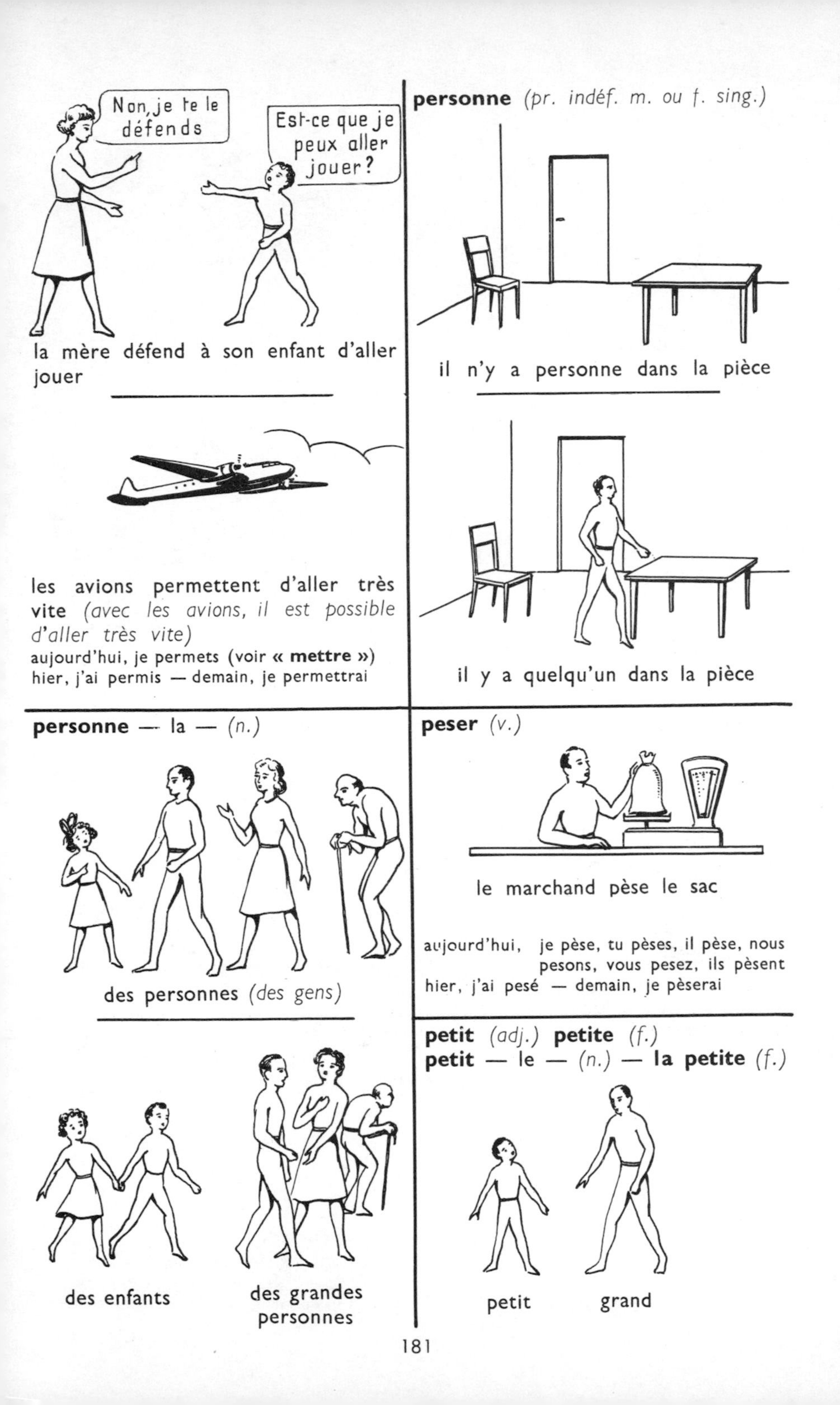

la mère défend à son enfant d'aller jouer

les avions permettent d'aller très vite *(avec les avions, il est possible d'aller très vite)*
aujourd'hui, je permets (voir « **mettre** »)
hier, j'ai permis — demain, je permettrai

personne — la — *(n.)*

des personnes *(des gens)*

des enfants

des grandes personnes

personne *(pr. indéf. m. ou f. sing.)*

il n'y a personne dans la pièce

il y a quelqu'un dans la pièce

peser *(v.)*

le marchand pèse le sac

aujourd'hui, je pèse, tu pèses, il pèse, nous pesons, vous pesez, ils pèsent
hier, j'ai pesé — demain, je pèserai

petit *(adj.)* **petite** *(f.)*
petit — le — *(n.)* — **la petite** *(f.)*

petit grand

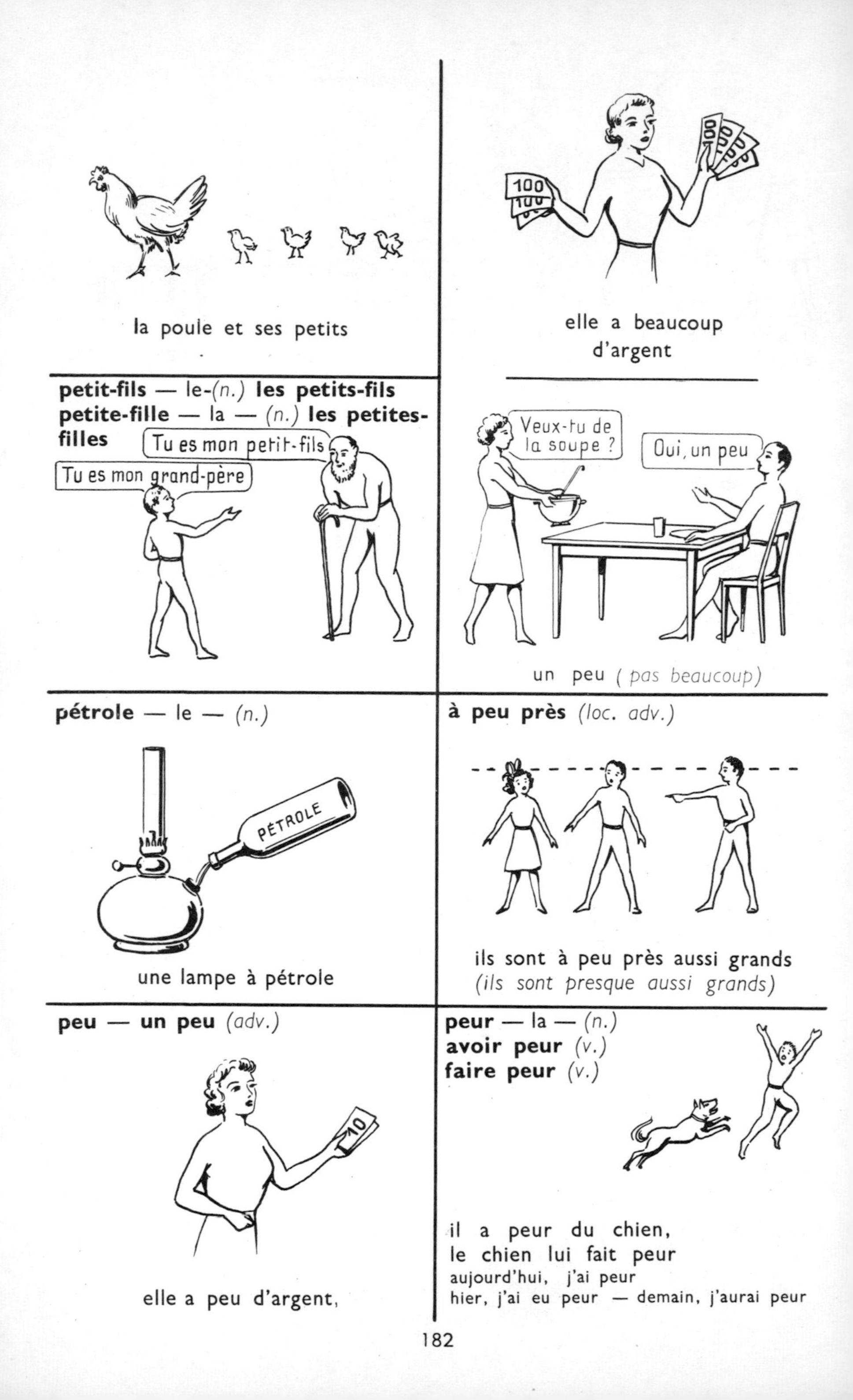

la poule et ses petits

petit-fils — le-*(n.)* **les petits-fils**
petite-fille — la — *(n.)* **les petites-filles**

pétrole — le — *(n.)*

une lampe à pétrole

peu — **un peu** *(adv.)*

elle a peu d'argent,

elle a beaucoup d'argent

un peu *(pas beaucoup)*

à peu près *(loc. adv.)*

ils sont à peu près aussi grands
(ils sont presque aussi grands)

peur — la — *(n.)*
avoir peur *(v.)*
faire peur *(v.)*

il a peur du chien,
le chien lui fait peur
aujourd'hui, j'ai peur
hier, j'ai eu peur — demain, j'aurai peur

peut-être *(adv.)*

pharmacien — le — *(n.)* **la pharmacienne.**

le pharmacien vend des médicaments

phono — le — *(n.)*

photo — la — *(n.)*
photographe — le — *(n.)*
photographier *(v.)*

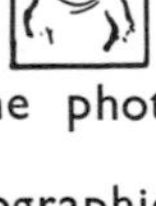

une photo

le photographe

il photographie
aujourd'hui,
je photographie
hier, j'ai photographié
demain,
je photographierai

pièce — la — *(n.)*

des pièces de monnaie

un appartement de trois pièces

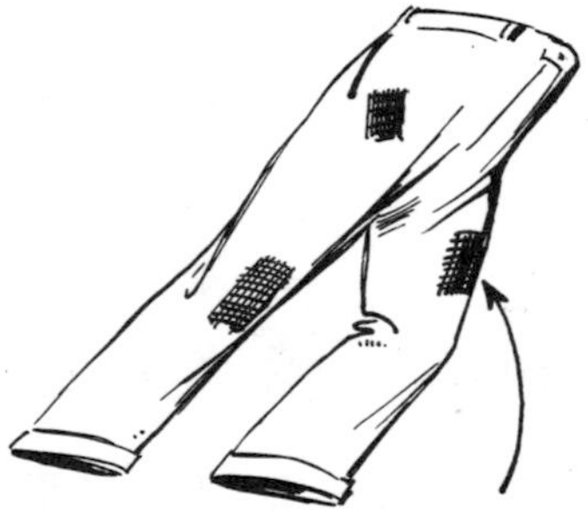

ce pantalon a des pièces

voici des pièces pour réparer le moteur de la voiture

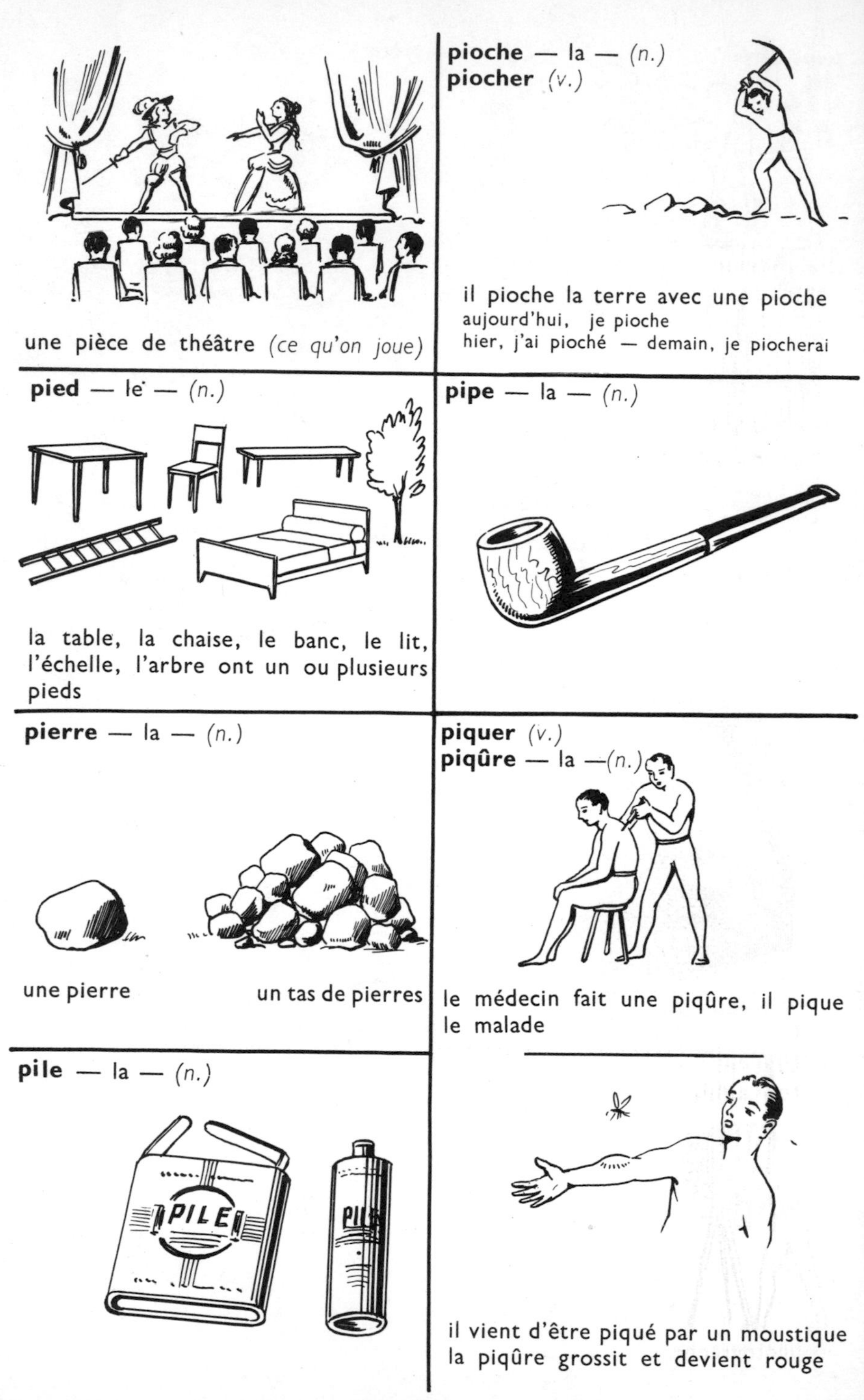

une pièce de théâtre *(ce qu'on joue)*

pioche — la — *(n.)*
piocher *(v.)*

il pioche la terre avec une pioche
aujourd'hui, je pioche
hier, j'ai pioché — demain, je piocherai

pied — le — *(n.)*

la table, la chaise, le banc, le lit, l'échelle, l'arbre ont un ou plusieurs pieds

pipe — la — *(n.)*

pierre — la — *(n.)*

une pierre

un tas de pierres

piquer *(v.)*
piqûre — la — *(n.)*

le médecin fait une piqûre, il pique le malade

il vient d'être piqué par un moustique
la piqûre grossit et devient rouge

pile — la — *(n.)*

il a du savon dans l'œil, ça pique *(ça fait mal comme une piqûre)*
aujourd'hui, je pique
hier, j'ai piqué — demain, je piquerai

se plaindre *(v.)*

il se plaint d'avoir été battu *(il dit à la maîtresse qu'il a été battu)*
aujourd'hui, je me plains, tu te plains, il se plaint, nous nous plaignons, vous vous plaignez, ils se plaignent
hier, je me suis plaint — demain, je me plaindrai

place — la — *(n.)*

l'élève revient à sa place

la place du marché

plaine — la — *(n.)*

la plaine est plate

le plateau

la montagne

plafond — le — *(n.)*

plaire *(v.)*

cette maison lui plaît *(elle est jolie, il voudrait y habiter)*
aujourd'hui, je plais, tu plais, il plaît, nous plaisons, vous plaisez, ils plaisent
hier, j'ai plu — demain, je plairai

cette maison ne lui plaît pas *(elle n'est pas jolie, il ne voudrait pas y habiter)*

l'enfant demande quelque chose et dit **« s'il vous plaît »** il est poli

plaisir — le — *(n.)*

ça me ferait plaisir *(je serais content)*

planche — la — *(n.)*

plancher — le — *(n.)*

plante — la — *(n.)*

voici des plantes

planter *(v.)*

il plante un arbre
(il met l'arbre dans la terre)

il plante un piquet
aujourd'hui, je plante
hier, j'ai planté — demain, je planterai

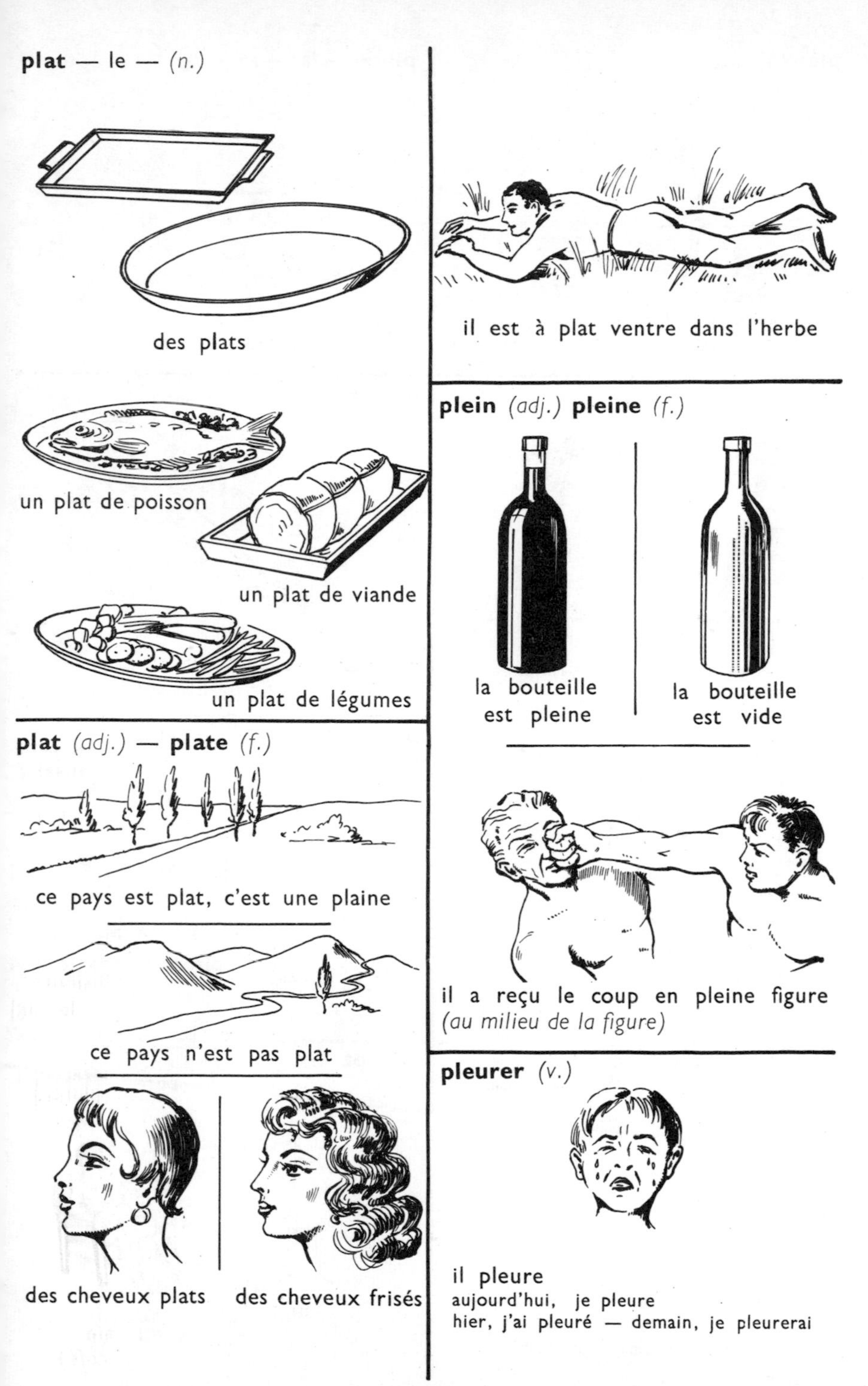

plat — le — *(n.)*

des plats

un plat de poisson

un plat de viande

un plat de légumes

plat *(adj.)* — **plate** *(f.)*

ce pays est plat, c'est une plaine

ce pays n'est pas plat

des cheveux plats

des cheveux frisés

il est à plat ventre dans l'herbe

plein *(adj.)* **pleine** *(f.)*

la bouteille est pleine

la bouteille est vide

il a reçu le coup en pleine figure
(au milieu de la figure)

pleurer *(v.)*

il pleure
aujourd'hui, je pleure
hier, j'ai pleuré — demain, je pleurerai

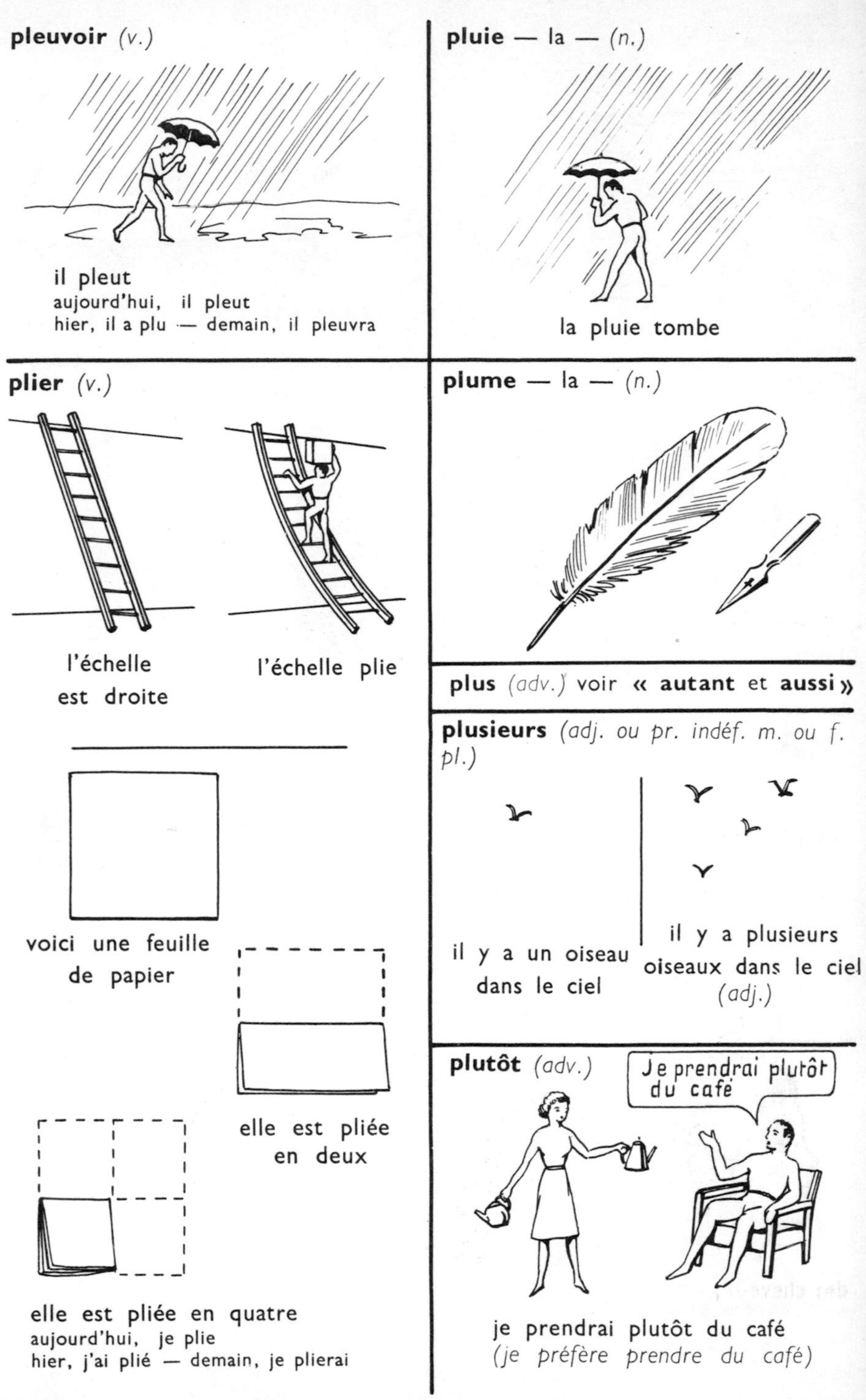

pleuvoir *(v.)*

il pleut
aujourd'hui, il pleut
hier, il a plu — demain, il pleuvra

plier *(v.)*

l'échelle est droite

l'échelle plie

voici une feuille de papier

elle est pliée en deux

elle est pliée en quatre
aujourd'hui, je plie
hier, j'ai plié — demain, je plierai

pluie — la — *(n.)*

la pluie tombe

plume — la — *(n.)*

plus *(adv.)* voir « **autant** et **aussi** »

plusieurs *(adj. ou pr. indéf. m. ou f. pl.)*

il y a un oiseau dans le ciel

il y a plusieurs oiseaux dans le ciel *(adj.)*

plutôt *(adv.)*

je prendrai plutôt du café
(je préfère prendre du café)

poche — la — *(n.)*

poil — le — *(n.)*

le corps de la chèvre est couvert de poils

poêle — le — *(n.)*

un poêle à charbon

un poêle à bois

poing — le — *(n.)*

poésie — la — *(n.)*

O combien de marins, combien de capit*aines*
Qui sont partis joyeux pour des courses loint*aines*
Dans le morne horizon se sont évanouis
. . . .

c'est une poésie, chaque ligne est un vers

point — le — *(n.)*

. . . .
une ligne de points

;
point-virgule

?
point d'interrogation

!
point d'exclamation,

:
deux-points

un point de couture

poids — le — *(n.)*

le marchand pèse le paquet avec des poids
le poids du paquet est 2,500 kg

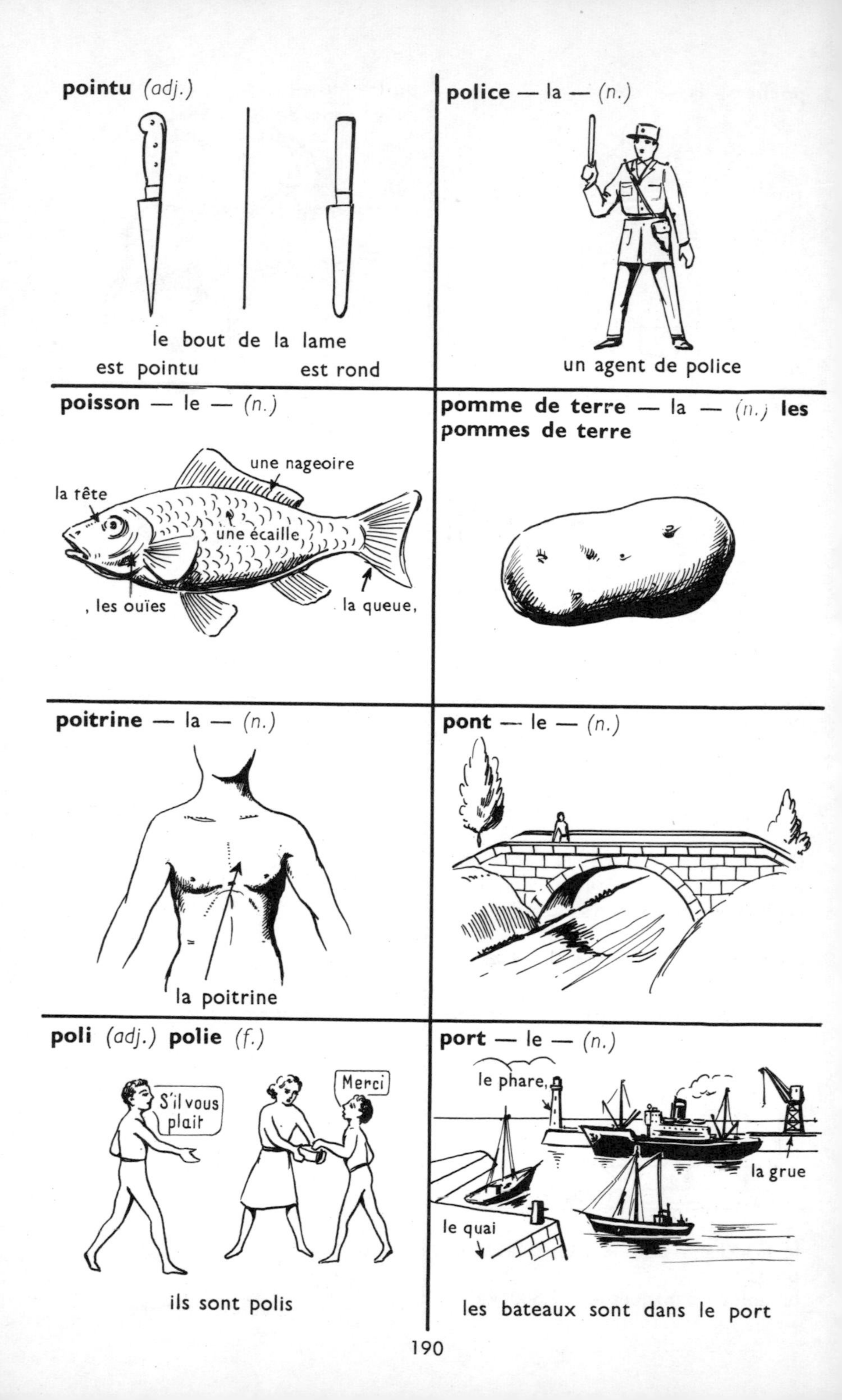
pointu (adj.)
le bout de la lame
est pointu
est rond
police — la — (n.)
un agent de police
poisson — le — (n.)
une nageoire
la tête
une écaille
les ouïes
la queue,
pomme de terre — la — (n.) les pommes de terre
poitrine — la — (n.)
la poitrine
pont — le — (n.)
poli (adj.) polie (f.)
S'il vous plait
Merci
ils sont polis
port — le — (n.)
le phare,
la grue
le quai
les bateaux sont dans le port

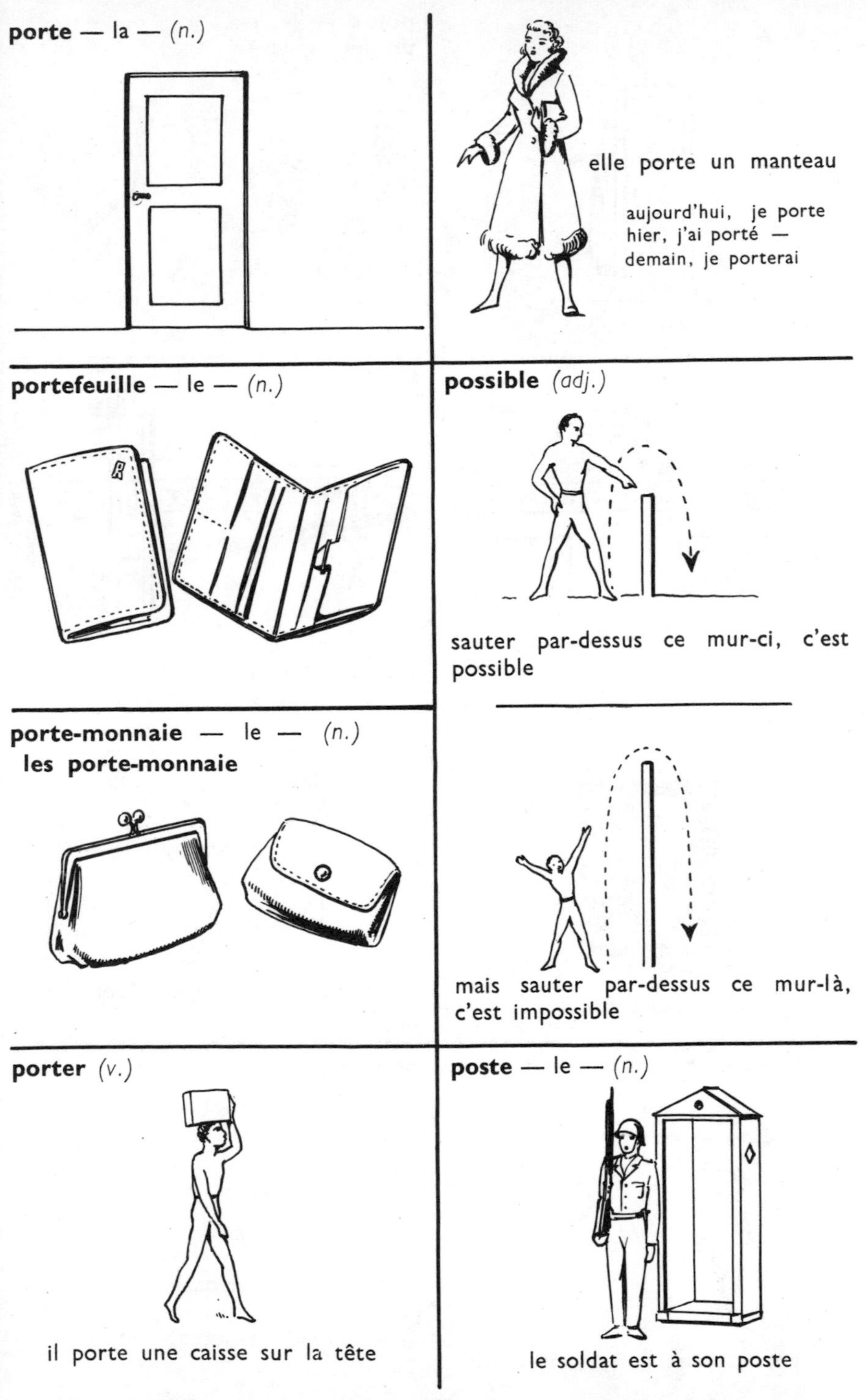

porte — la — *(n.)*

portefeuille — le — *(n.)*

porte-monnaie — le — *(n.)*
les porte-monnaie

porter *(v.)*

il porte une caisse sur la tête

elle porte un manteau

aujourd'hui, je porte
hier, j'ai porté —
demain, je porterai

possible *(adj.)*

sauter par-dessus ce mur-ci, c'est possible

mais sauter par-dessus ce mur-là, c'est impossible

poste — le — *(n.)*

le soldat est à son poste

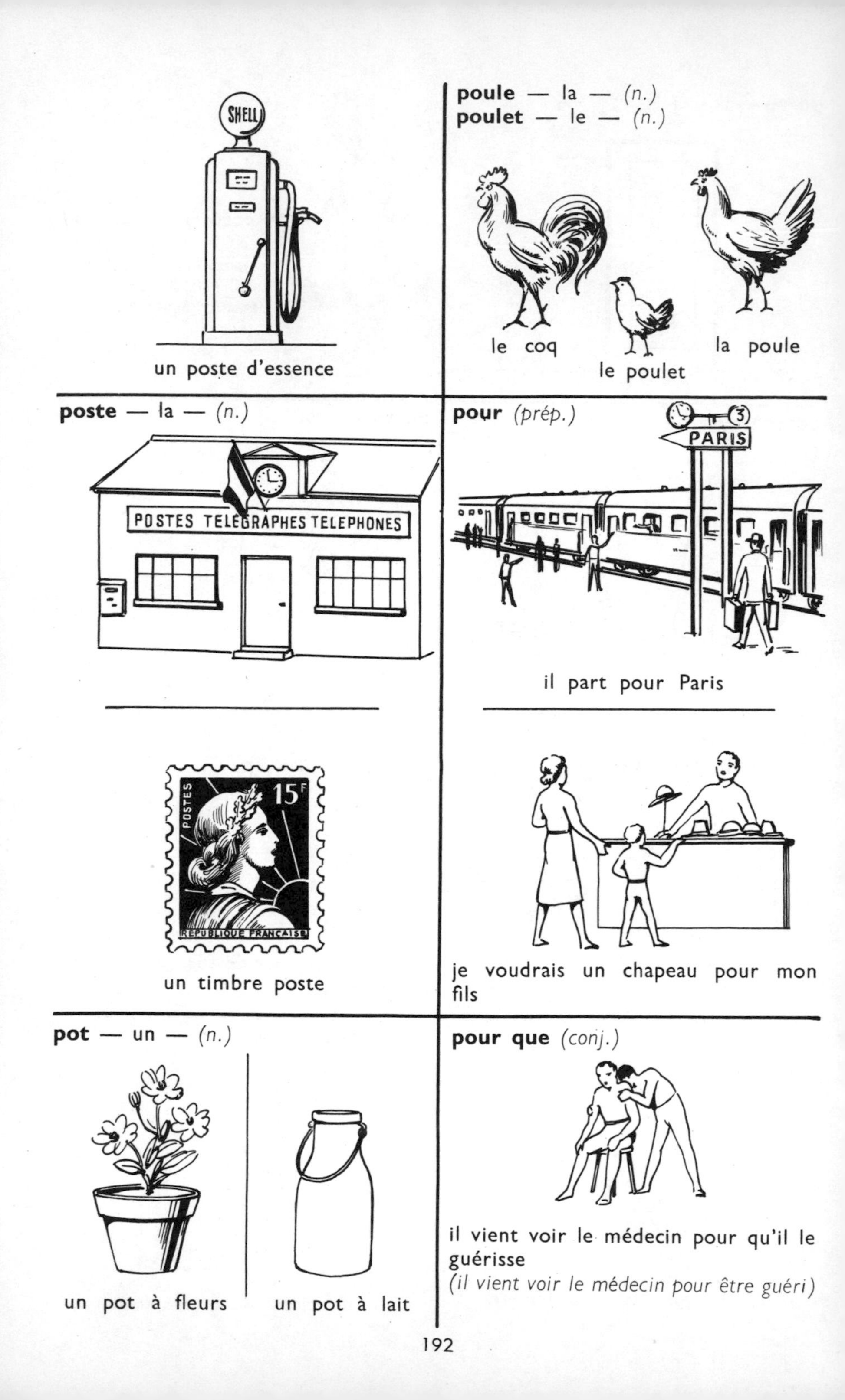

un poste d'essence

poule — la — *(n.)*
poulet — le — *(n.)*

le coq

le poulet

la poule

poste — la — *(n.)*

un timbre poste

pour *(prép.)*

il part pour Paris

je voudrais un chapeau pour mon fils

pot — un — *(n.)*

un pot à fleurs

un pot à lait

pour que *(conj.)*

il vient voir le médecin pour qu'il le guérisse
(il vient voir le médecin pour être guéri)

pourquoi *(adv. inter.)*

pourquoi *(pour quelle raison)*
parce que *(réponse à* **« pourquoi »***)*

les plantes poussent
(les plantes grandissent)

pousser *(v.)*

il pousse la voiture

il pousse son camarade

il pousse un cri *(il crie)*
aujourd'hui, je pousse
hier, j'ai poussé — demain, je pousserai

**poussière — la — ** *(n.)*

la poussière

pouvoir *(v.)*

il ne peut pas cueillir les fruits parce qu'il est trop petit

est-ce que je peux *(est-ce que tu me permets)*
aujourd'hui, je peux, tu peux, il peut, nous pouvons, vous pouvez, ils peuvent
hier, j'ai pu — demain, je pourrai

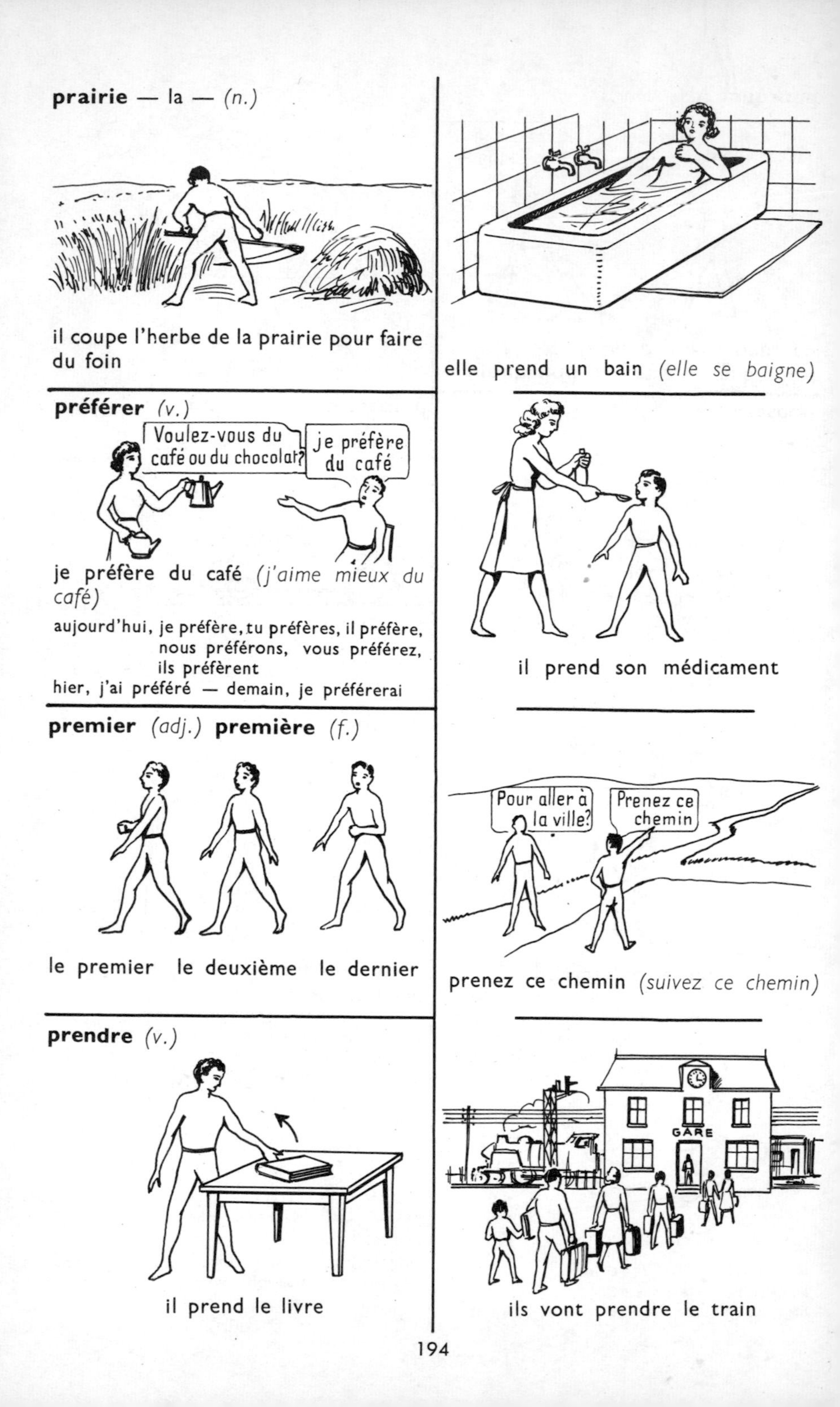

prairie — la — *(n.)*

il coupe l'herbe de la prairie pour faire du foin

préférer *(v.)*

je préfère du café *(j'aime mieux du café)*

aujourd'hui, je préfère, tu préfères, il préfère, nous préférons, vous préférez, ils préfèrent
hier, j'ai préféré — demain, je préférerai

premier *(adj.)* **première** *(f.)*

le premier le deuxième le dernier

prendre *(v.)*

il prend le livre

elle prend un bain *(elle se baigne)*

il prend son médicament

prenez ce chemin *(suivez ce chemin)*

ils vont prendre le train

il a fini son travail, il va prendre l'air *(il va se promener pour se reposer*

il vient d'allumer le feu, le feu prend *(il commence à marcher)*

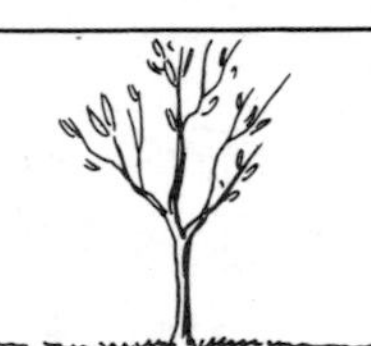

cet arbre vient d'être planté
il a pris *(il pousse)*

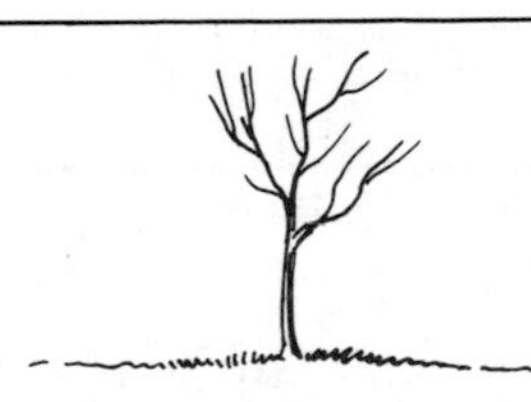

cet arbre vient d'être planté
il ne prend pas *(il est mort)*

aujourd'hui, je prends, tu prends, il prend, nous prenons, vous prenez, ils prennent
hier, j'ai pris — demain, je prendrai

préparer *(v.)*

la mère prépare le repas dans la cuisine

il prépare un examen
(il travaille pour passer un examen)
aujourd'hui, je prépare
hier, j'ai préparé — demain, je préparerai

près *(adv.)*
près de *(prép.)*

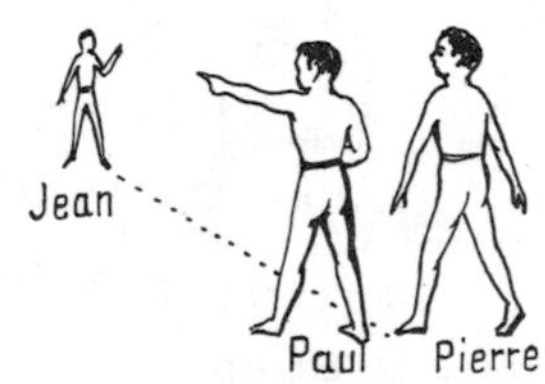

Paul est près de Pierre
Jean est loin

présenter *(v.)*

la petite fille présente des fleurs à sa grand-mère *(elle tend des fleurs)*

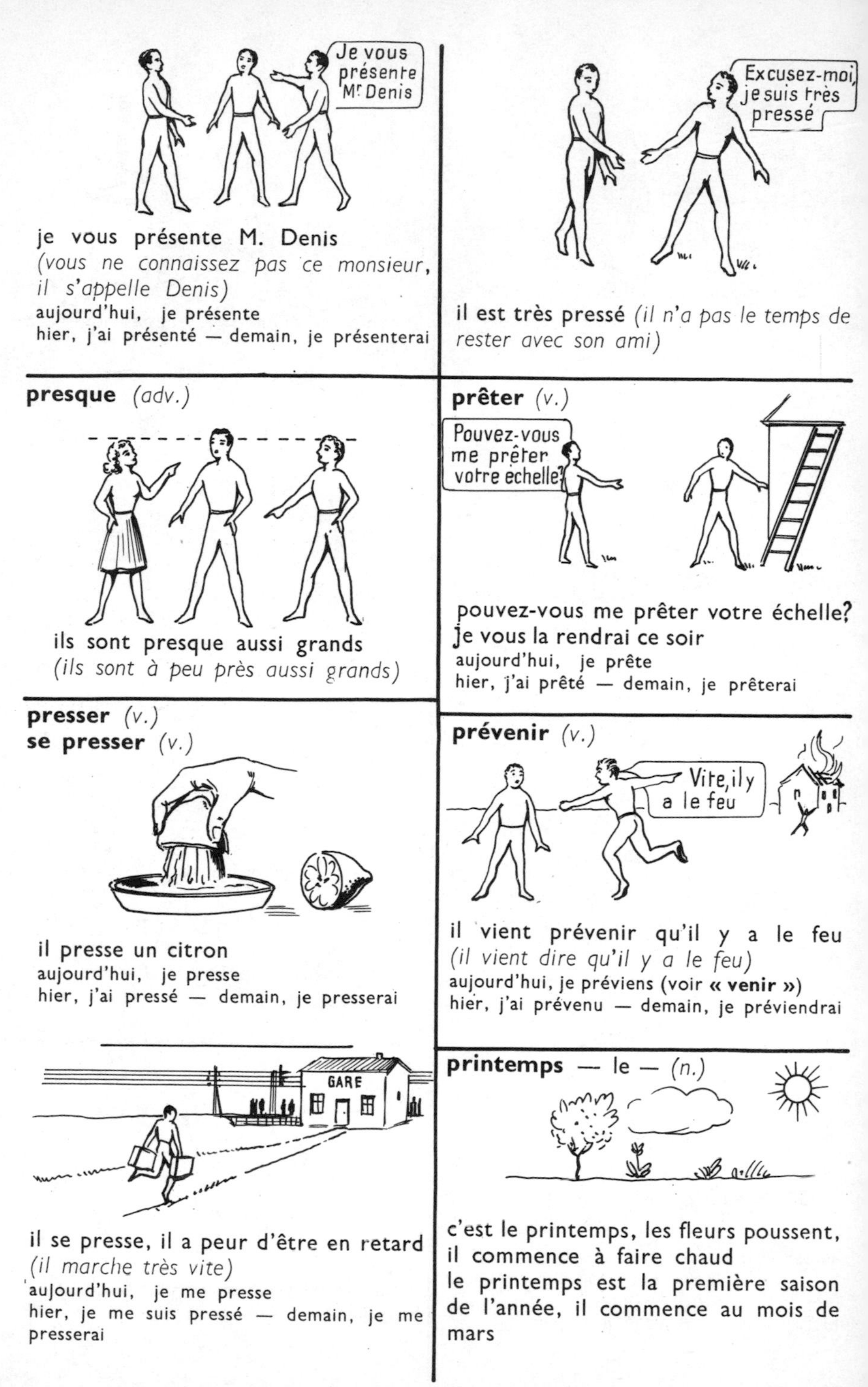

je vous présente M. Denis
(vous ne connaissez pas ce monsieur, il s'appelle Denis)
aujourd'hui, je présente
hier, j'ai présenté — demain, je présenterai

presque *(adv.)*

ils sont presque aussi grands
(ils sont à peu près aussi grands)

presser *(v.)*
se presser *(v.)*

il presse un citron
aujourd'hui, je presse
hier, j'ai pressé — demain, je presserai

il se presse, il a peur d'être en retard
(il marche très vite)
aujourd'hui, je me presse
hier, je me suis pressé — demain, je me presserai

il est très pressé *(il n'a pas le temps de rester avec son ami)*

prêter *(v.)*

pouvez-vous me prêter votre échelle?
je vous la rendrai ce soir
aujourd'hui, je prête
hier, j'ai prêté — demain, je prêterai

prévenir *(v.)*

il vient prévenir qu'il y a le feu
(il vient dire qu'il y a le feu)
aujourd'hui, je préviens (voir **« venir »**)
hier, j'ai prévenu — demain, je préviendrai

printemps — le — *(n.)*

c'est le printemps, les fleurs poussent, il commence à faire chaud
le printemps est la première saison de l'année, il commence au mois de mars

prix — le — *(n.)*

le prix du beurre est de 800 fr. le kilo, le prix des œufs est de 35 fr. la pièce

c'est un bon élève, il a beaucoup de prix *(livres donnés à un élève qui a bien travaillé)*

ils ont gagné, on leur donne un prix

produire *(v.)*

cet arbre produit de beaux fruits *(il donne de beaux fruits)*

une terre pauvre ne produit rien

une terre riche produit beaucoup

aujourd'hui, je produis, tu produis, il produit, nous produisons, vous produisez, ils produisent

hier, j'ai produit — demain, je produirai

prochain *(adj.)*

jeudi 18 mai

elle reviendra le premier lundi après le 18 mai, c'est-à-dire le 22 mai

profond *(adj.)*

la rivière n'est pas profonde *(il n'y a pas beaucoup d'eau)*

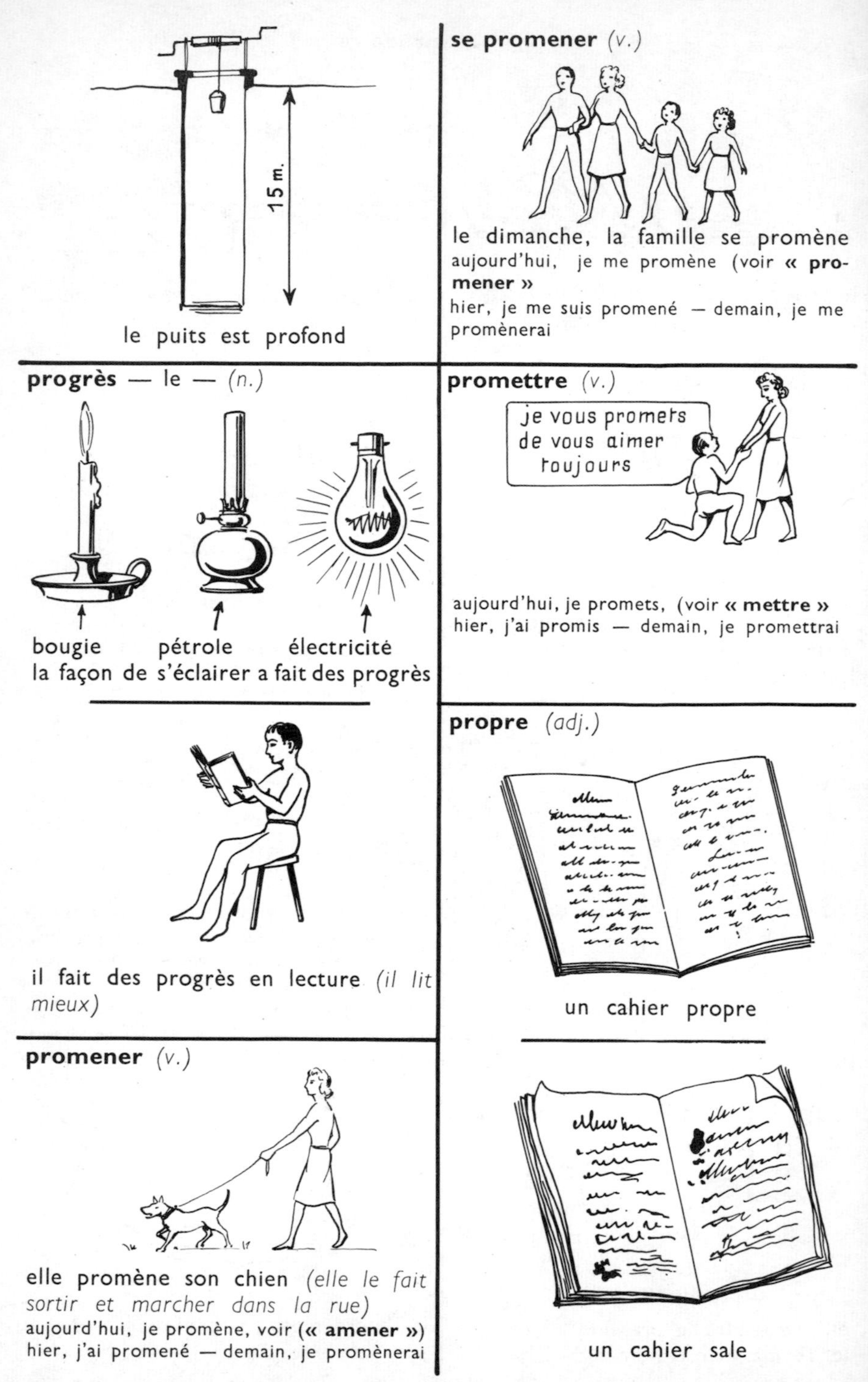

le puits est profond

progrès — le — *(n.)*

bougie pétrole électricité
la façon de s'éclairer a fait des progrès

il fait des progrès en lecture *(il lit mieux)*

promener *(v.)*

elle promène son chien *(elle le fait sortir et marcher dans la rue)*
aujourd'hui, je promène, voir (**« amener »**)
hier, j'ai promené — demain, je promènerai

se promener *(v.)*

le dimanche, la famille se promène
aujourd'hui, je me promène (voir **« promener »**
hier, je me suis promené — demain, je me promènerai

promettre *(v.)*

aujourd'hui, je promets, (voir **« mettre »**
hier, j'ai promis — demain, je promettrai

propre *(adj.)*

un cahier propre

un cahier sale

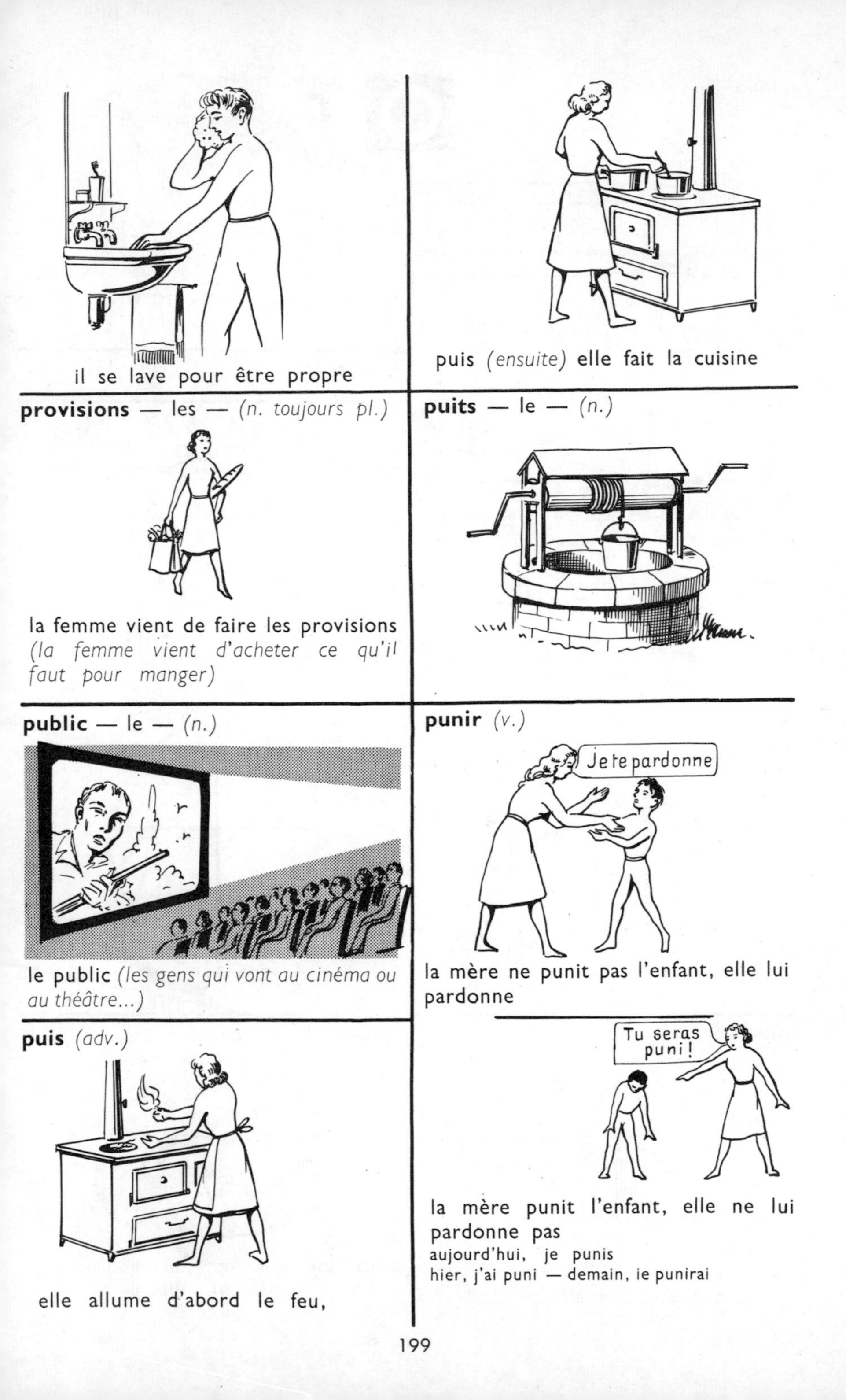

il se lave pour être propre

provisions — les — *(n. toujours pl.)*

la femme vient de faire les provisions *(la femme vient d'acheter ce qu'il faut pour manger)*

public — le — *(n.)*

le public *(les gens qui vont au cinéma ou au théâtre...)*

puis *(adv.)*

elle allume d'abord le feu,

puis *(ensuite)* elle fait la cuisine

puits — le — *(n.)*

punir *(v.)*

la mère ne punit pas l'enfant, elle lui pardonne

la mère punit l'enfant, elle ne lui pardonne pas

aujourd'hui, je punis
hier, j'ai puni — demain, ie punirai

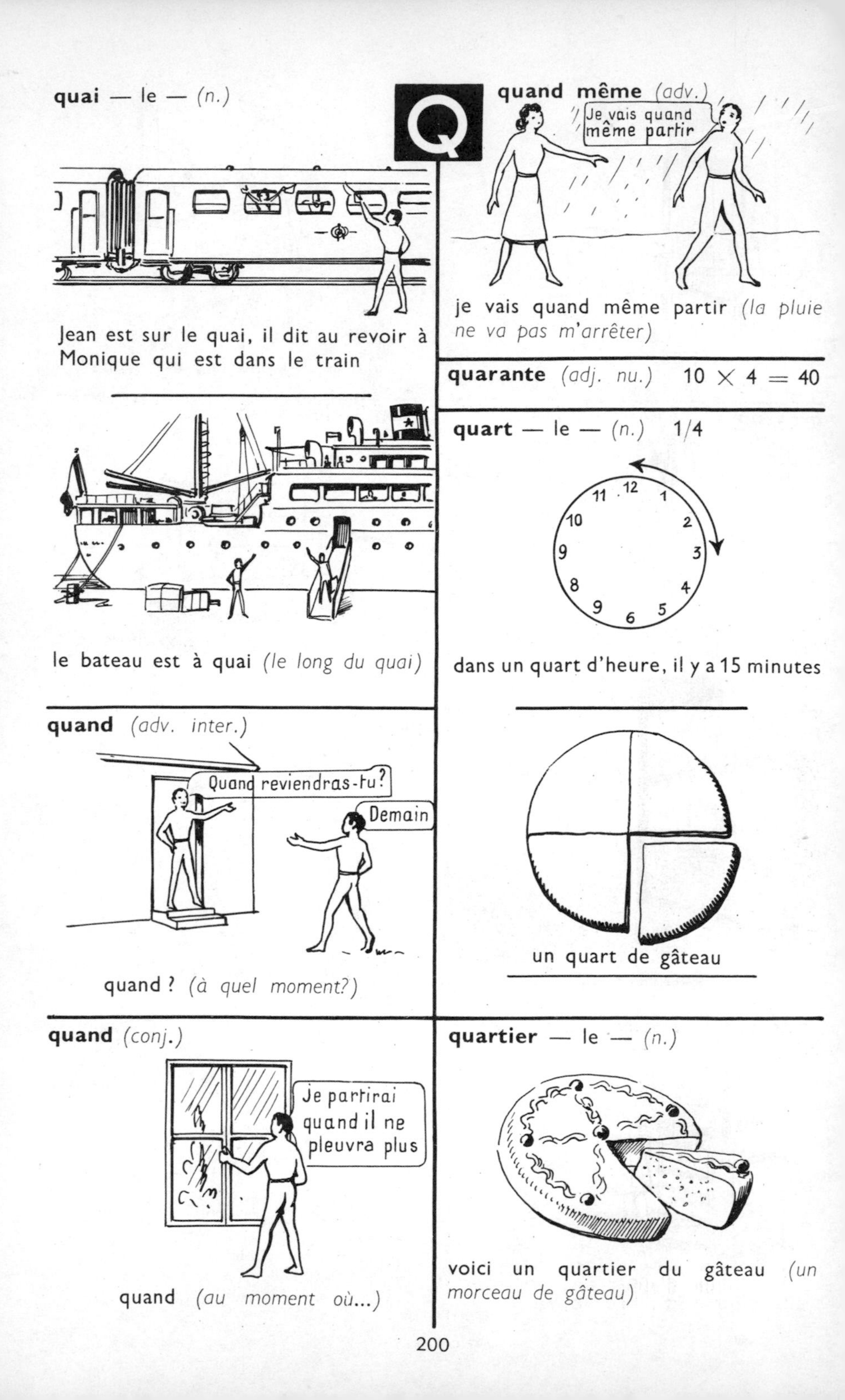

quai — le — *(n.)*

Jean est sur le quai, il dit au revoir à Monique qui est dans le train

le bateau est à quai *(le long du quai)*

quand *(adv. inter.)*

quand ? *(à quel moment?)*

quand *(conj.)*

quand *(au moment où...)*

quand même *(adv.)*

je vais quand même partir *(la pluie ne va pas m'arrêter)*

quarante *(adj. nu.)* $10 \times 4 = 40$

quart — le — *(n.)* 1/4

dans un quart d'heure, il y a 15 minutes

un quart de gâteau

quartier — le — *(n.)*

voici un quartier du gâteau *(un morceau de gâteau)*

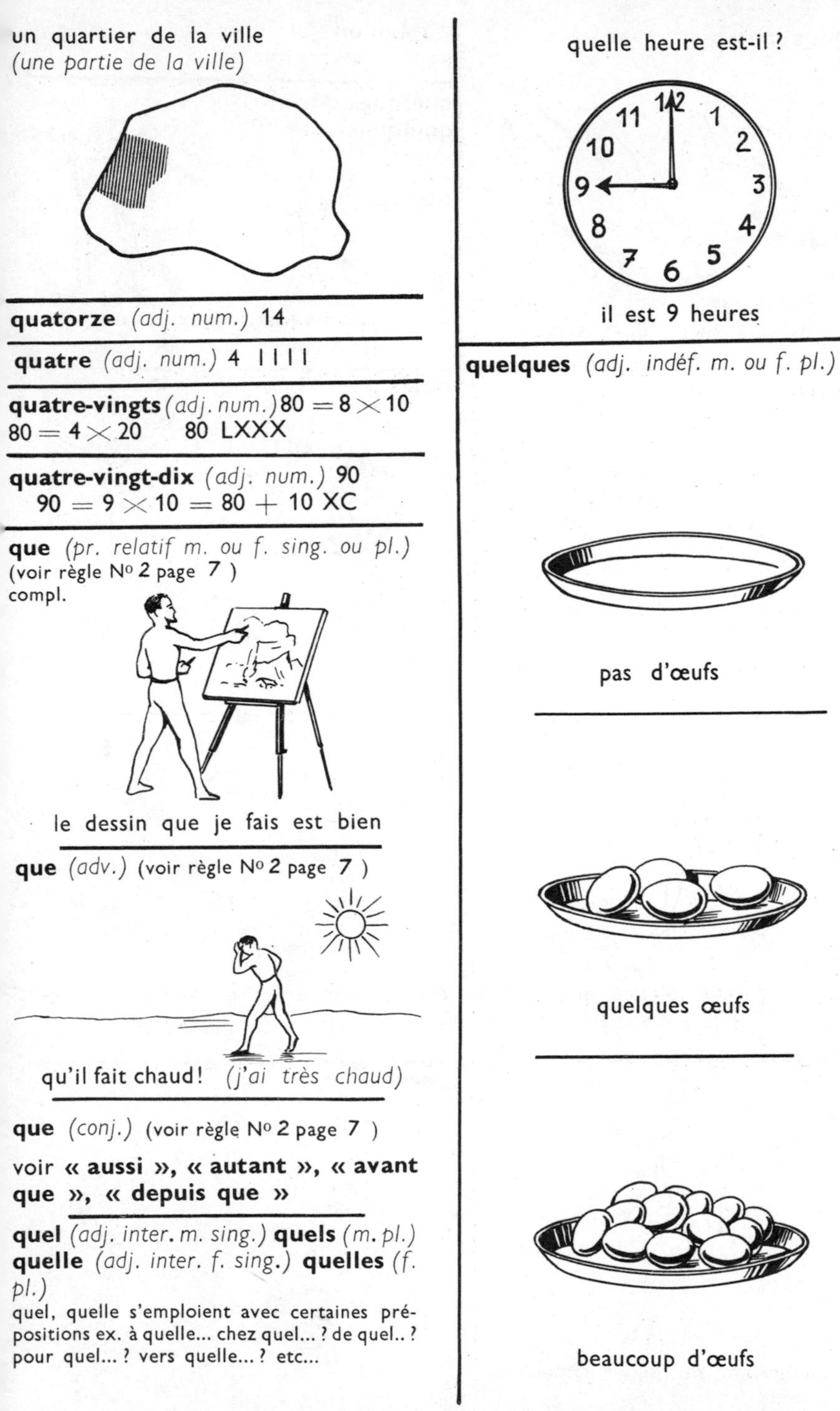

un quartier de la ville
(une partie de la ville)

quatorze *(adj. num.)* 14

quatre *(adj. num.)* 4 I I I I

quatre-vingts *(adj. num.)* 80 = 8 × 10
80 = 4 × 20   80 LXXX

quatre-vingt-dix *(adj. num.)* 90
90 = 9 × 10 = 80 + 10 XC

que *(pr. relatif m. ou f. sing. ou pl.)*
(voir règle No 2 page 7)
compl.

le dessin que je fais est bien

que *(adv.)* (voir règle No 2 page 7)

qu'il fait chaud ! *(j'ai très chaud)*

que *(conj.)* (voir règle No 2 page 7)

voir **« aussi », « autant », « avant que », « depuis que »**

quel *(adj. inter. m. sing.)* **quels** *(m. pl.)*
quelle *(adj. inter. f. sing.)* **quelles** *(f. pl.)*
quel, quelle s'emploient avec certaines prépositions ex. à quelle... chez quel... ? de quel.. ? pour quel... ? vers quelle... ? etc...

quelle heure est-il ?

il est 9 heures

quelques *(adj. indéf. m. ou f. pl.)*

pas d'œufs

quelques œufs

beaucoup d'œufs

quelque chose *(pr. indéf. neutre)*

il y a quelque chose dans la main

il n'y a rien dans la main

quelqu'un *(pr. indéf. m. ou f. sing.)* voir « **personne** »

quelques-uns *(pr. indéf. m. pl.)* — **quelques-unes** *(f pl.)*

j'en voudrais quelques-uns *(je voudrais quelques fruits)*

quelquefois *(adv.)*

un bébé pleure souvent *(il pleure plusieurs fois par jour)*

un jeune garçon pleure quelquefois *(il pleure une fois ou deux par semaine)*

un homme ne pleure jamais

question — la — *(n.)*

Monique pose une question à Jean — « où vas-tu ? » est une question

queue — la — *(n.)*

qui *(pr. relatif m. ou f. sing. ou pl.)*
sujet

qui s'emploie avec certaines prépositions quand il remplace une personne
ex. : à qui, de qui, chez qui, pour qui, vers qui, près de qui, etc.

qui s'emploie avec certaines prépositions : à qui...? de qui...? chez qui...?

quinze *(adj. num.)* 15 **XV**

quitter *(v.)*

il quitte la maison *(il s'en va)*

ils se quittent *(ils s'en vont chacun de leur côté)*
aujourd'hui, je quitte
hier, j'ai quitté — demain, je quitterai

qui *(pr. inter. m. ou f. sing. ou pl.)*
s'emploie seulement pour les personnes,
sujet

« qui est là? » ou « qui est-ce qui est là ? »

compl.

qui as-tu rencontré?
(ou, qui est-ce que tu as rencontré?)

quoi *(pr. inter. neutre)*
pour les choses
compl. d'objet indirect

quoi s'emploie avec certaines prépositions : en quoi... ? par quoi... ? de quoi... ? sur quoi... ?

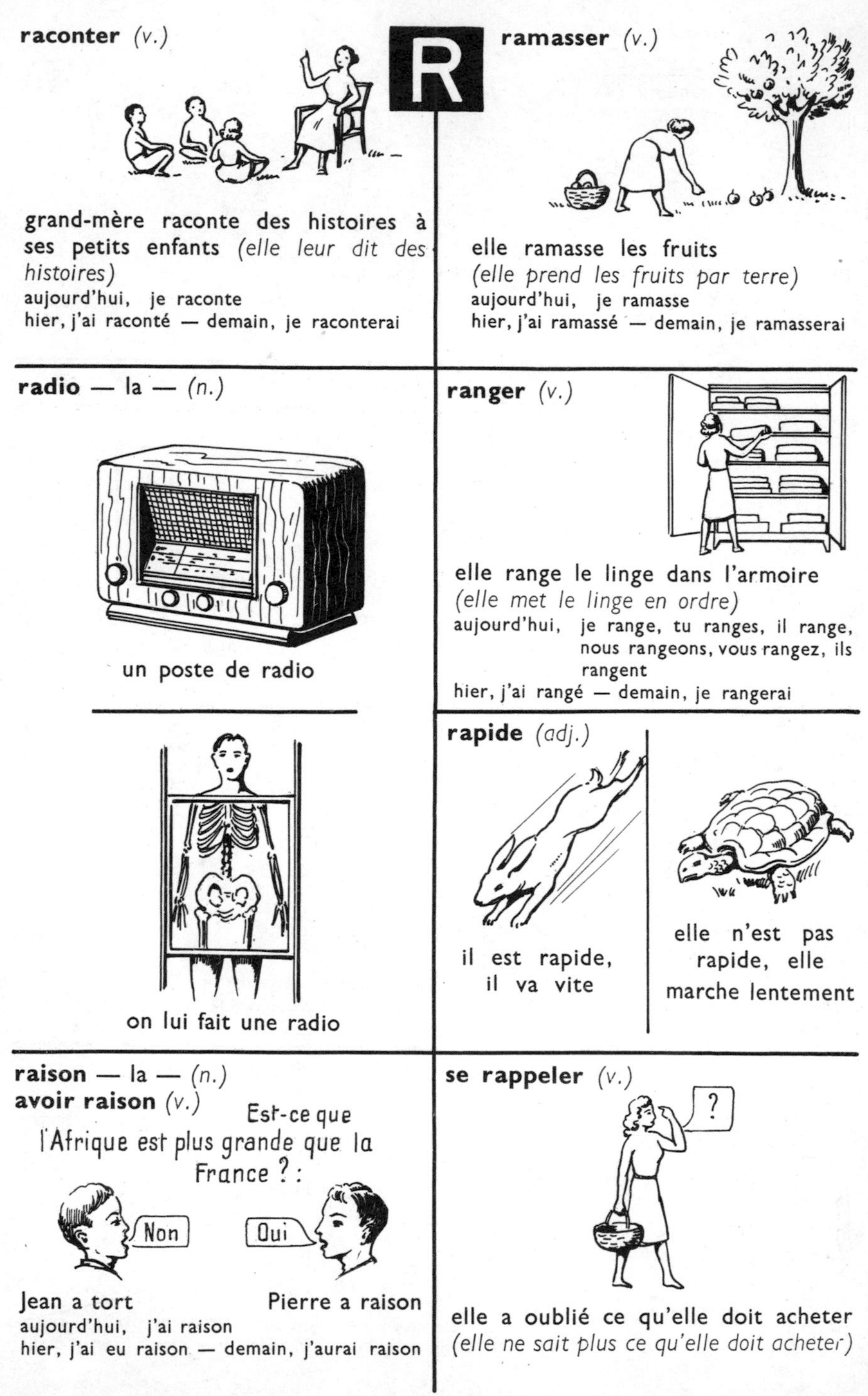

raconter *(v.)*

grand-mère raconte des histoires à ses petits enfants *(elle leur dit des histoires)*
aujourd'hui, je raconte
hier, j'ai raconté — demain, je raconterai

radio — la — *(n.)*

un poste de radio

on lui fait une radio

raison — la — *(n.)*
avoir raison *(v.)*

Est-ce que l'Afrique est plus grande que la France ? :

Jean a tort — Pierre a raison
aujourd'hui, j'ai raison
hier, j'ai eu raison — demain, j'aurai raison

ramasser *(v.)*

elle ramasse les fruits
(elle prend les fruits par terre)
aujourd'hui, je ramasse
hier, j'ai ramassé — demain, je ramasserai

ranger *(v.)*

elle range le linge dans l'armoire
(elle met le linge en ordre)
aujourd'hui, je range, tu ranges, il range, nous rangeons, vous rangez, ils rangent
hier, j'ai rangé — demain, je rangerai

rapide *(adj.)*

il est rapide, il va vite

elle n'est pas rapide, elle marche lentement

se rappeler *(v.)*

elle a oublié ce qu'elle doit acheter
(elle ne sait plus ce qu'elle doit acheter)

elle se rappelle ce qu'elle doit acheter
aujourd'hui, je me rappelle, tu te rappelles, il se rappelle, nous nous rappelons, vous vous rappelez, ils se rappellent
hier, je me suis rappelé — demain, je me rappellerai

elle reçoit ses amis *(elle offre à dîner à ses amis)*
aujourd'hui, je reçois, tu reçois, il reçoit, nous recevons, vous recevez, ils recoivent.
hier, j'ai reçu — demain, je recevrai

rare *(adj.)*

voici un oiseau rare
(on en trouve seulement dans quelques pays chauds)

récolte — la — *(n.)*
récolter *(v.)*

ils récoltent le blé *(ils coupent et rentrent le blé)*
aujourd'hui, je récolte
hier, j'ai récolté — demain, je récolterai

se raser *(v.)*
rasoir — le — *(n.)*

il se rase
aujourd'hui, je me rase
hier, je me suis rasé — demain, je me raserai

recommencer *(v.)*

la lettre était mal écrite, il la recommence *(il l'écrit de nouveau)*
aujourd'hui, je recommence (voir « **commencer** »)
hier, j'ai recommencé — demain, je recommencerai

recevoir *(v.)*

elle reçoit une lettre

reconnaître *(v.)*

en passant, Jean reconnaît Pierre *(il s'aperçoit que c'est Pierre)*

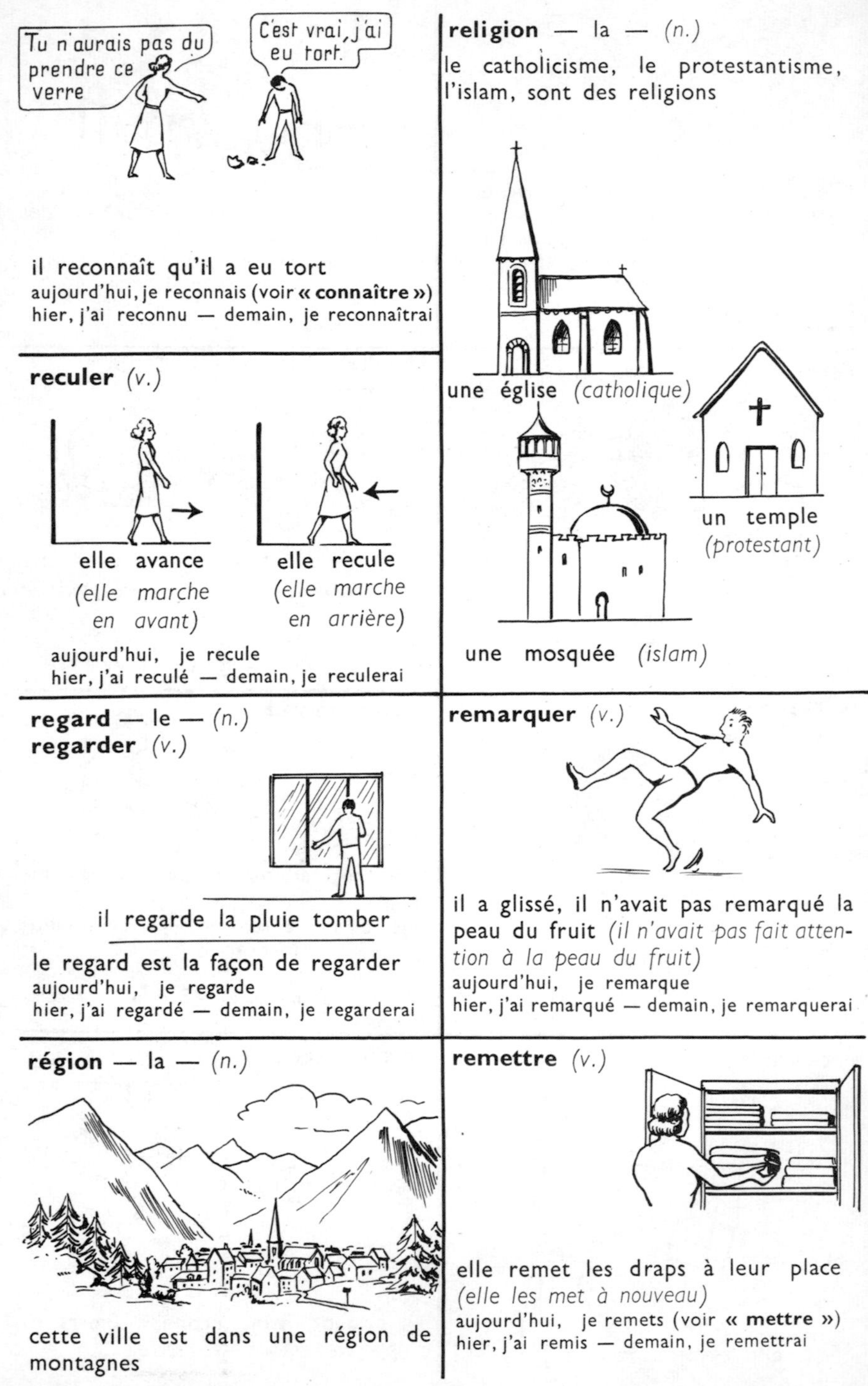

il reconnaît qu'il a eu tort
aujourd'hui, je reconnais (voir « **connaître** »)
hier, j'ai reconnu — demain, je reconnaîtrai

reculer *(v.)*

elle avance *(elle marche en avant)*

elle recule *(elle marche en arrière)*

aujourd'hui, je recule
hier, j'ai reculé — demain, je reculerai

regard — le — *(n.)*
regarder *(v.)*

il regarde la pluie tomber

le regard est la façon de regarder
aujourd'hui, je regarde
hier, j'ai regardé — demain, je regarderai

région — la — *(n.)*

cette ville est dans une région de montagnes

religion — la — *(n.)*
le catholicisme, le protestantisme, l'islam, sont des religions

une église *(catholique)*

un temple *(protestant)*

une mosquée *(islam)*

remarquer *(v.)*

il a glissé, il n'avait pas remarqué la peau du fruit *(il n'avait pas fait attention à la peau du fruit)*
aujourd'hui, je remarque
hier, j'ai remarqué — demain, je remarquerai

remettre *(v.)*

elle remet les draps à leur place *(elle les met à nouveau)*
aujourd'hui, je remets (voir « **mettre** »)
hier, j'ai remis — demain, je remettrai

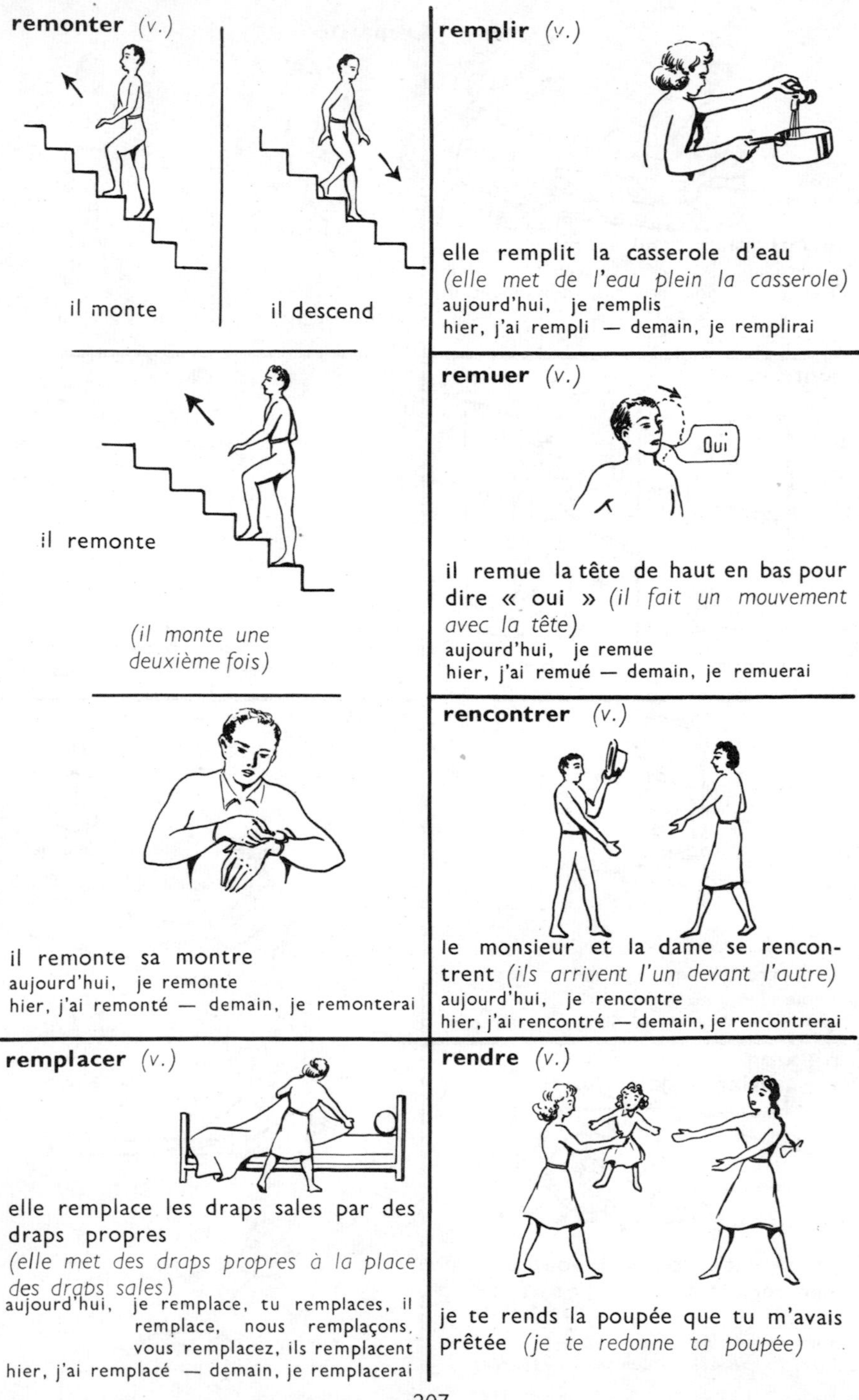

remonter *(v.)*

il monte

il descend

il remonte

(il monte une deuxième fois)

il remonte sa montre
aujourd'hui, je remonte
hier, j'ai remonté — demain, je remonterai

remplacer *(v.)*

elle remplace les draps sales par des draps propres
(elle met des draps propres à la place des draps sales)
aujourd'hui, je remplace, tu remplaces, il remplace, nous remplaçons, vous remplacez, ils remplacent
hier, j'ai remplacé — demain, je remplacerai

remplir *(v.)*

elle remplit la casserole d'eau
(elle met de l'eau plein la casserole)
aujourd'hui, je remplis
hier, j'ai rempli — demain, je remplirai

remuer *(v.)*

il remue la tête de haut en bas pour dire « oui » *(il fait un mouvement avec la tête)*
aujourd'hui, je remue
hier, j'ai remué — demain, je remuerai

rencontrer *(v.)*

le monsieur et la dame se rencontrent *(ils arrivent l'un devant l'autre)*
aujourd'hui, je rencontre
hier, j'ai rencontré — demain, je rencontrerai

rendre *(v.)*

je te rends la poupée que tu m'avais prêtée *(je te redonne ta poupée)*

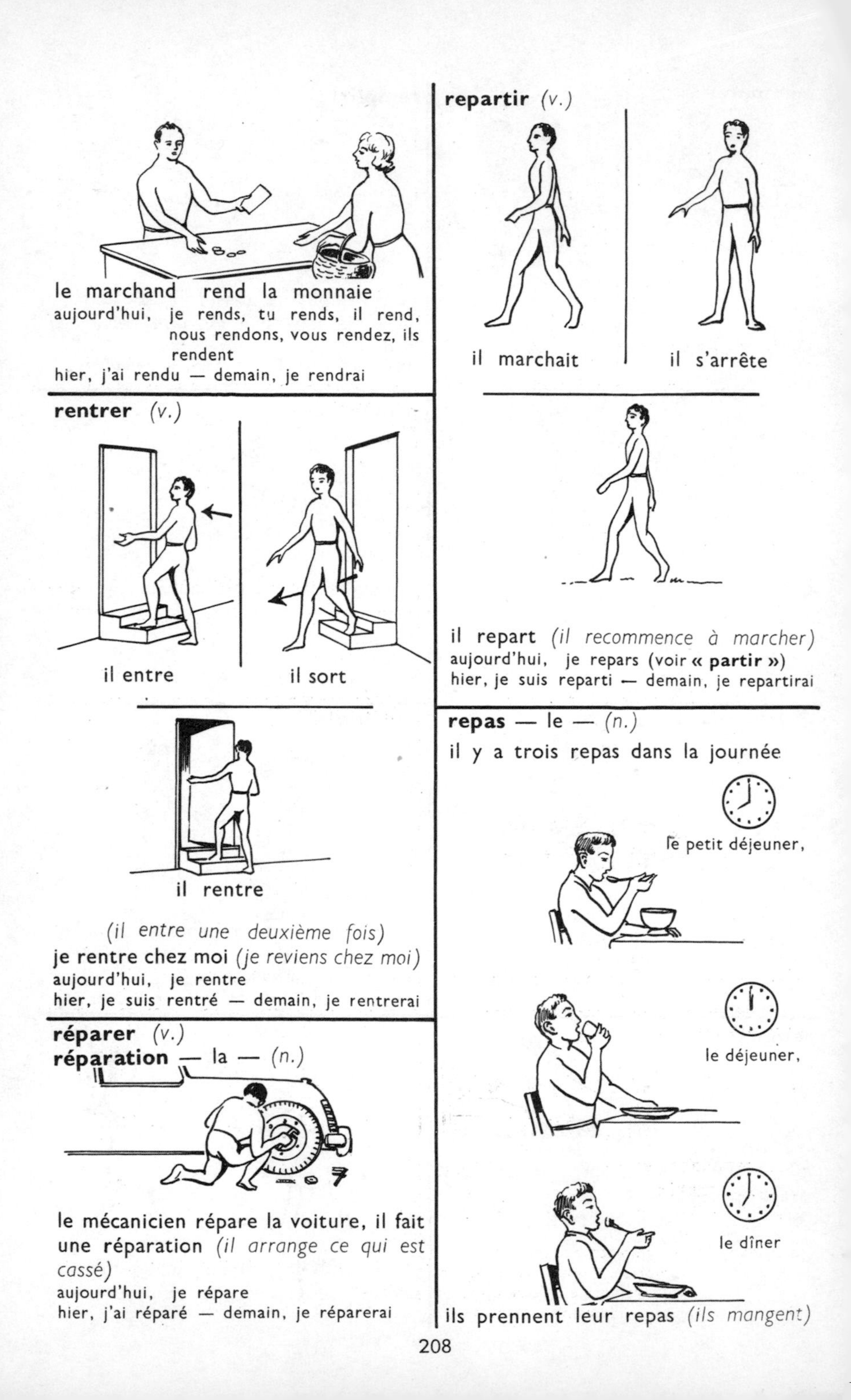

le marchand rend la monnaie
aujourd'hui, je rends, tu rends, il rend, nous rendons, vous rendez, ils rendent
hier, j'ai rendu — demain, je rendrai

rentrer *(v.)*

il entre — il sort

il rentre

(il entre une deuxième fois)
je rentre chez moi *(je reviens chez moi)*
aujourd'hui, je rentre
hier, je suis rentré — demain, je rentrerai

réparer *(v.)*
réparation — la — *(n.)*

le mécanicien répare la voiture, il fait une réparation *(il arrange ce qui est cassé)*
aujourd'hui, je répare
hier, j'ai réparé — demain, je réparerai

repartir *(v.)*

il marchait — il s'arrête

il repart *(il recommence à marcher)*
aujourd'hui, je repars (voir « **partir** »)
hier, je suis reparti — demain, je repartirai

repas — le — *(n.)*
il y a trois repas dans la journée

le petit déjeuner,

le déjeuner,

le dîner

ils prennent leur repas *(ils mangent)*

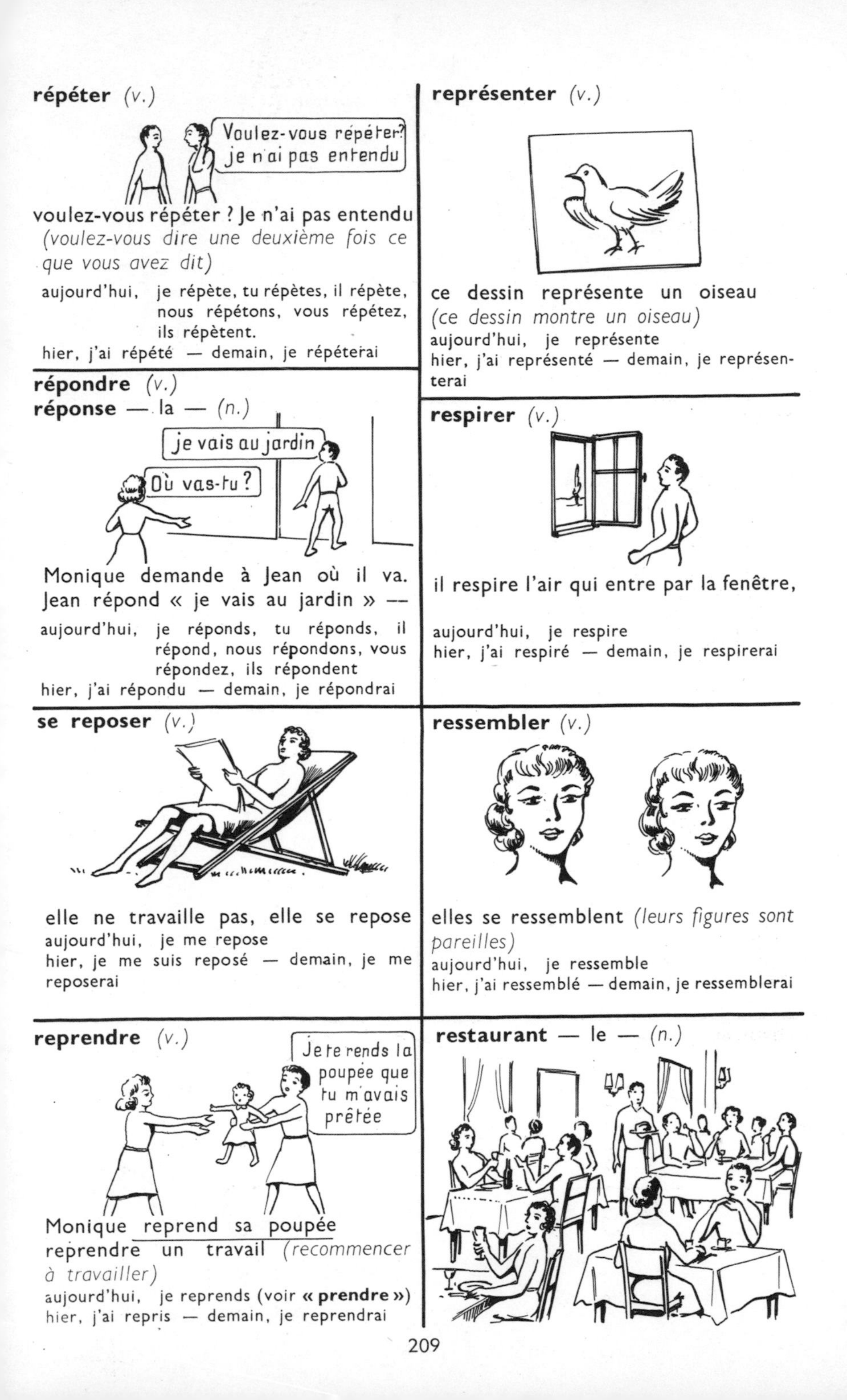

répéter *(v.)*

voulez-vous répéter ? Je n'ai pas entendu *(voulez-vous dire une deuxième fois ce que vous avez dit)*

aujourd'hui, je répète, tu répètes, il répète, nous répétons, vous répétez, ils répètent.
hier, j'ai répété — demain, je répéterai

répondre *(v.)*
réponse — la — *(n.)*

Monique demande à Jean où il va. Jean répond « je vais au jardin » —

aujourd'hui, je réponds, tu réponds, il répond, nous répondons, vous répondez, ils répondent
hier, j'ai répondu — demain, je répondrai

se reposer *(v.)*

elle ne travaille pas, elle se repose
aujourd'hui, je me repose
hier, je me suis reposé — demain, je me reposerai

reprendre *(v.)*

Monique reprend sa poupée
reprendre un travail *(recommencer à travailler)*
aujourd'hui, je reprends (voir **« prendre »**)
hier, j'ai repris — demain, je reprendrai

représenter *(v.)*

ce dessin représente un oiseau
(ce dessin montre un oiseau)
aujourd'hui, je représente
hier, j'ai représenté — demain, je représenterai

respirer *(v.)*

il respire l'air qui entre par la fenêtre,

aujourd'hui, je respire
hier, j'ai respiré — demain, je respirerai

ressembler *(v.)*

elles se ressemblent *(leurs figures sont pareilles)*
aujourd'hui, je ressemble
hier, j'ai ressemblé — demain, je ressemblerai

restaurant — le — *(n.)*

reste — le — *(n.)*

il prend le reste des gâteaux
(ce qui n'a pas été mangé)

rester *(v.)*

reste à table *(ne t'en va pas)*

elle retire 2 fruits, il en reste 4 dans le panier
aujourd'hui, je reste
hier, je suis resté — demain, je resterai

résultat — le — *(n.)*

$$\begin{array}{r} 15 \\ \times 3 \\ \hline 45 \end{array}$$

le résultat est 45

retourner *(v.)*

il retourne son manteau

il retourne la terre

il se retourne
(il tourne la tête)
aujourd'hui, je retourne
hier, j'ai retourné — demain, je retournerai

retrouver *(v.)*

il retrouve la clef qu'il avait perdue
aujourd'hui, je retrouve
hier, j'ai retrouvé — demain, je retrouverai

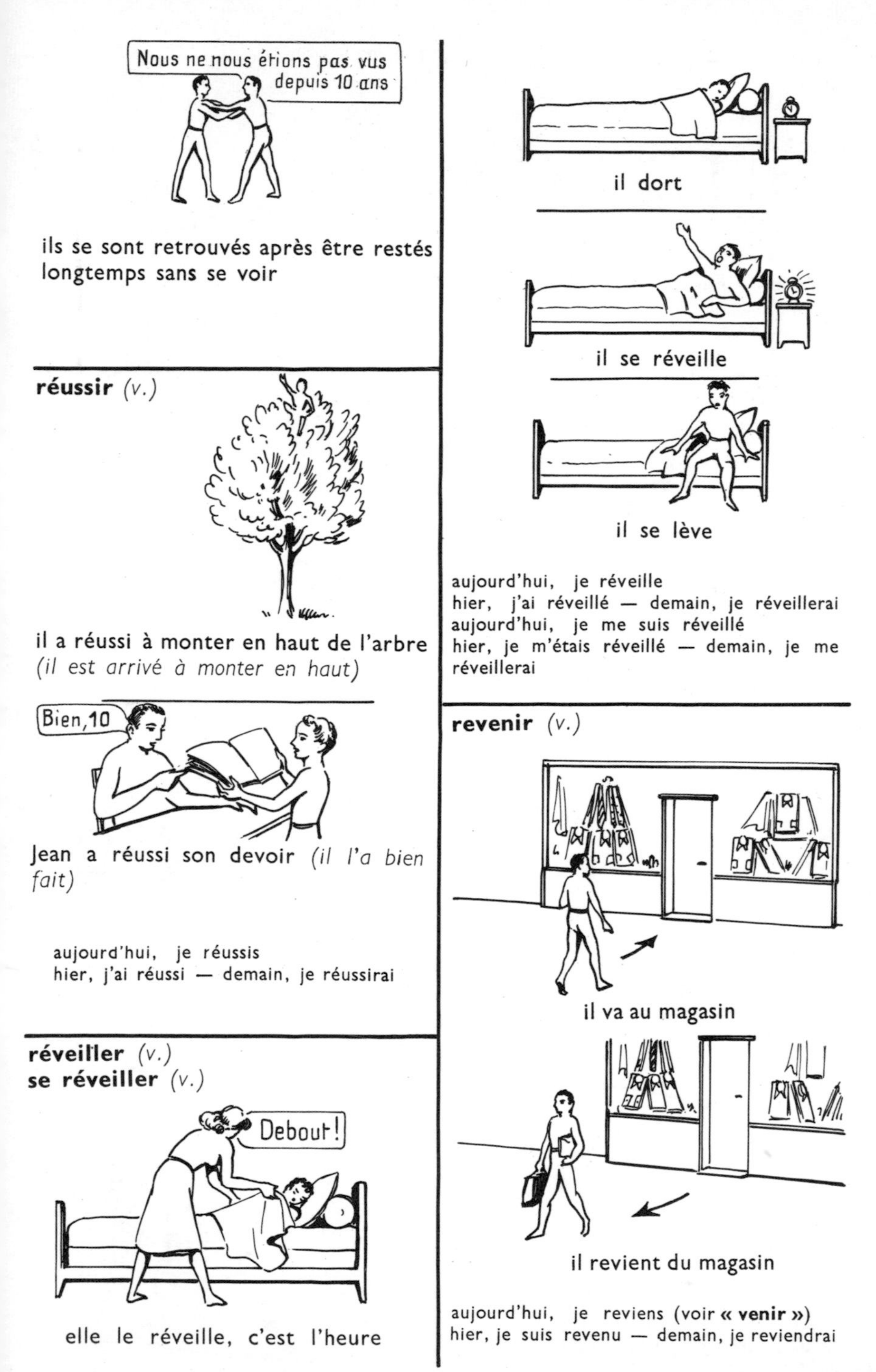

ils se sont retrouvés après être restés longtemps sans se voir

réussir *(v.)*

il a réussi à monter en haut de l'arbre *(il est arrivé à monter en haut)*

Jean a réussi son devoir *(il l'a bien fait)*

aujourd'hui, je réussis
hier, j'ai réussi — demain, je réussirai

réveiller *(v.)*
se réveiller *(v.)*

elle le réveille, c'est l'heure

il dort

il se réveille

il se lève

aujourd'hui, je réveille
hier, j'ai réveillé — demain, je réveillerai
aujourd'hui, je me suis réveillé
hier, je m'étais réveillé — demain, je me réveillerai

revenir *(v.)*

il va au magasin

il revient du magasin

aujourd'hui, je reviens (voir « **venir** »)
hier, je suis revenu — demain, je reviendrai

rêve — le — *(n.)*
rêver *(v.)*

il fait un rêve, il rêve qu'il a une bicyclette neuve
aujourd'hui, je rêve
hier, j'ai rêvé — demain, je rêverai

revoir *(v.)*

après un voyage, il est heureux de revoir sa maison *(de la voir de nouveau)*
aujourd'hui, je revois (voir **« voir »**)
hier, j'ai revu — demain, je reverrai

riche *(adj.)*

il est riche

il est pauvre
(il n'est pas riche)

rien *(pr. ind. m. sing.)* voir **« quelque chose »**

rire *(v.)*
rire — le — *(n.)*

elle rit, elle est heureuse, on entend son rire de loin
aujourd'hui, je ris, tu ris, il rit, nous rions, vous riez, ils rient
hier, j'ai ri — demain, je rirai

rivière — la — *(n.)*

riz — le — *(n.)*

robe — la — *(n.)*

roi — le — *(n.)*

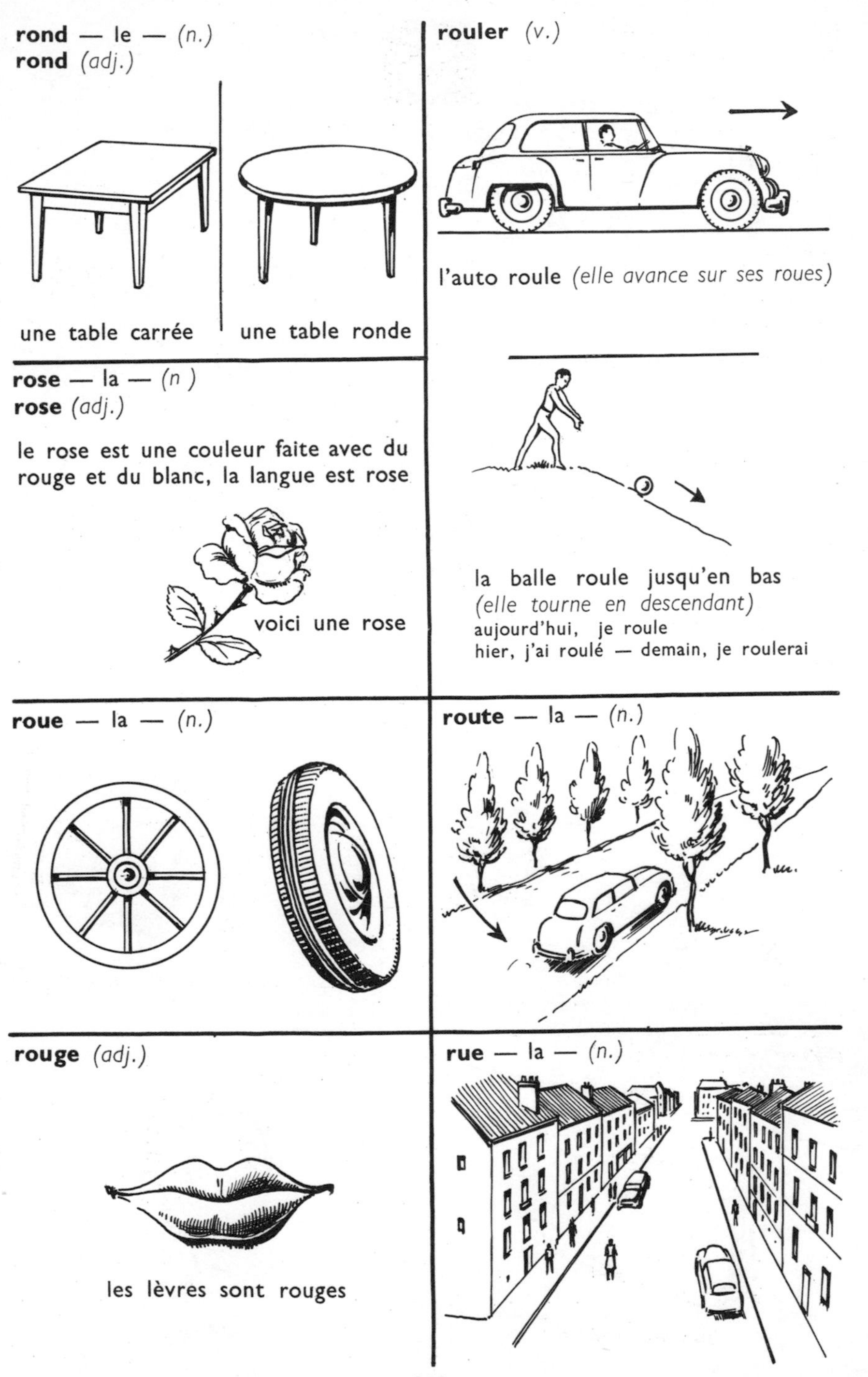

rond — le — *(n.)*
rond *(adj.)*

une table carrée

une table ronde

rose — la — *(n)*
rose *(adj.)*

le rose est une couleur faite avec du rouge et du blanc, la langue est rose

voici une rose

roue — la — *(n.)*

rouge *(adj.)*

les lèvres sont rouges

rouler *(v.)*

l'auto roule *(elle avance sur ses roues)*

la balle roule jusqu'en bas
(elle tourne en descendant)
aujourd'hui, je roule
hier, j'ai roulé — demain, je roulerai

route — la — *(n.)*

rue — la — *(n.)*

S

sa *(adj. poss. 3e pers. f.)*
(voir règle No 1 page 7)

saison — la — *(n.)*

le printemps

l'été

l'automne

l'hiver

en France, il y a quatre saisons

sable — le — *(n.)*

le sable

le pays du sable

sale *(adj.)*
salir *(v.)*

voici un cahier propre

voici un cahier sale

il est sale

sac — le — *(n.)*

un sac à main

le charbon salit la pièce
aujourd'hui, je salis
hier, j'ai sali — demain, je salirai

salle — la — *(n.)*

une salle de classe

nous prenons nos repas dans la salle à manger

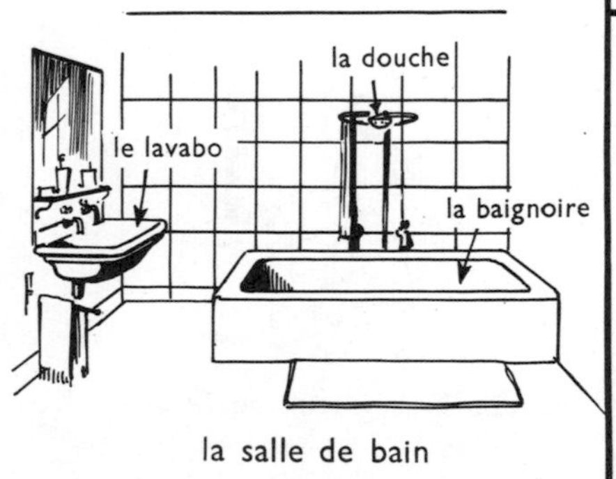

la salle de bain

saluer *(v.)*

un homme salue en enlevant son chapeau
(un homme dit bonjour en enlevant son chapeau)

le soldat salue son chef
aujourd'hui, je salue
hier, j'ai salué — demain, je saluerai

samedi — le — *(n.)*
samedi est le 6e jour de la semaine

sang — le — *(n.)*

il s'est coupé, le sang coule

sans *(prép.)*

Jean part avec son chapeau

Jean part sans chapeau

santé — la — *(n.)*

il est en bonne santé | il est en mauvaise santé *(il est malade)*

avant de boire, on dit « à votre santé » à ses amis.

sauver *(v.)*
se sauver *(v.)*

il sauve la femme
aujourd'hui, je sauve
hier, j'ai sauvé — demain, je sauverai

le voleur se sauve
(il court pour ne pas être arrêté)
aujourd'hui, je me sauve
hier, je me suis sauvé — demain, je me sauverai

sauter *(v.)*

il saute la rivière

le bateau saute
aujourd'hui, je saute
hier, j'ai sauté — demain je sauterai

savoir *(v.)*

elle ne sait pas faire la cuisine
(elle fait mal la cuisine)

elle sait faire la cuisine *(elle fait bien la cuisine)*

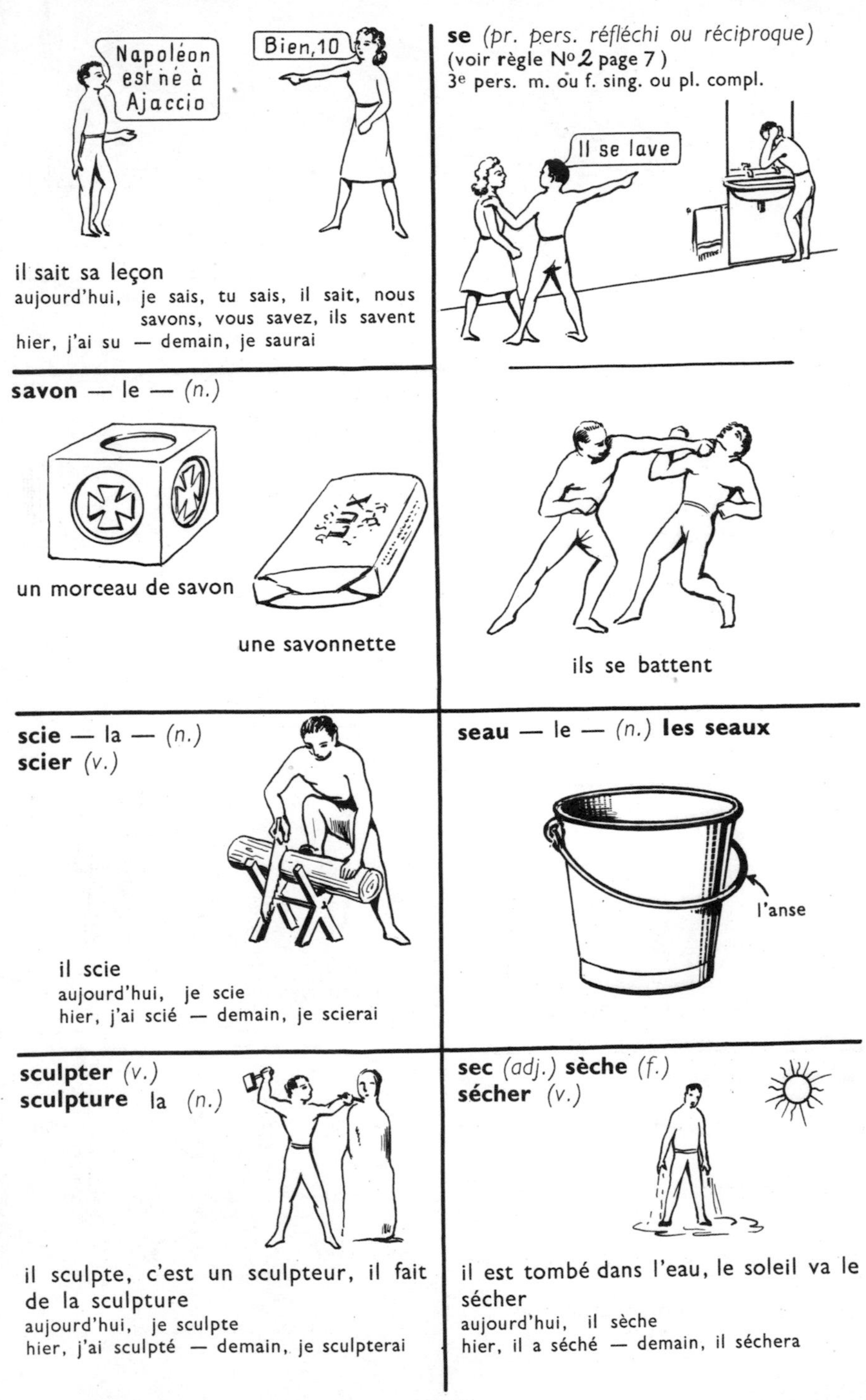

il sait sa leçon
aujourd'hui, je sais, tu sais, il sait, nous savons, vous savez, ils savent
hier, j'ai su — demain, je saurai

savon — le — *(n.)*

un morceau de savon

une savonnette

scie — la — *(n.)*
scier *(v.)*

il scie
aujourd'hui, je scie
hier, j'ai scié — demain, je scierai

sculpter *(v.)*
sculpture la *(n.)*

il sculpte, c'est un sculpteur, il fait de la sculpture
aujourd'hui, je sculpte
hier, j'ai sculpté — demain, je sculpterai

se *(pr. pers. réfléchi ou réciproque)*
(voir règle No 2 page 7)
3e pers. m. ou f. sing. ou pl. compl.

ils se battent

seau — le — *(n.)* **les seaux**

sec *(adj.)* **sèche** *(f.)*
sécher *(v.)*

il est tombé dans l'eau, le soleil va le sécher
aujourd'hui, il sèche
hier, il a séché — demain, il séchera

la rivière est à sec *(il n'y a plus d'eau)*

sein — le — *(n.)*

la mère donne le sein à son enfant — elle le nourrit au sein

seize *(adj. num.)* 16 XVI

10 + 6 = 16 IIIIIIIIIIIIIIII

sel — le — *(n.)*

il y a du sel dedans

semaine — la — *(n.)*

dans une semaine, il y a 7 jours :

lundi, mardi, mercredi, jeudi, vendredi, samedi, dimanche

semer *(v.)*

le jardinier sème les graines
(il met les graines dans la terre)
aujourd'hui, je sème, tu sèmes, il sème, nous semons, vous semez, ils sèment.
hier, j'ai semé — demain, je sèmerai

sembler *(v.)*

vous semblez fatigué
(vous avez l'air fatigué)
aujourd'hui, je semble
hier, j'ai semblé — demain, je semblerai

il me semble qu'il va pleuvoir
(je crois qu'il va pleuvoir)

sens — le — *(n.)*

avec ses cinq sens

sens — le — *(n.)*

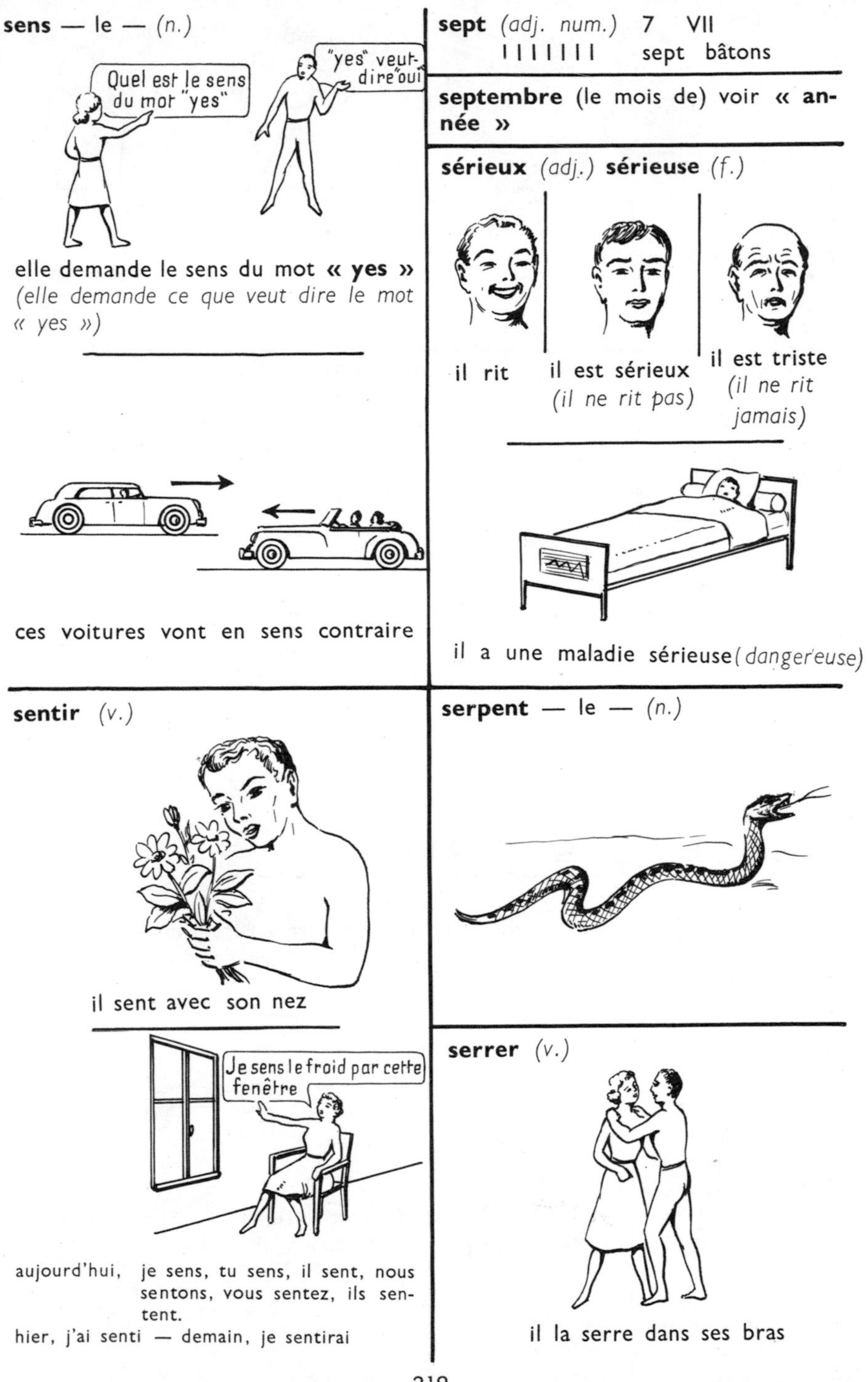

elle demande le sens du mot « **yes** » *(elle demande ce que veut dire le mot « yes »)*

ces voitures vont en sens contraire

sept *(adj. num.)* 7 VII
I I I I I I I sept bâtons

septembre (le mois de) voir « **année** »

sérieux *(adj.)* **sérieuse** *(f.)*

il rit

il est sérieux *(il ne rit pas)*

il est triste *(il ne rit jamais)*

il a une maladie sérieuse *(dangereuse)*

sentir *(v.)*

il sent avec son nez

aujourd'hui, je sens, tu sens, il sent, nous sentons, vous sentez, ils sentent.
hier, j'ai senti — demain, je sentirai

serpent — le — *(n.)*

serrer *(v.)*

il la serre dans ses bras

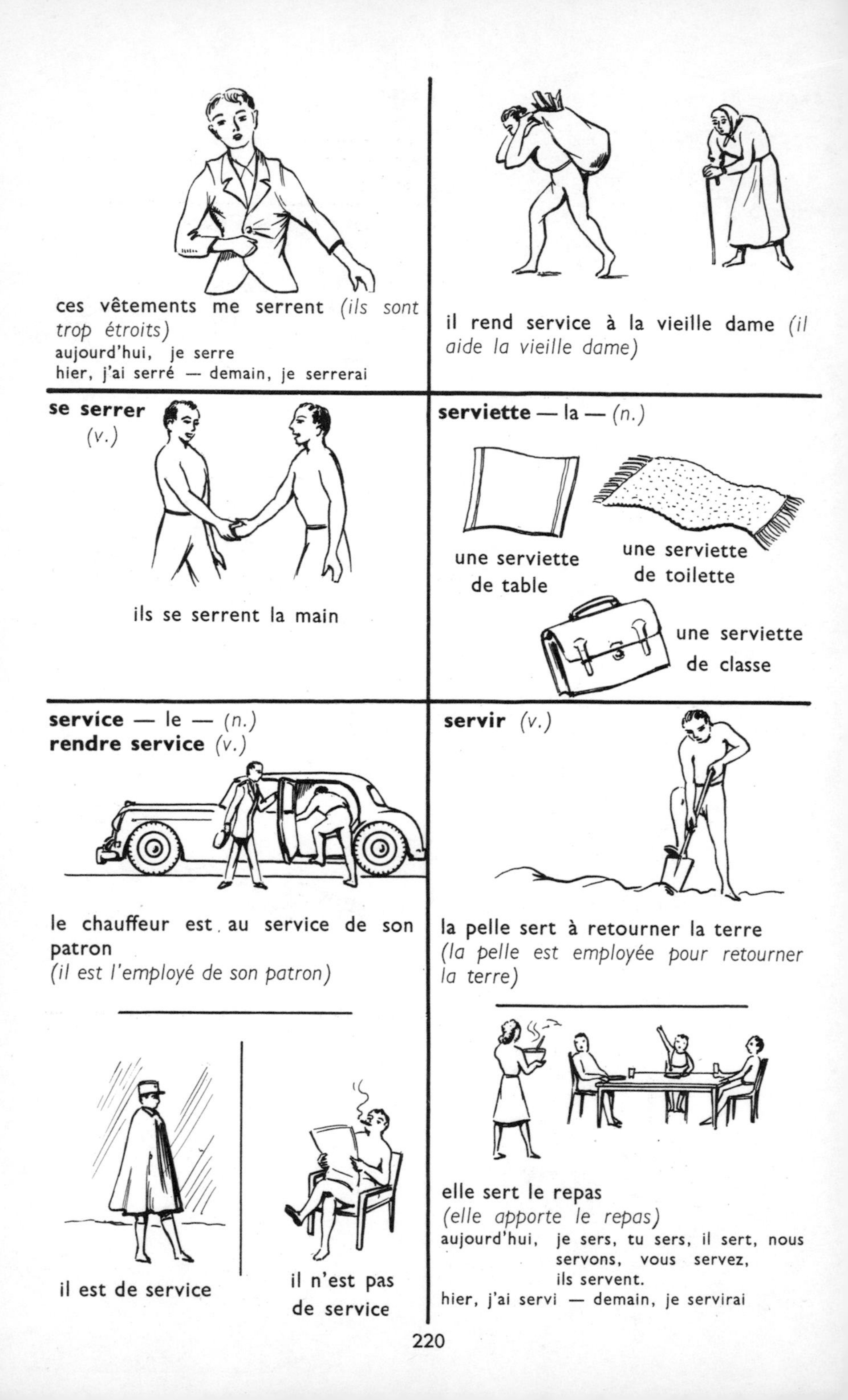

ces vêtements me serrent *(ils sont trop étroits)*
aujourd'hui, je serre
hier, j'ai serré — demain, je serrerai

il rend service à la vieille dame *(il aide la vieille dame)*

se serrer *(v.)*

ils se serrent la main

serviette — la — *(n.)*

une serviette de table

une serviette de toilette

une serviette de classe

service — le — *(n.)*
rendre service *(v.)*

le chauffeur est au service de son patron
(il est l'employé de son patron)

il est de service

il n'est pas de service

servir *(v.)*

la pelle sert à retourner la terre
(la pelle est employée pour retourner la terre)

elle sert le repas
(elle apporte le repas)
aujourd'hui, je sers, tu sers, il sert, nous servons, vous servez, ils servent.
hier, j'ai servi — demain, je servirai

se servir *(v.)*

il se sert de sa main gauche pour écrire
(il emploie sa main gauche)

je peux me laver tout seul

il se sert de légumes
(il prend des légumes)
aujourd'hui, je me sers (voir « **servir** »)
hier, je me suis servi — demain, je me servirai

c'est mon seul fils *(je n'en ai pas d'autre)*

ses *(adj. poss. 3e pers. m. ou f.)*

les amis de Jean

Jean

seulement *(adv.)*

il a seulement quatre ans
(il n'a pas plus de quatre ans)

seul *(adj.)* **seule** *(f.)*

il est seul
(il n'y a personne avec lui)

il est avec son ami

si *(conj.)*

ah! si je pouvais prendre ces fruits
(je voudrais prendre ces fruits)

si *(adv.)*

on répond « si » et non pas « oui » quand dans la question il y a « ne...... pas ».. ...

il est si fatigué qu'il s'est couché à 6 heures du soir
(il est tellement fatigué qu'il s'est couché...)

« si » sert à poser la question après « dire » « se demander »

silence — le — *(n.)*

devant un hôpital, les voitures roulent en silence
(elles ne font pas de bruit)

simple *(adj.)*

une feuille double

une feuille simple

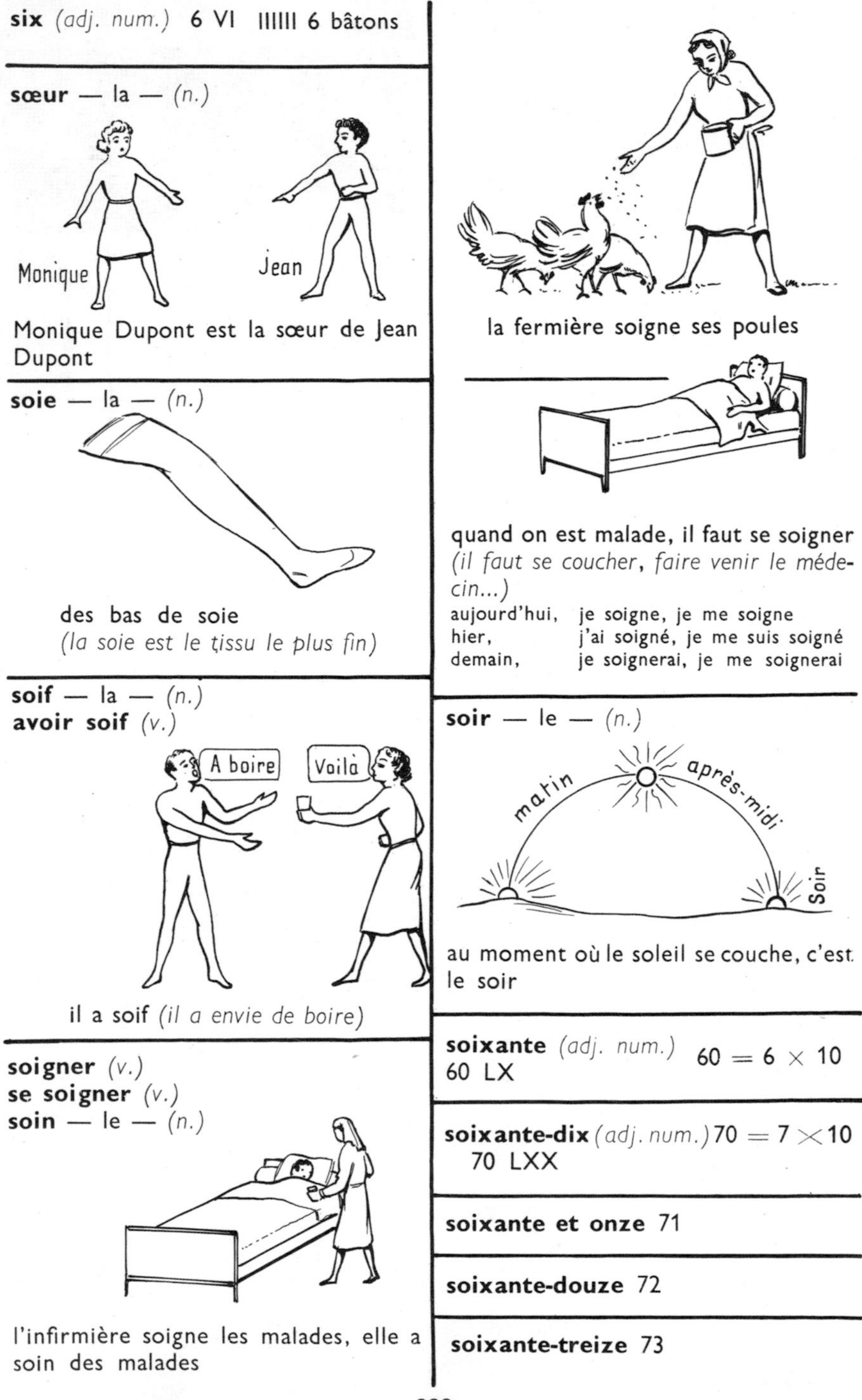

six *(adj. num.)* 6 VI IIIIII 6 bâtons

sœur — la — *(n.)*

Monique Dupont est la sœur de Jean Dupont

soie — la — *(n.)*

des bas de soie
(la soie est le tissu le plus fin)

soif — la — *(n.)*
avoir soif *(v.)*

il a soif *(il a envie de boire)*

soigner *(v.)*
se soigner *(v.)*
soin — le — *(n.)*

l'infirmière soigne les malades, elle a soin des malades

la fermière soigne ses poules

quand on est malade, il faut se soigner *(il faut se coucher, faire venir le médecin...)*

aujourd'hui,	je soigne, je me soigne
hier,	j'ai soigné, je me suis soigné
demain,	je soignerai, je me soignerai

soir — le — *(n.)*

au moment où le soleil se couche, c'est le soir

soixante *(adj. num.)* 60 = 6 × 10
60 LX

soixante-dix *(adj. num.)* 70 = 7 × 10
70 LXX

soixante et onze 71

soixante-douze 72

soixante-treize 73

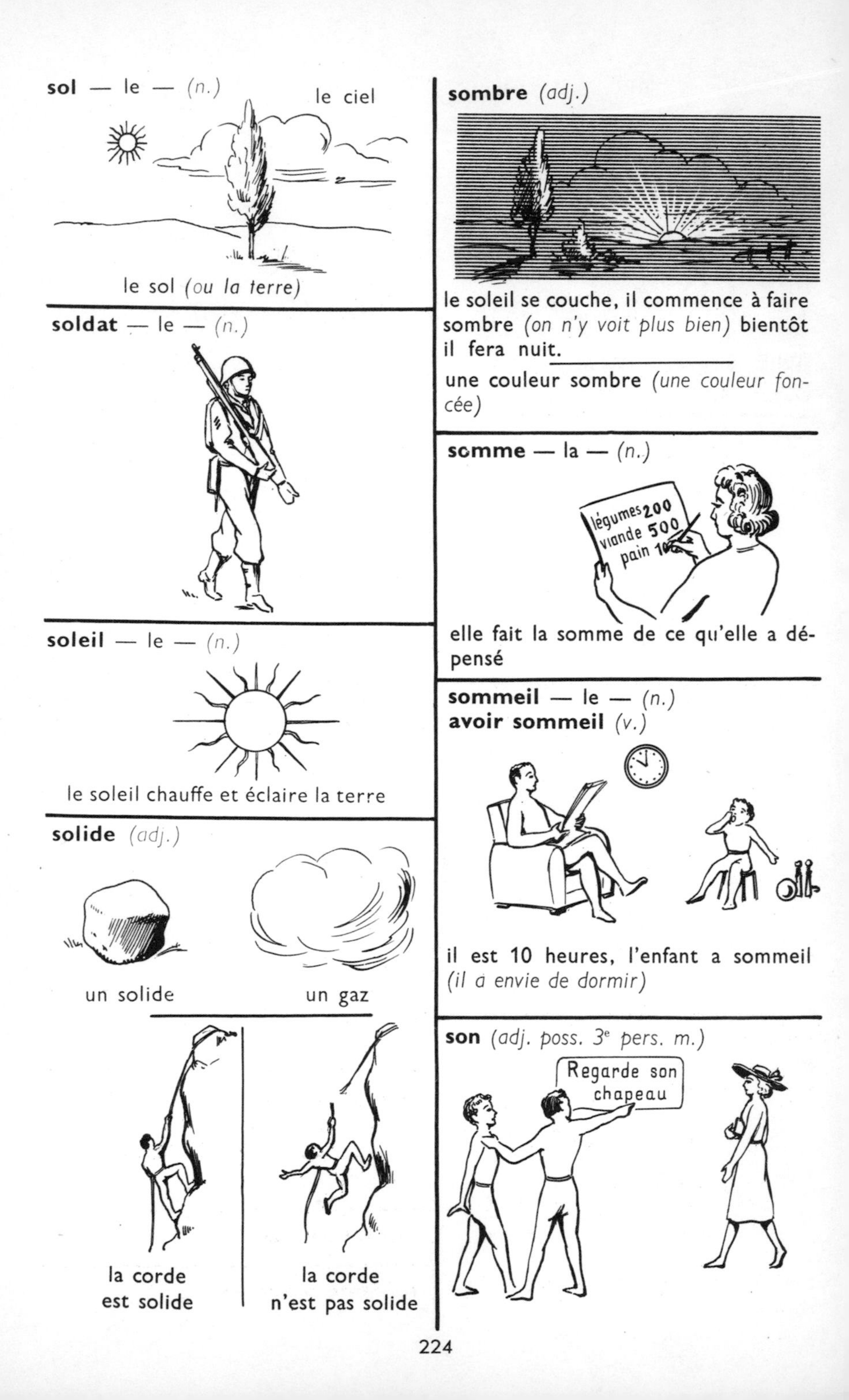

sol — le — *(n.)*

le sol *(ou la terre)*

soldat — le — *(n.)*

soleil — le — *(n.)*

le soleil chauffe et éclaire la terre

solide *(adj.)*

un solide

un gaz

la corde est solide

la corde n'est pas solide

sombre *(adj.)*

le soleil se couche, il commence à faire sombre *(on n'y voit plus bien)* bientôt il fera nuit.

une couleur sombre *(une couleur foncée)*

somme — la — *(n.)*

elle fait la somme de ce qu'elle a dépensé

sommeil — le — *(n.)*
avoir sommeil *(v.)*

il est 10 heures, l'enfant a sommeil *(il a envie de dormir)*

son *(adj. poss. 3e pers. m.)*

sonner *(v.)*

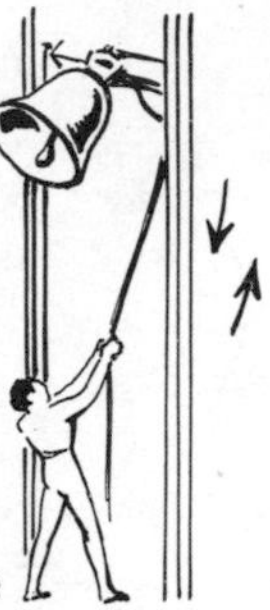

la cloche sonne

il sonne à la porte

aujourd'hui, je sonne

hier, j'ai sonné — demain, je sonnerai

sortir *(v.)*

il sort de la pièce

aujourd'hui, je sors, tu sors, il sort, nous sortons, vous sortez, ils sortent.

hier, je suis sorti — demain, je sortirai

soupe — la — *(n.)*

le soir, on mange souvent de la soupe

sorte — la — *(n.)*

voici différentes sortes d'animaux

voici des animaux de la même sorte

source — la — *(n.)*

il vient chercher de l'eau à la source

le soleil est une source de lumière et de chaleur
(le soleil donne de la lumière et de la chaleur)

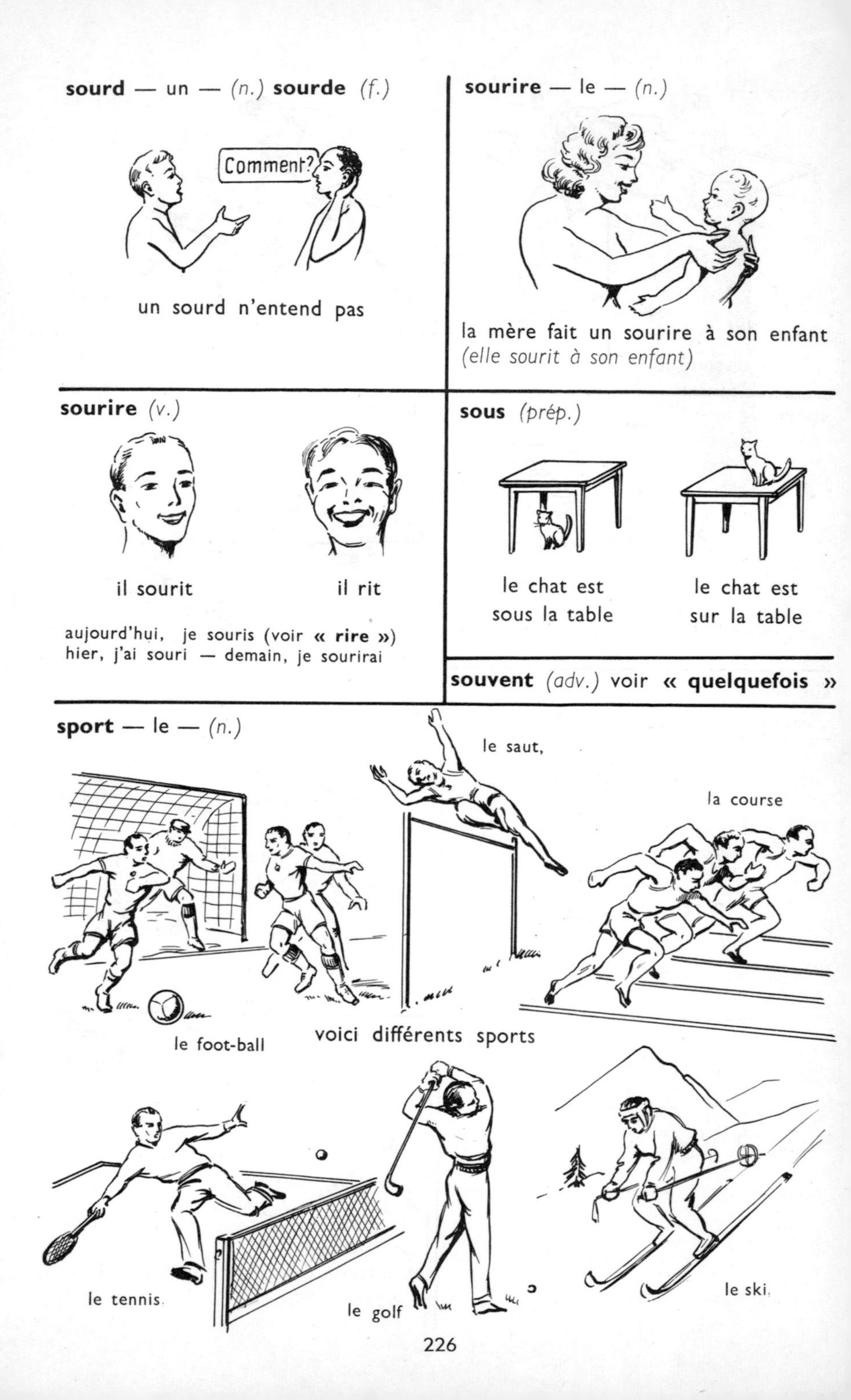

sourd — un — *(n.)* **sourde** *(f.)*

un sourd n'entend pas

sourire — le — *(n.)*

la mère fait un sourire à son enfant
(elle sourit à son enfant)

sourire *(v.)*

il sourit

il rit

aujourd'hui, je souris (voir « **rire** »)
hier, j'ai souri — demain, je sourirai

sous *(prép.)*

le chat est sous la table

le chat est sur la table

souvent *(adv.)* voir « **quelquefois** »

sport — le — *(n.)*

le saut,

la course

le foot-ball

voici différents sports

le tennis

le golf

le ski

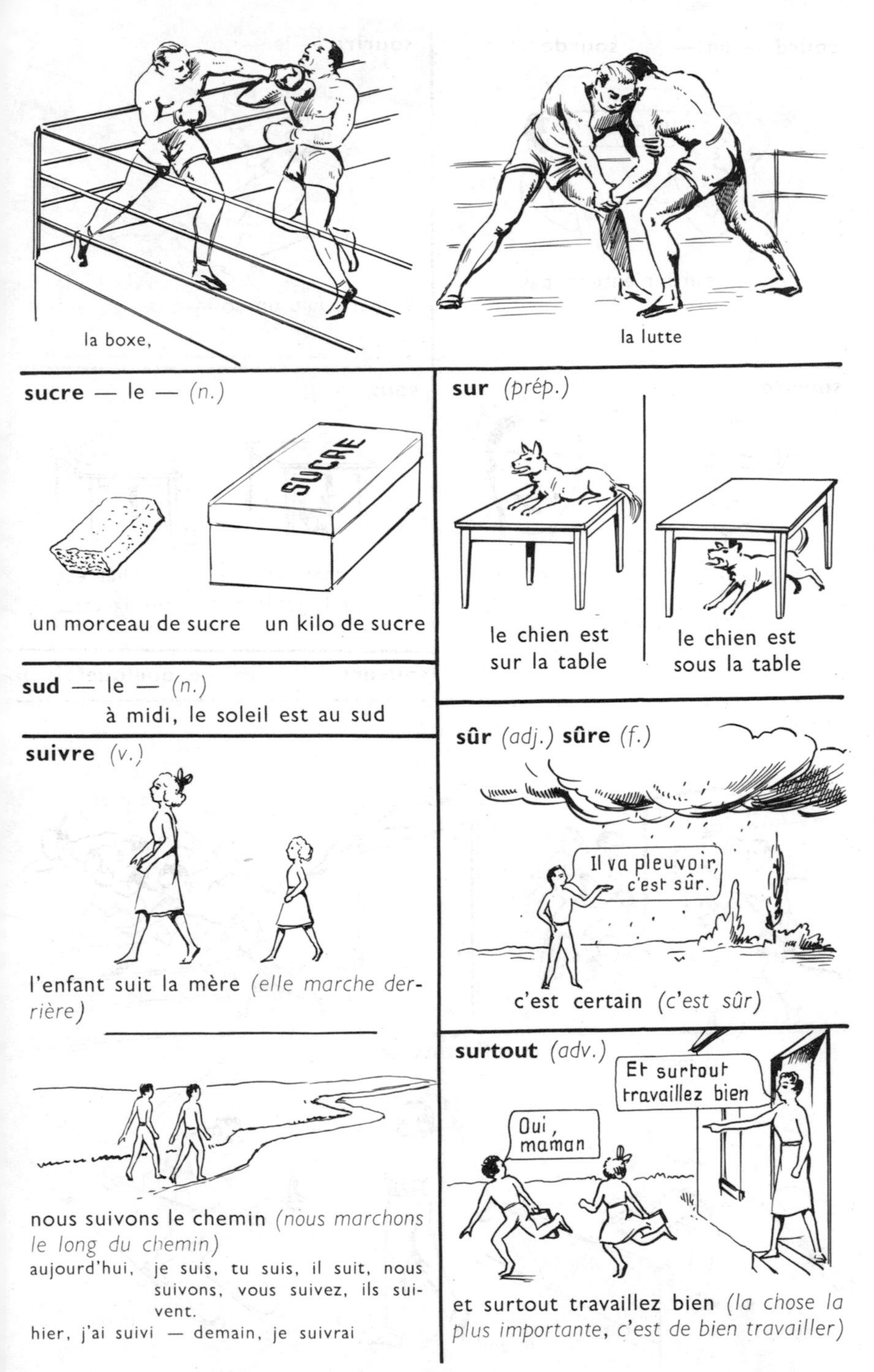

la boxe, la lutte

sucre — le — *(n.)*

un morceau de sucre un kilo de sucre

sud — le — *(n.)*
à midi, le soleil est au sud

suivre *(v.)*

l'enfant suit la mère *(elle marche derrière)*

nous suivons le chemin *(nous marchons le long du chemin)*

aujourd'hui, je suis, tu suis, il suit, nous suivons, vous suivez, ils suivent.

hier, j'ai suivi — demain, je suivrai

sur *(prép.)*

le chien est sur la table

le chien est sous la table

sûr *(adj.)* **sûre** *(f.)*

c'est certain *(c'est sûr)*

surtout *(adv.)*

et surtout travaillez bien *(la chose la plus importante, c'est de bien travailler)*

T
ta (adj. poss. 2e pers. f.)
(voir règle No 1 page 7)
C'est ta sœur?
Oui !
Jean
la sœur de Jean
tabac — le — (n.)
une pipe
un paquet de cigarettes
le tabac est une plante, avec les feuilles de tabac on fait des cigarettes
table — la — (n.)
le pot à eau
le verre
le dessous de plat
le poivre
la moutarde
le sel
l'huile (f.)
le vinaigre (m.)
la bouteille de vin
la serviette
la fourchette
le couteau
la table est prête pour le repas
tableau — le — (n.) les tableaux
tailleur — le — (n.)
le tailleur prend les mesures du client, il taille et coud les vêtements.
tailler (v.)
il taille un crayon
aujourd'hui, je taille
hier, j'ai taillé — demain, je taillerai
se taire (v.)
il se tait (il ne parle pas).
aujourd'hui, je me tais, tu te tais, il se tait, nous nous taisons, vous vous taisez, ils se taisent
hier, je me suis tu — demain, je me tairai

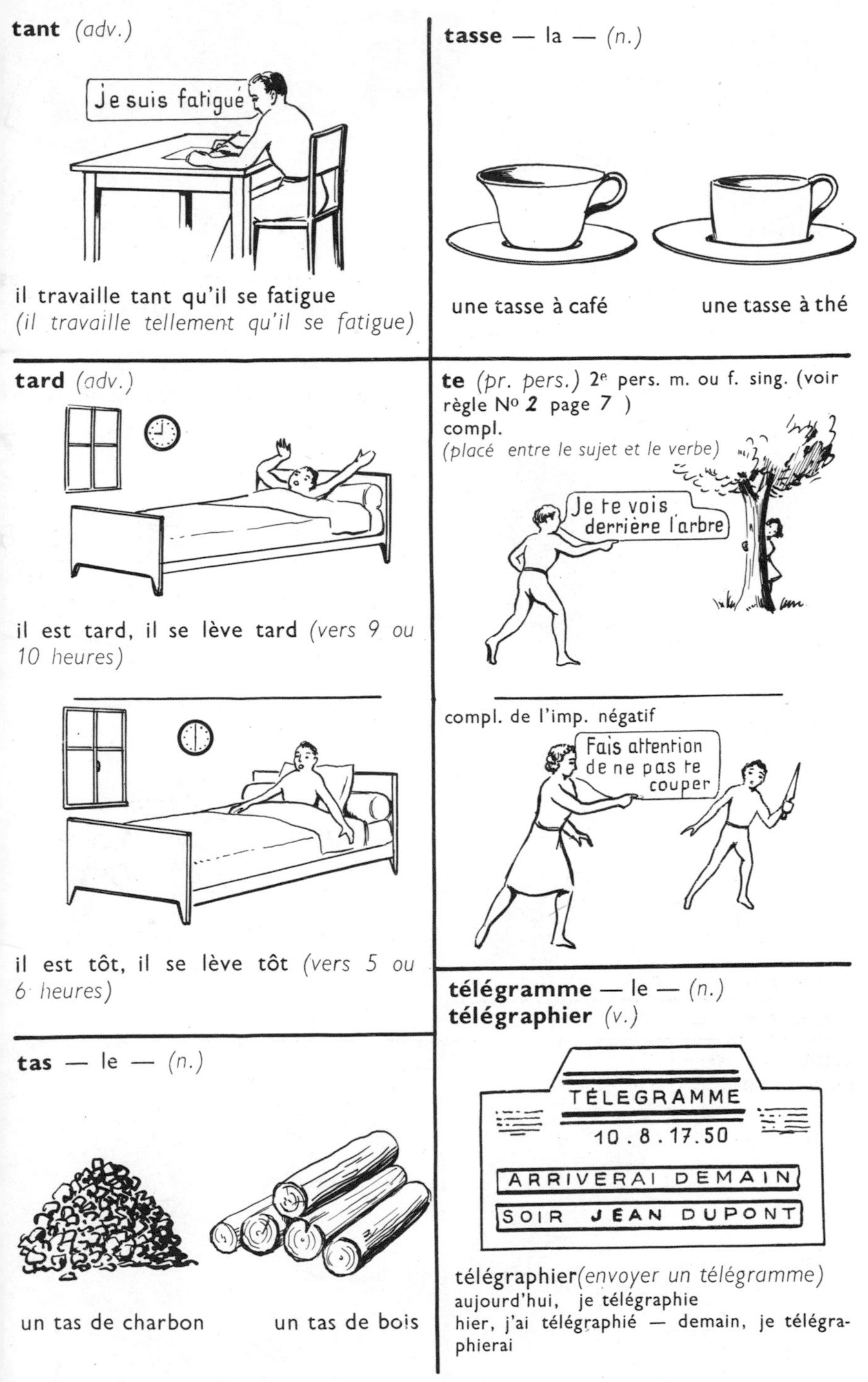

tant *(adv.)*

il travaille tant qu'il se fatigue
(il travaille tellement qu'il se fatigue)

tasse — la — *(n.)*

une tasse à café — une tasse à thé

tard *(adv.)*

il est tard, il se lève tard *(vers 9 ou 10 heures)*

il est tôt, il se lève tôt *(vers 5 ou 6 heures)*

te *(pr. pers.)* 2e pers. m. ou f. sing. (voir règle No *2* page *7*)
compl.
(placé entre le sujet et le verbe)

compl. de l'imp. négatif

tas — le — *(n.)*

un tas de charbon — un tas de bois

télégramme — le — *(n.)*
télégraphier *(v.)*

télégraphier*(envoyer un télégramme)*
aujourd'hui, je télégraphie
hier, j'ai télégraphié — demain, je télégraphierai

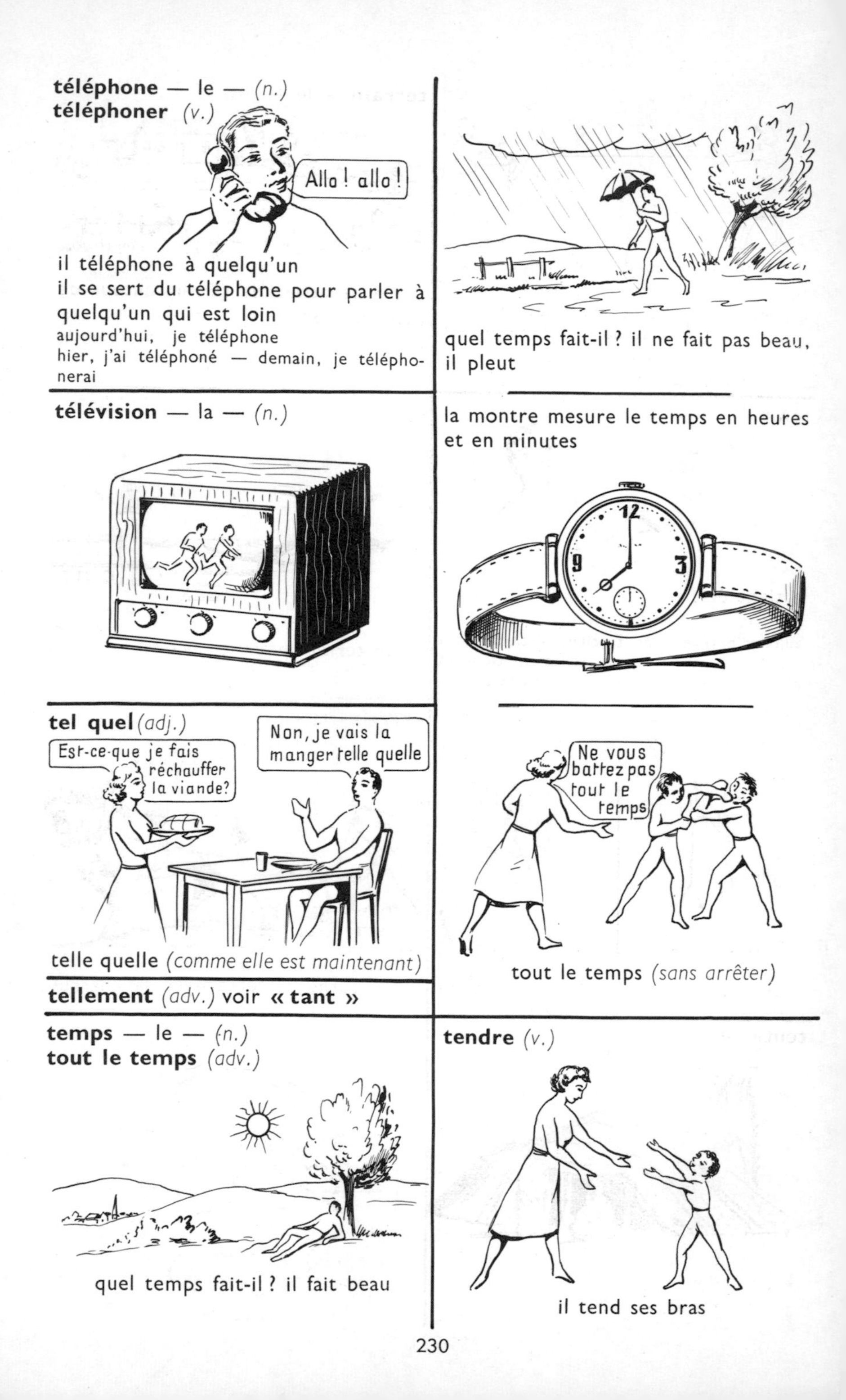

téléphone — le — *(n.)*
téléphoner *(v.)*

il téléphone à quelqu'un
il se sert du téléphone pour parler à quelqu'un qui est loin
aujourd'hui, je téléphone
hier, j'ai téléphoné — demain, je téléphonerai

télévision — la — *(n.)*

tel quel *(adj.)*

telle quelle *(comme elle est maintenant)*

tellement *(adv.)* voir **« tant »**

temps — le — *(n.)*
tout le temps *(adv.)*

quel temps fait-il ? il fait beau

quel temps fait-il ? il ne fait pas beau, il pleut

la montre mesure le temps en heures et en minutes

tout le temps *(sans arrêter)*

tendre *(v.)*

il tend ses bras

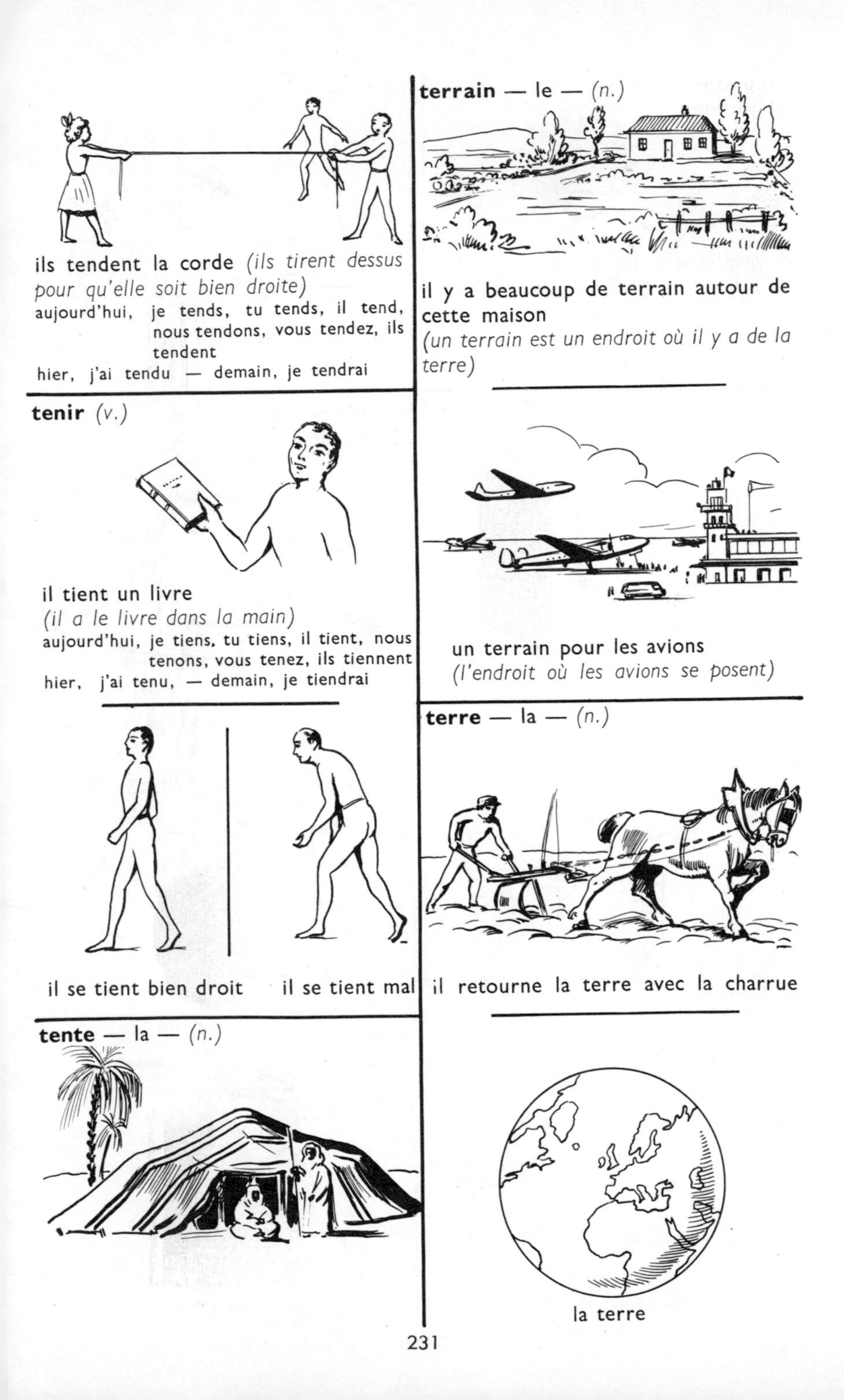

ils tendent la corde *(ils tirent dessus pour qu'elle soit bien droite)*
aujourd'hui, je tends, tu tends, il tend, nous tendons, vous tendez, ils tendent
hier, j'ai tendu — demain, je tendrai

tenir *(v.)*

il tient un livre
(il a le livre dans la main)
aujourd'hui, je tiens, tu tiens, il tient, nous tenons, vous tenez, ils tiennent
hier, j'ai tenu, — demain, je tiendrai

il se tient bien droit

il se tient mal

tente — la — *(n.)*

terrain — le — *(n.)*

il y a beaucoup de terrain autour de cette maison
(un terrain est un endroit où il y a de la terre)

un terrain pour les avions
(l'endroit où les avions se posent)

terre — la — *(n.)*

il retourne la terre avec la charrue

la terre

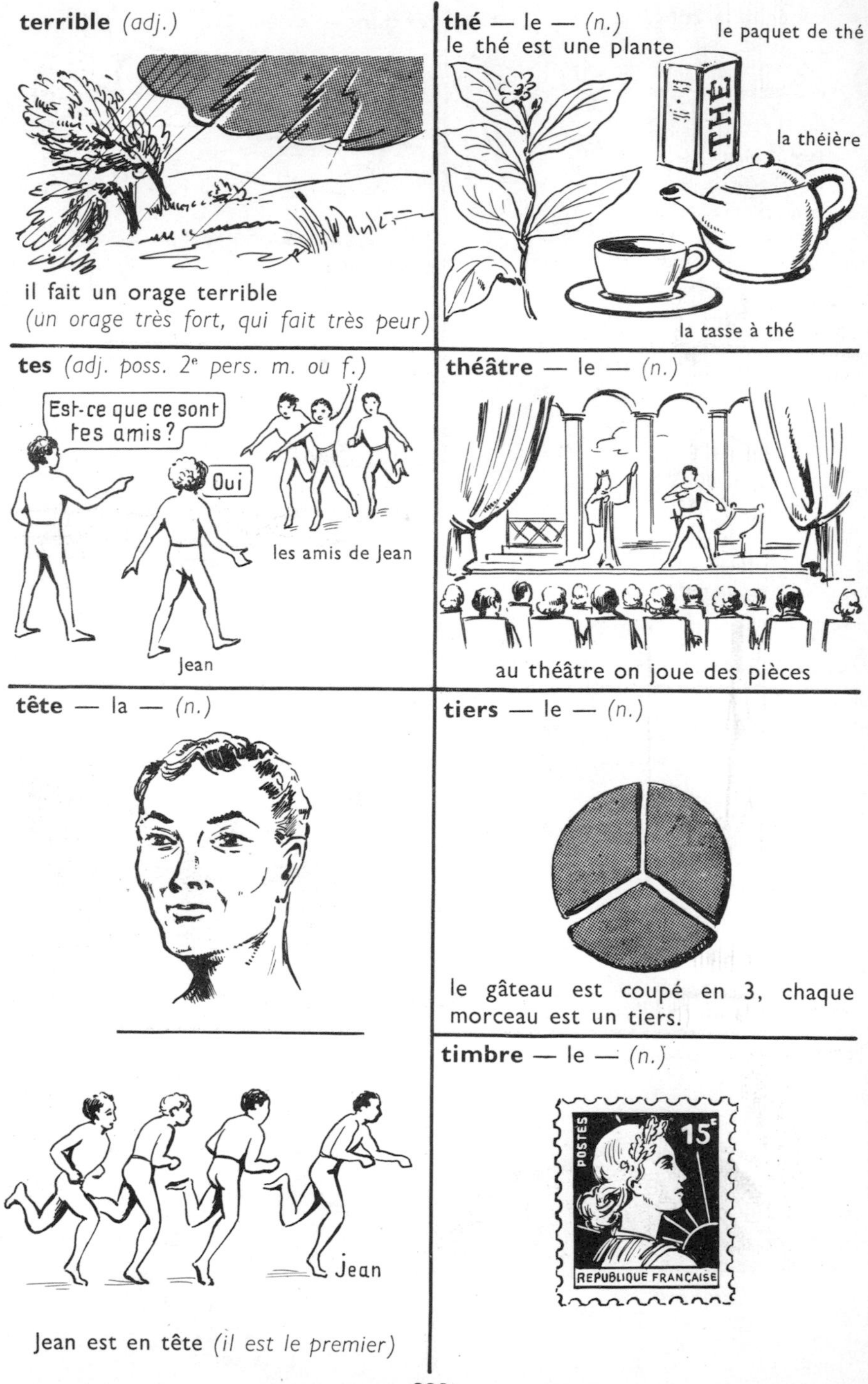

terrible *(adj.)*

il fait un orage terrible
(un orage très fort, qui fait très peur)

tes *(adj. poss. 2e pers. m. ou f.)*

les amis de Jean

Jean

tête — la — *(n.)*

Jean

Jean est en tête *(il est le premier)*

thé — le — *(n.)*
le thé est une plante

le paquet de thé

la théière

la tasse à thé

théâtre — le — *(n.)*

au théâtre on joue des pièces

tiers — le — *(n.)*

le gâteau est coupé en 3, chaque morceau est un tiers.

timbre — le — *(n.)*

tirer *(v.)*

le cheval tire la voiture

il tire une ligne

il tire de l'eau du puits
aujourd'hui, je tire
hier, j'ai tiré — demain, je tirerai

tissu — le — *(n.)*

voici du tissu pour faire une veste,

la toile est un tissu fin en coton ou en fil

toi *(pr. pers.)* 2e pers. m. ou f. sing.
sujet

compl.

compl. de l'imp.

à toi *(poss.)*
toi-même voir « **même** »

toile — la — *(n.)* voir « **tissu** »

toit — le — *(n.)*

tomber *(v.)*

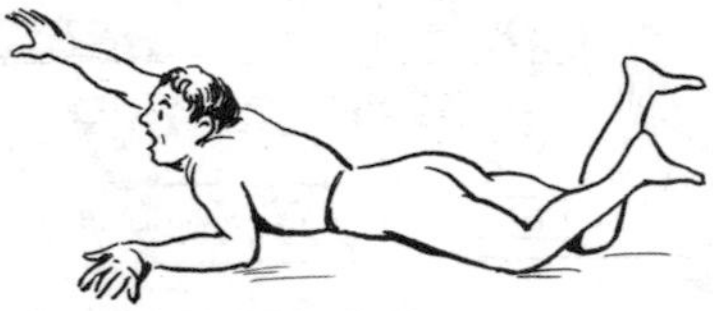

il est tombé

il tombe beaucoup d'eau
aujourd'hui, je tombe
hier, je suis tombé — demain je tomberai

avoir tort *(v.)*

Jean a tort

Pierre a raison

aujourd'hui, j'ai tort
hier, j'ai eu tort — demain, j'aurai tort

ton *(adj. poss. 2e pers. m.)*

tôt *(adv.)*

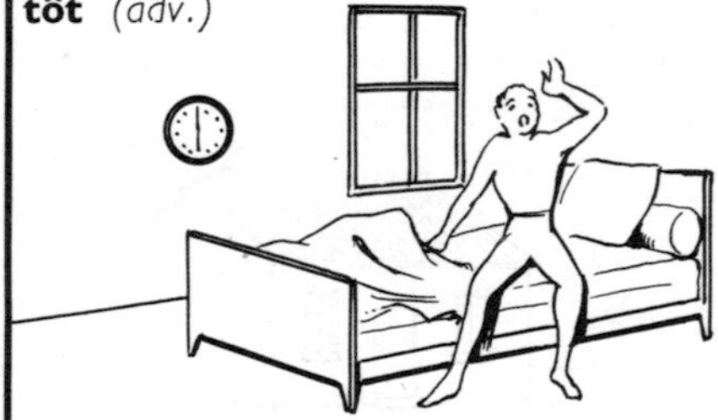

il est tôt, il se lève tôt *(vers 5 ou 6 heures)*

tonnerre — le — *(n.)*

pendant un orage on entend le tonnerre et on voit les éclairs

il est tard, il se lève tard *(vers 9 ou 10 heures)*

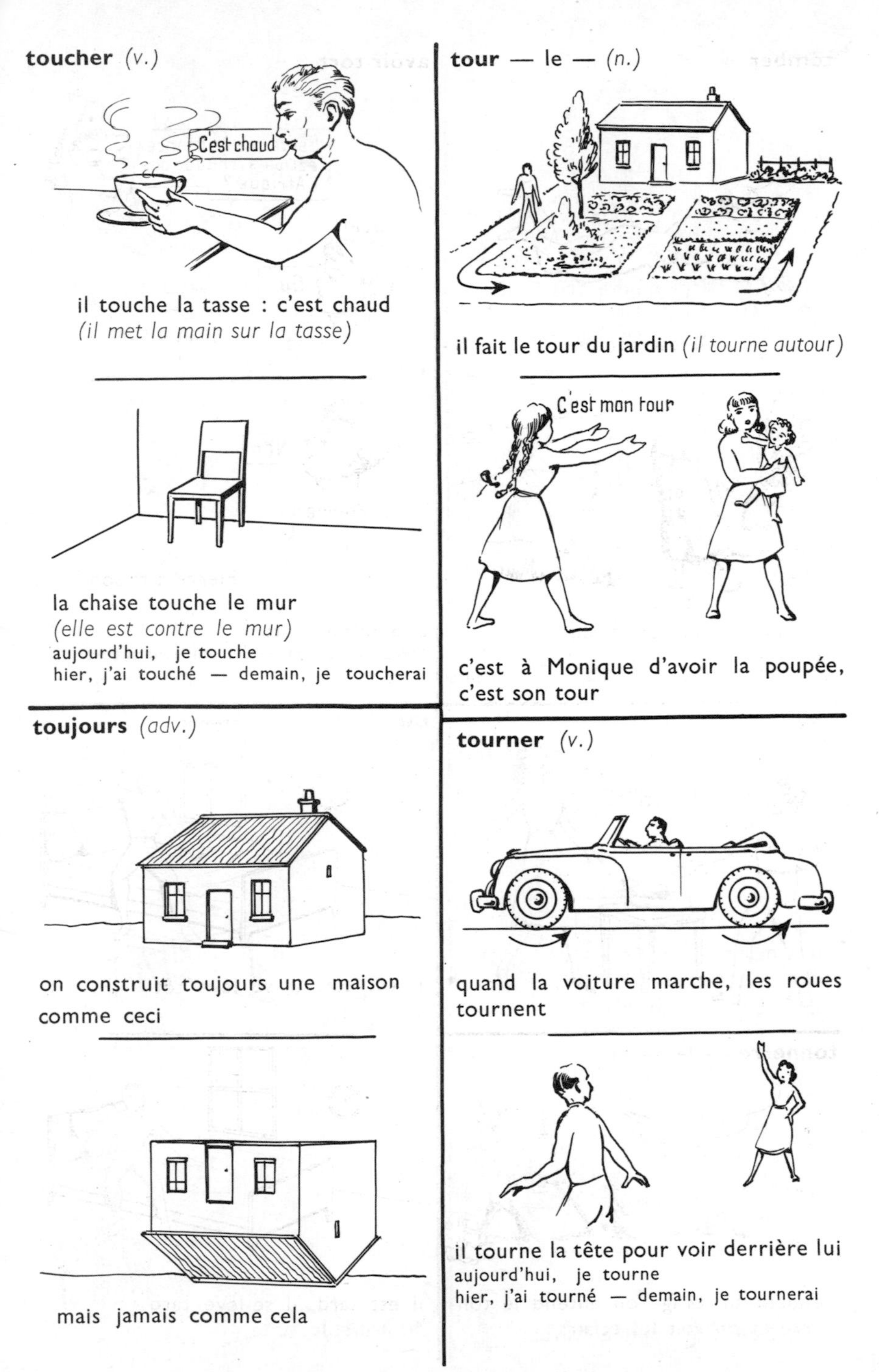

toucher *(v.)*

il touche la tasse : c'est chaud
(il met la main sur la tasse)

la chaise touche le mur
(elle est contre le mur)
aujourd'hui, je touche
hier, j'ai touché — demain, je toucherai

toujours *(adv.)*

on construit toujours une maison comme ceci

mais jamais comme cela

tour — le — *(n.)*

il fait le tour du jardin *(il tourne autour)*

c'est à Monique d'avoir la poupée, c'est son tour

tourner *(v.)*

quand la voiture marche, les roues tournent

il tourne la tête pour voir derrière lui
aujourd'hui, je tourne
hier, j'ai tourné — demain, je tournerai

tousser *(v.)*

il tousse parce qu'il a pris froid
aujourd'hui, je tousse
hier, j'ai toussé — demain, je tousserai

tous les hommes travaillent *(adj.)*
tout le monde travaille
tous travaillent *(pr.)*

tout *(adj. ou pr. indéf. m. sing.)*
toute *(f. sing.)*
tous *(m. pl.)*
toutes *(f. pl.)*
pas du tout *(adv.)*

il a mangé un peu de viande
(il reste de la viande)

il a mangé toute la viande *(adj.)*
il a tout mangé *(pr.)*
il ne reste pas de viande du tout

tout le monde

un seul homme travaille

tout *(adv.)*

il déjeune tout en lisant son journal
(il fait deux choses : il lit et il déjeune)

tout à l'heure *(adv.)*
tout de suite *(adv.)*

tout à l'heure *(dans quelque temps)*

tout de suite *(sans attendre)*

tout à coup *(adv.)*

la pluie est arrivée tout à coup *(très vite)*

tranquille *(adj.)*

les enfants restent tranquilles quand on leur raconte une histoire *(ils ne remuent pas)*

tout à fait *(adv.)*

la maison n'est pas tout à fait finie *(elle est presque finie)*

l'eau du lac est tranquille, elle ne remue pas

en train de *(prép.)*

elle est en train de coudre *(en ce moment, elle coud)*

l'eau de la mer n'est pas tranquille

train — le — *(n.)*

travail — le — *(n.)* **les travaux**
travailler *(v.)*
travailleur *(n. et adj.)* **travailleuse** *(f.)*

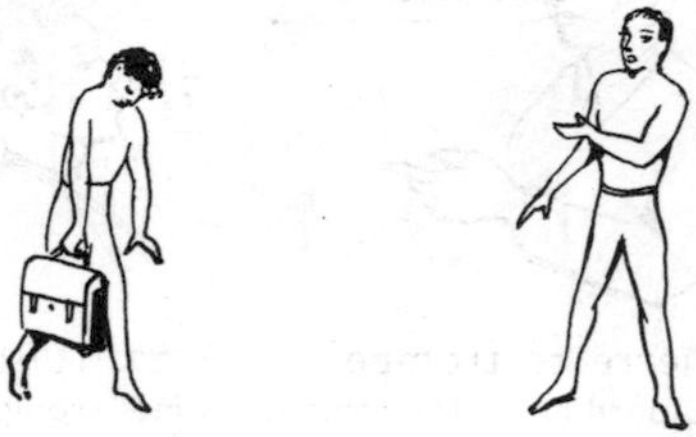

Jean a mal travaillé en classe, il n'est pas tranquille
(il a peur d'être puni)

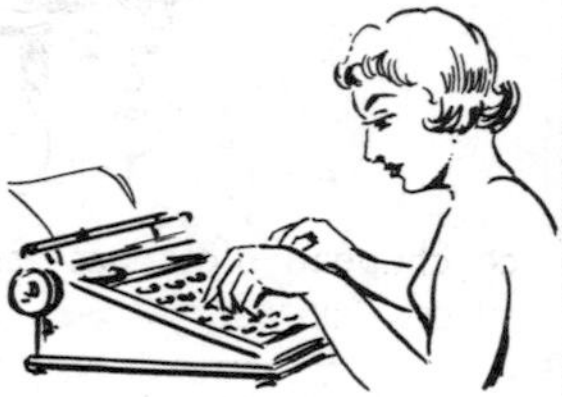

elle tape à la machine à écrire, c'est son travail

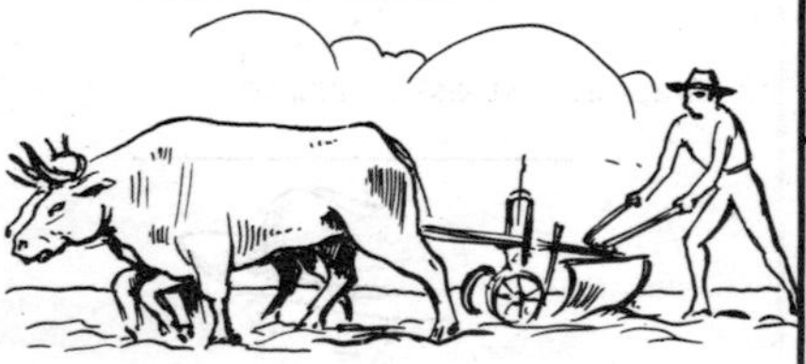

il laboure le champ, c'est son travail

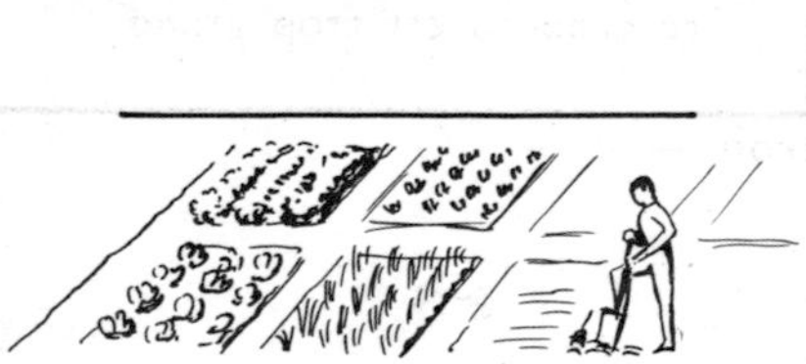

cet homme cultive son grand jardin tout seul, il travaille tout le temps, il est travailleur
aujourd'hui, je travaille
hier, j'ai travaillé — demain, je travaillerai

traverser *(v.)*

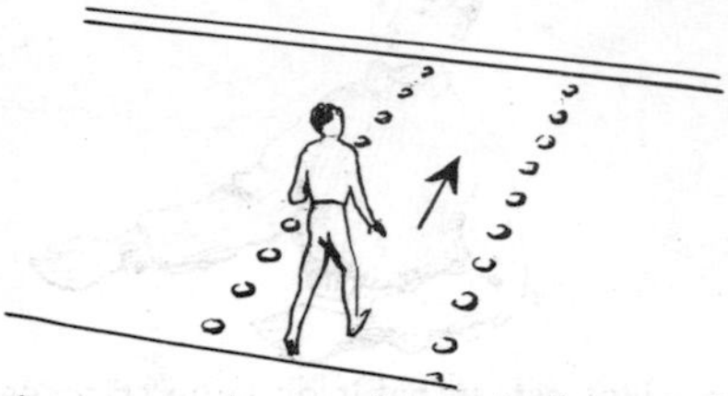

il traverse la rue *(il va de l'autre côté de la rue)*

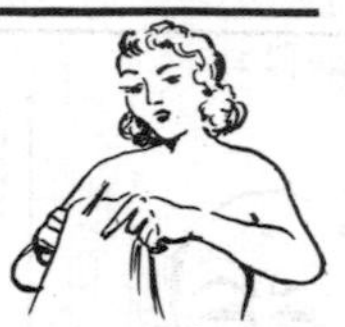

pour coudre, elle traverse le tissu avec son aiguille *(elle fait passer l'aiguille de l'autre côté du tissu)*
aujourd'hui, je traverse
hier, j'ai traversé — demain, je traverserai

treize *(adj. num.)* 13 XIII

||||||||||||| 13 bâtons

trente *(adj. num.)* 30 30 bâtons

|||||||||| |||||||||| ||||||||||

très *(adv.)*

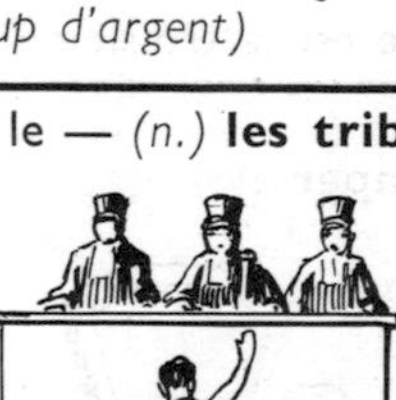

il est très riche
(il a beaucoup d'argent)

tribunal — le — *(n.)* **les tribunaux**

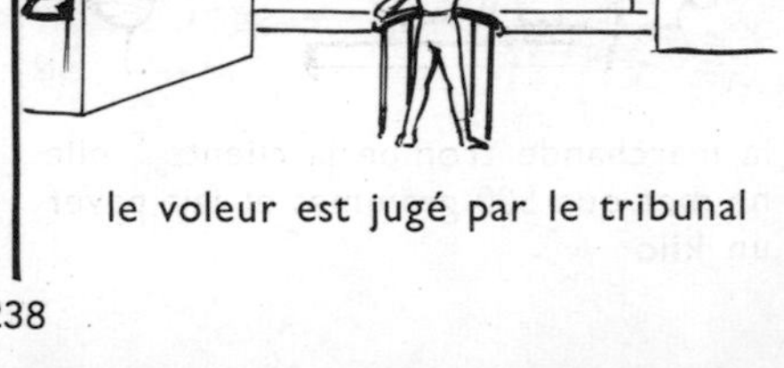

le voleur est jugé par le tribunal

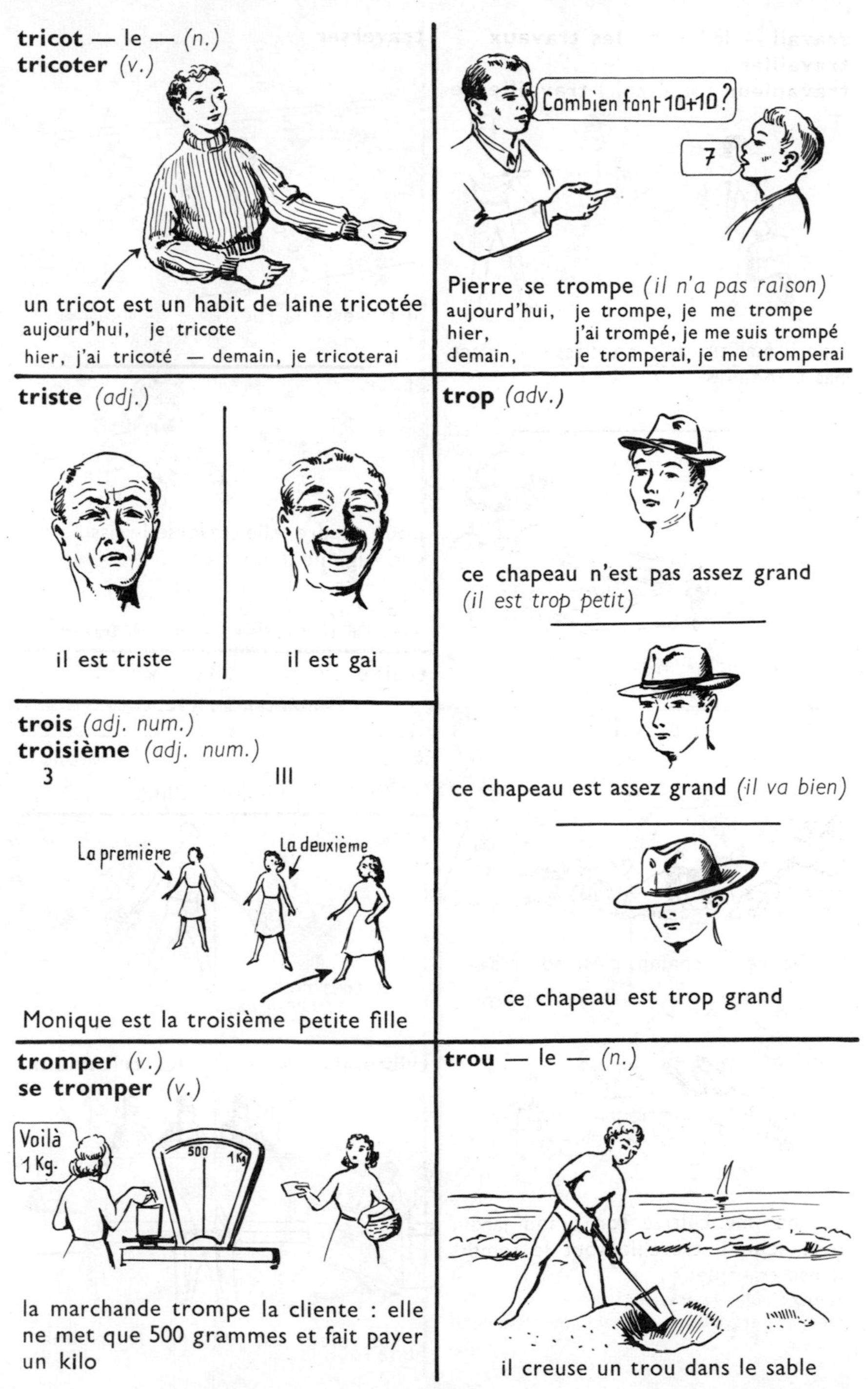

tricot — le — *(n.)*
tricoter *(v.)*

un tricot est un habit de laine tricotée
aujourd'hui, je tricote
hier, j'ai tricoté — demain, je tricoterai

triste *(adj.)*

il est triste — il est gai

trois *(adj. num.)*
troisième *(adj. num.)*
3 — III

Monique est la troisième petite fille

tromper *(v.)*
se tromper *(v.)*

la marchande trompe la cliente : elle ne met que 500 grammes et fait payer un kilo

Pierre se trompe *(il n'a pas raison)*

aujourd'hui,	je trompe, je me trompe
hier,	j'ai trompé, je me suis trompé
demain,	je tromperai, je me tromperai

trop *(adv.)*

ce chapeau n'est pas assez grand
(il est trop petit)

ce chapeau est assez grand *(il va bien)*

ce chapeau est trop grand

trou — le — *(n.)*

il creuse un trou dans le sable

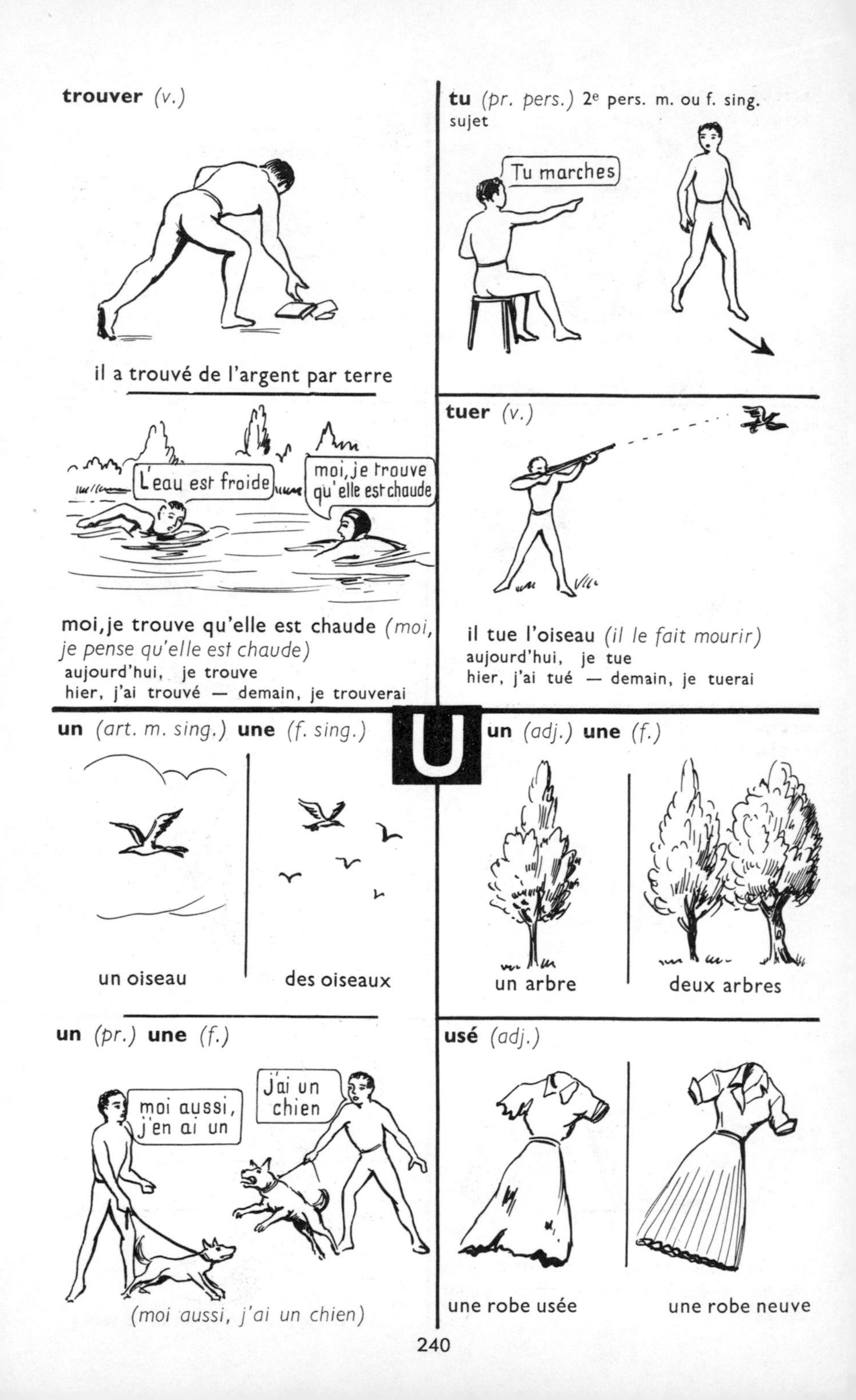

trouver *(v.)*

il a trouvé de l'argent par terre

moi, je trouve qu'elle est chaude *(moi, je pense qu'elle est chaude)*
aujourd'hui, je trouve
hier, j'ai trouvé — demain, je trouverai

tu *(pr. pers.)* 2e pers. m. ou f. sing. sujet

tuer *(v.)*

il tue l'oiseau *(il le fait mourir)*
aujourd'hui, je tue
hier, j'ai tué — demain, je tuerai

un *(art. m. sing.)* **une** *(f. sing.)*

un oiseau — des oiseaux

un *(adj.)* **une** *(f.)*

un arbre — deux arbres

un *(pr.)* **une** *(f.)*

(moi aussi, j'ai un chien)

usé *(adj.)*

une robe usée — une robe neuve

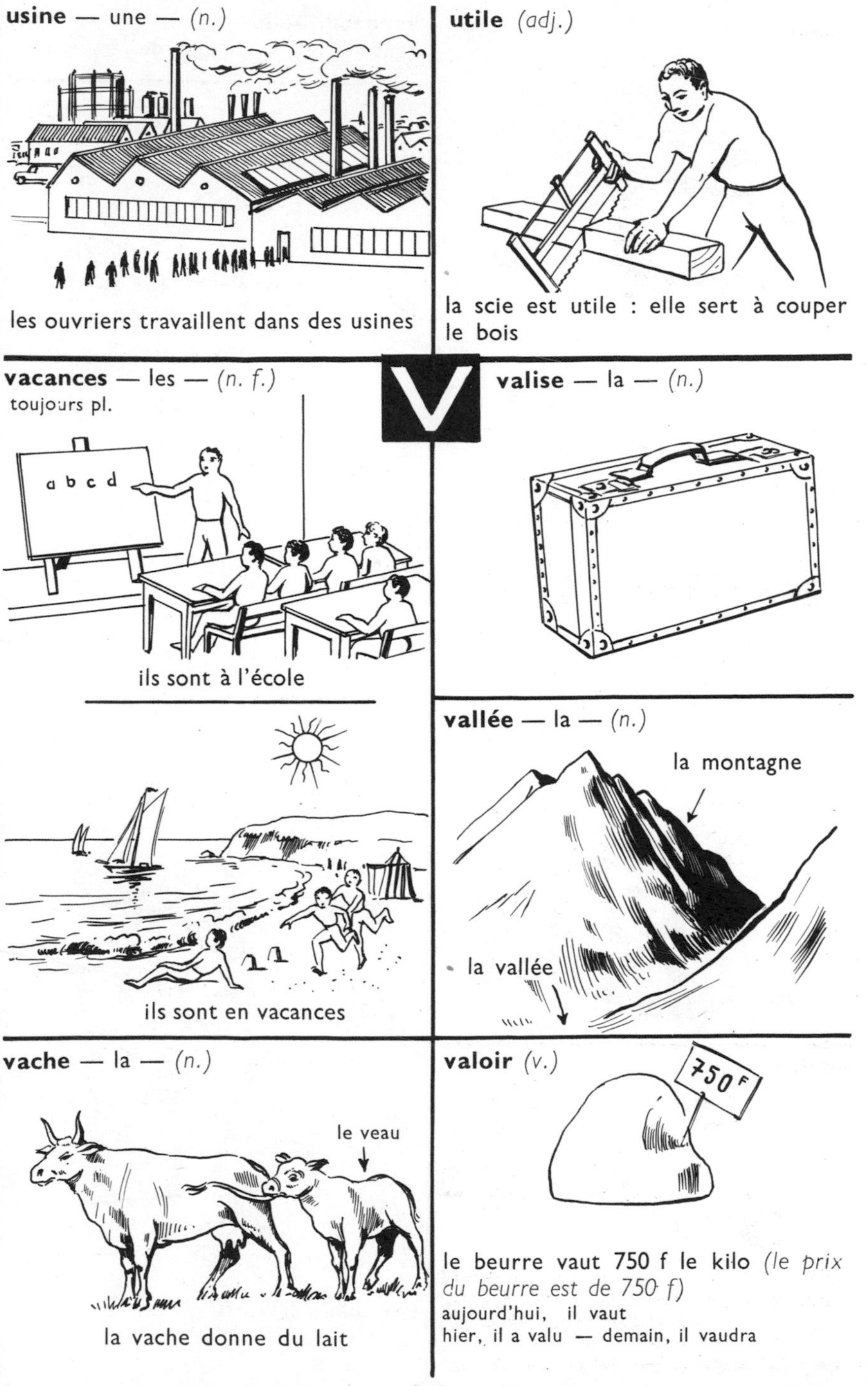

usine — une — *(n.)*

les ouvriers travaillent dans des usines

utile *(adj.)*

la scie est utile : elle sert à couper le bois

V

vacances — les — *(n. f.)*
toujours pl.

ils sont à l'école

ils sont en vacances

valise — la — *(n.)*

vallée — la — *(n.)*

vache — la — *(n.)*

la vache donne du lait

valoir *(v.)*

le beurre vaut 750 f le kilo *(le prix du beurre est de 750 f)*
aujourd'hui, il vaut
hier, il a valu — demain, il vaudra

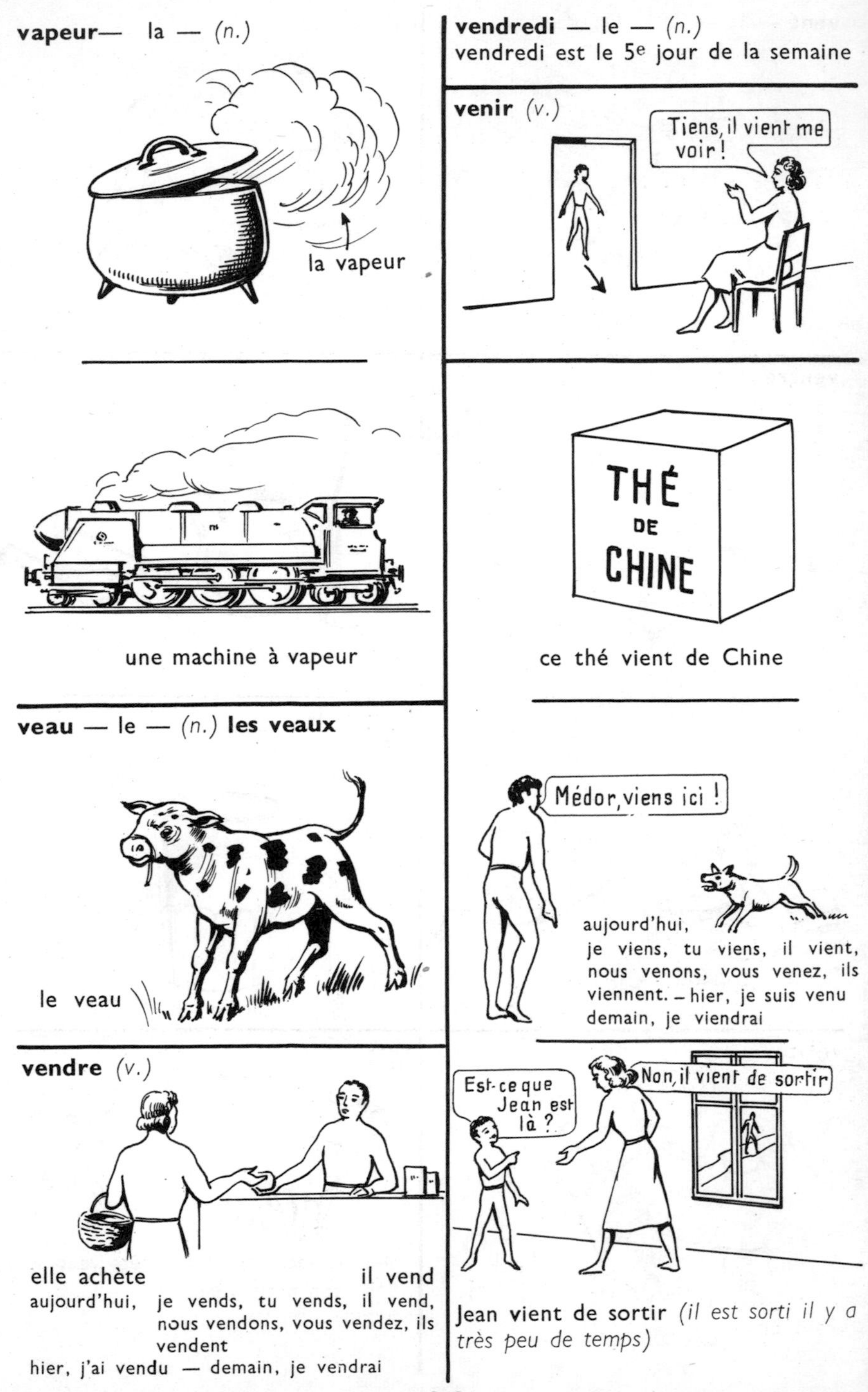

vapeur— la — *(n.)*

la vapeur

une machine à vapeur

veau — le — *(n.)* **les veaux**

le veau

vendre *(v.)*

elle achète — il vend

aujourd'hui, je vends, tu vends, il vend, nous vendons, vous vendez, ils vendent

hier, j'ai vendu — demain, je vendrai

vendredi — le — *(n.)*
vendredi est le 5e jour de la semaine

venir *(v.)*

ce thé vient de Chine

aujourd'hui,
je viens, tu viens, il vient, nous venons, vous venez, ils viennent. – hier, je suis venu
demain, je viendrai

Jean vient de sortir *(il est sorti il y a très peu de temps)*

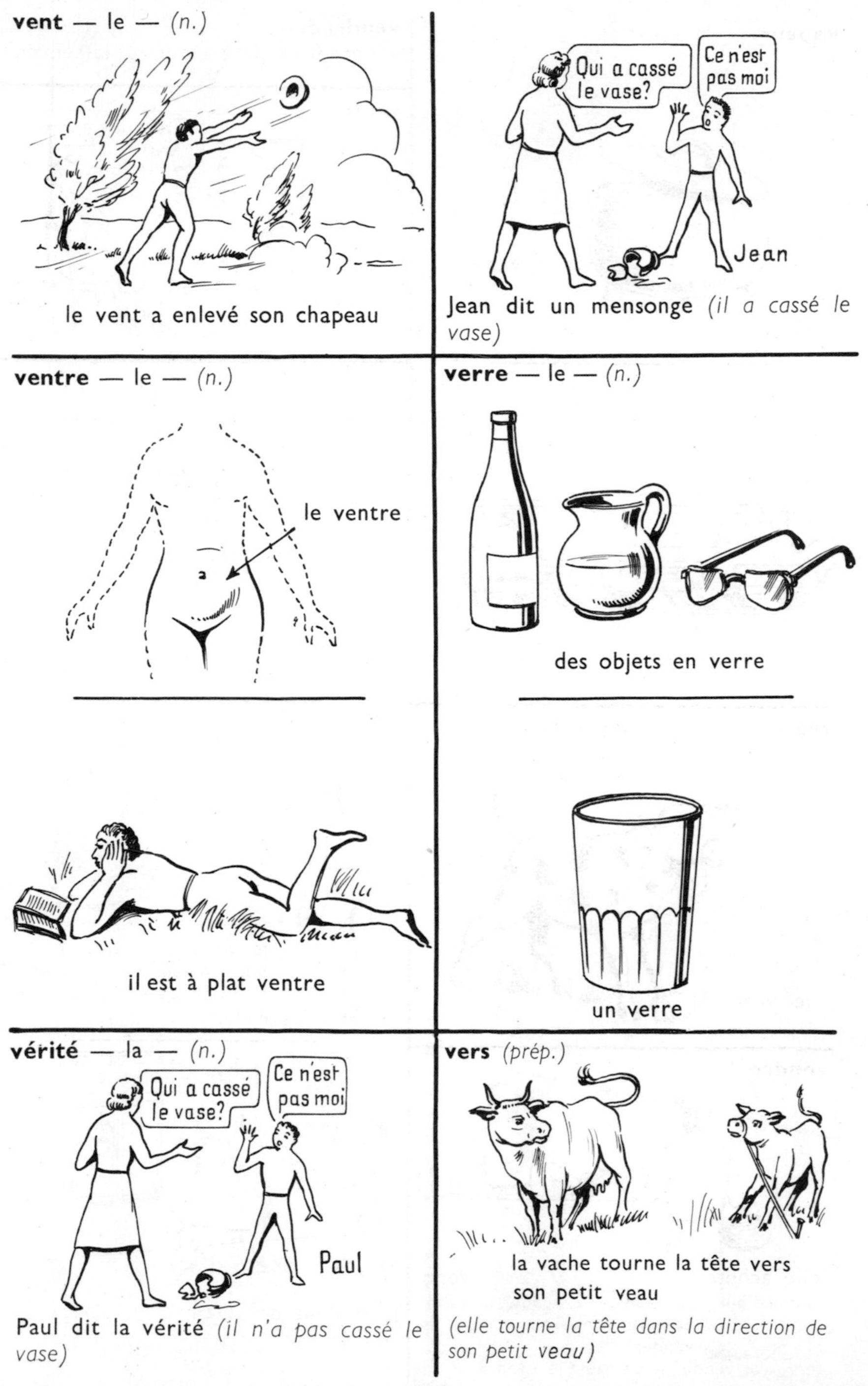

vent — le — *(n.)*

le vent a enlevé son chapeau

Jean dit un mensonge *(il a cassé le vase)*

ventre — le — *(n.)*

il est à plat ventre

verre — le — *(n.)*

des objets en verre

un verre

vérité — la — *(n.)*

Paul dit la vérité *(il n'a pas cassé le vase)*

vers *(prép.)*

la vache tourne la tête vers son petit veau

(elle tourne la tête dans la direction de son petit veau)

vert (adj.)
les feuilles des arbres sont vertes
le vert est une couleur
vider (v.)
il vide le litre
aujourd'hui, je vide
hier, j'ai vidé — demain, je viderai
veste — la — (n.)
le revers
le col
la poche
la manche
vie — la — (n.)
il est en vie
il est mort
viande — la — (n.)
le boucher vend de la viande
vieux (adj. masc. sing. ou pl.)
vieille (f.) (voir règle No 3 page 7)
il est jeune
il est vieux
vide (adj.)
cette bouteille est vide
cette bouteille est pleine

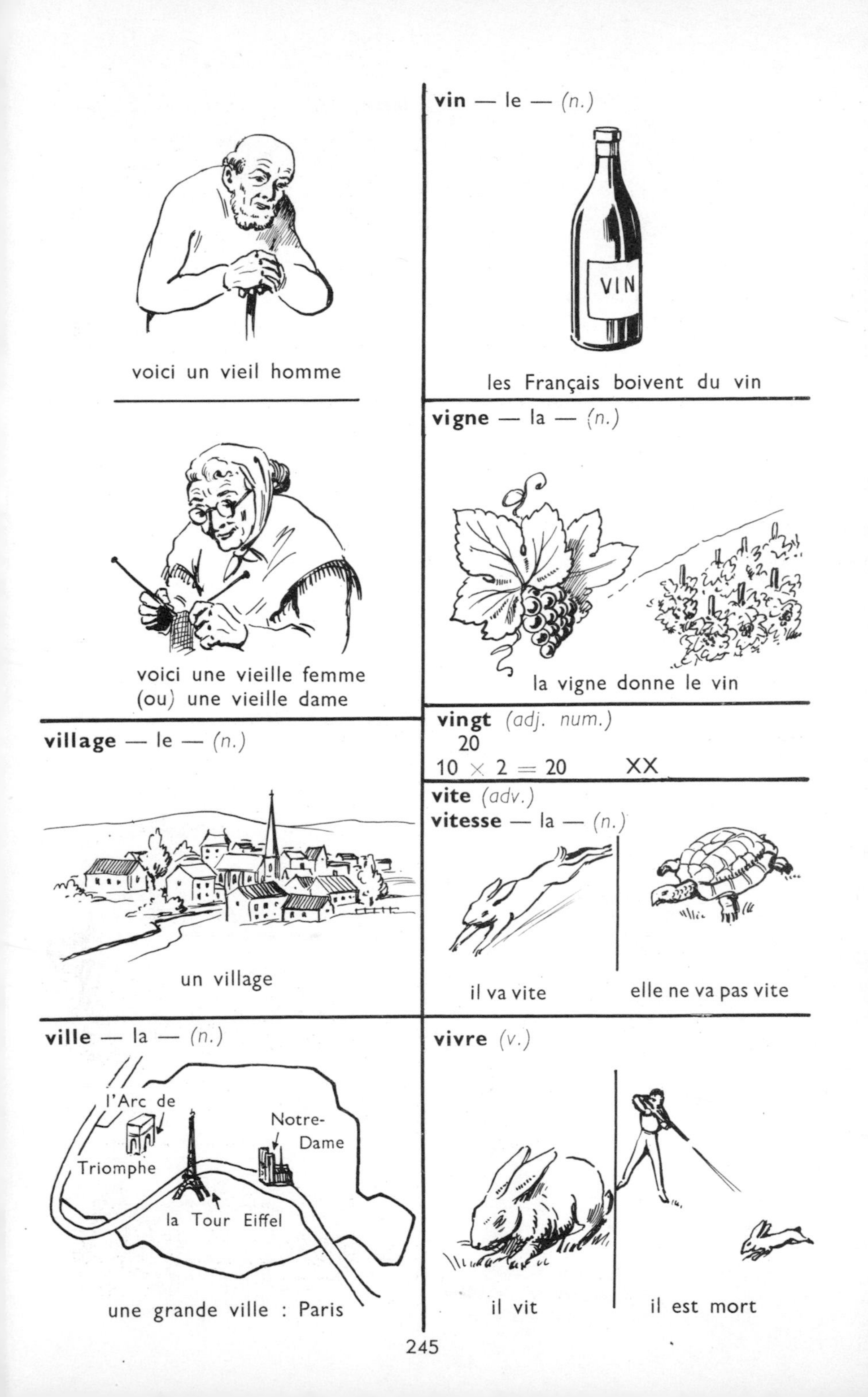

voici un vieil homme

voici une vieille femme
(ou) une vieille dame

village — le — *(n.)*

un village

ville — la — *(n.)*

une grande ville : Paris

vin — le — *(n.)*

les Français boivent du vin

vigne — la — *(n.)*

la vigne donne le vin

vingt *(adj. num.)*
20
10 × 2 = 20 XX

vite *(adv.)*
vitesse — la — *(n.)*

il va vite

elle ne va pas vite

vivre *(v.)*

il vit

il est mort

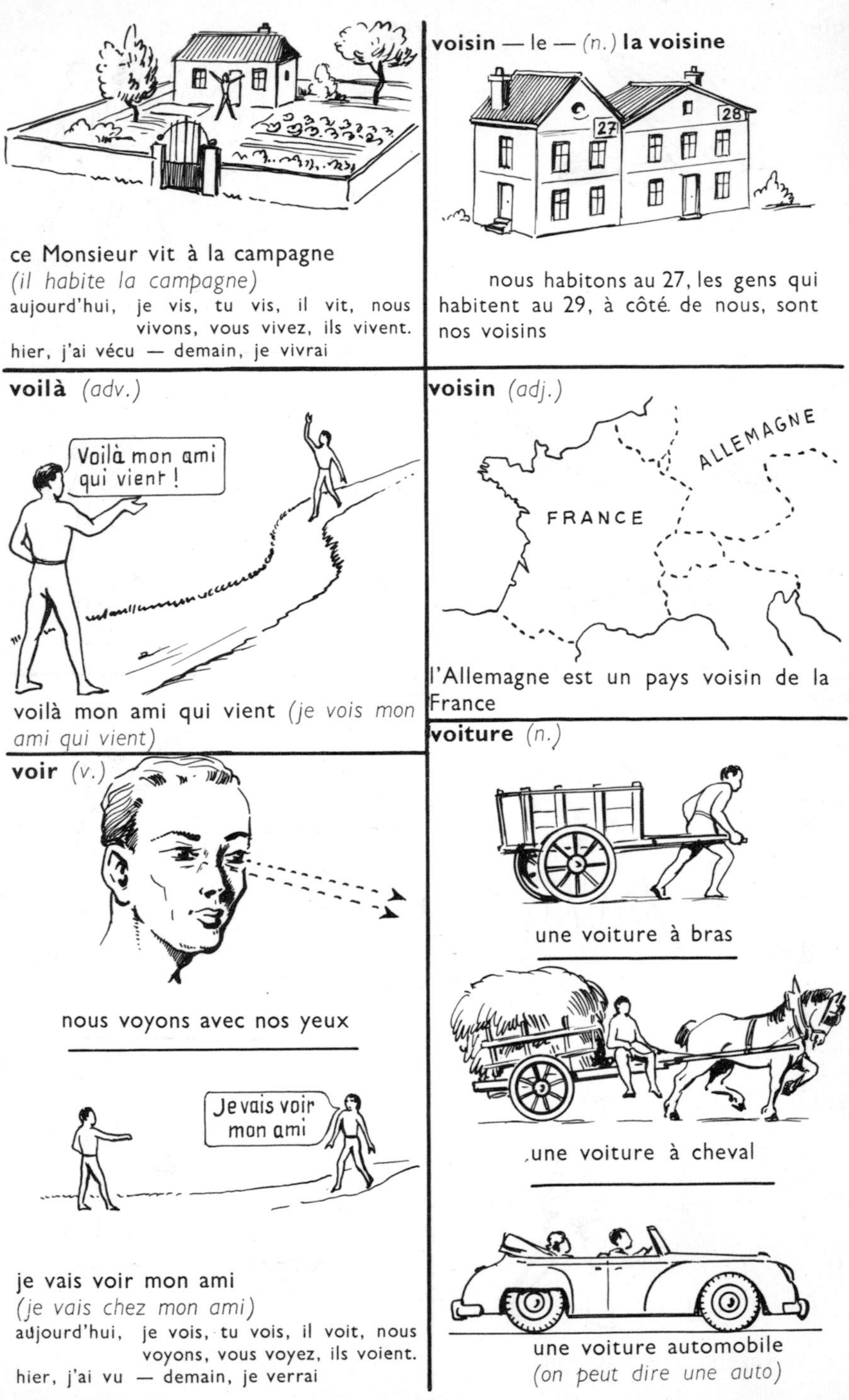

ce Monsieur vit à la campagne
(il habite la campagne)
aujourd'hui, je vis, tu vis, il vit, nous vivons, vous vivez, ils vivent.
hier, j'ai vécu — demain, je vivrai

voilà *(adv.)*

voilà mon ami qui vient *(je vois mon ami qui vient)*

voir *(v.)*

nous voyons avec nos yeux

je vais voir mon ami
(je vais chez mon ami)
aujourd'hui, je vois, tu vois, il voit, nous voyons, vous voyez, ils voient.
hier, j'ai vu — demain, je verrai

voisin — le — *(n.)* **la voisine**

nous habitons au 27, les gens qui habitent au 29, à côté de nous, sont nos voisins

voisin *(adj.)*

l'Allemagne est un pays voisin de la France

voiture *(n.)*

une voiture à bras

une voiture à cheval

une voiture automobile
(on peut dire une auto)

voler *(v.)*

l'oiseau vole

aujourd'hui, je vole
hier, j'ai volé — demain, je volerai

les avions volent

voleur *(n. et adj.)* **voleuse** *(f.)*

il vole le portefeuille du Monsieur, c'est un voleur

l'agent arrête le voleur

vos *(adj. poss. 2e pers. m. ou f.)*

votre *(adj. poss. 2e pers. m. ou f.)*

vouloir *(v.)*

le père dit « je veux que les enfants se taisent »
(je donne l'ordre qu'ils se taisent)

il veut faire une table *(il a envie de faire une table)*

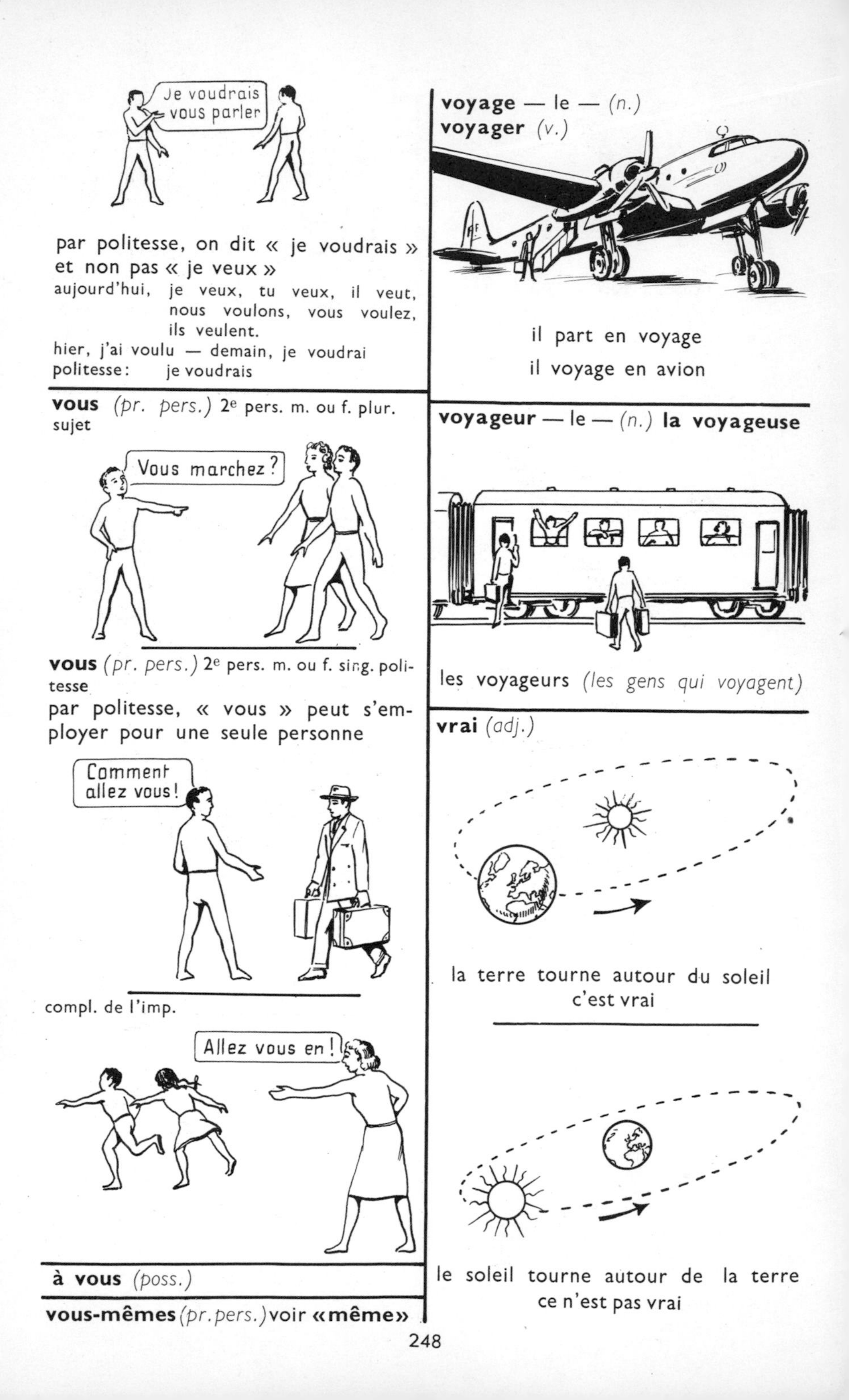

par politesse, on dit « je voudrais » et non pas « je veux »

aujourd'hui, je veux, tu veux, il veut, nous voulons, vous voulez, ils veulent.
hier, j'ai voulu — demain, je voudrai
politesse: je voudrais

vous *(pr. pers.)* 2e pers. m. ou f. plur. sujet

vous *(pr. pers.)* 2e pers. m. ou f. sing. politesse

par politesse, « vous » peut s'employer pour une seule personne

compl. de l'imp.

à vous *(poss.)*

vous-mêmes *(pr. pers.)* voir **« même »**

voyage — le — *(n.)*
voyager *(v.)*

il part en voyage
il voyage en avion

voyageur — le — *(n.)* **la voyageuse**

les voyageurs *(les gens qui voyagent)*

vrai *(adj.)*

la terre tourne autour du soleil
c'est vrai

le soleil tourne autour de la terre
ce n'est pas vrai

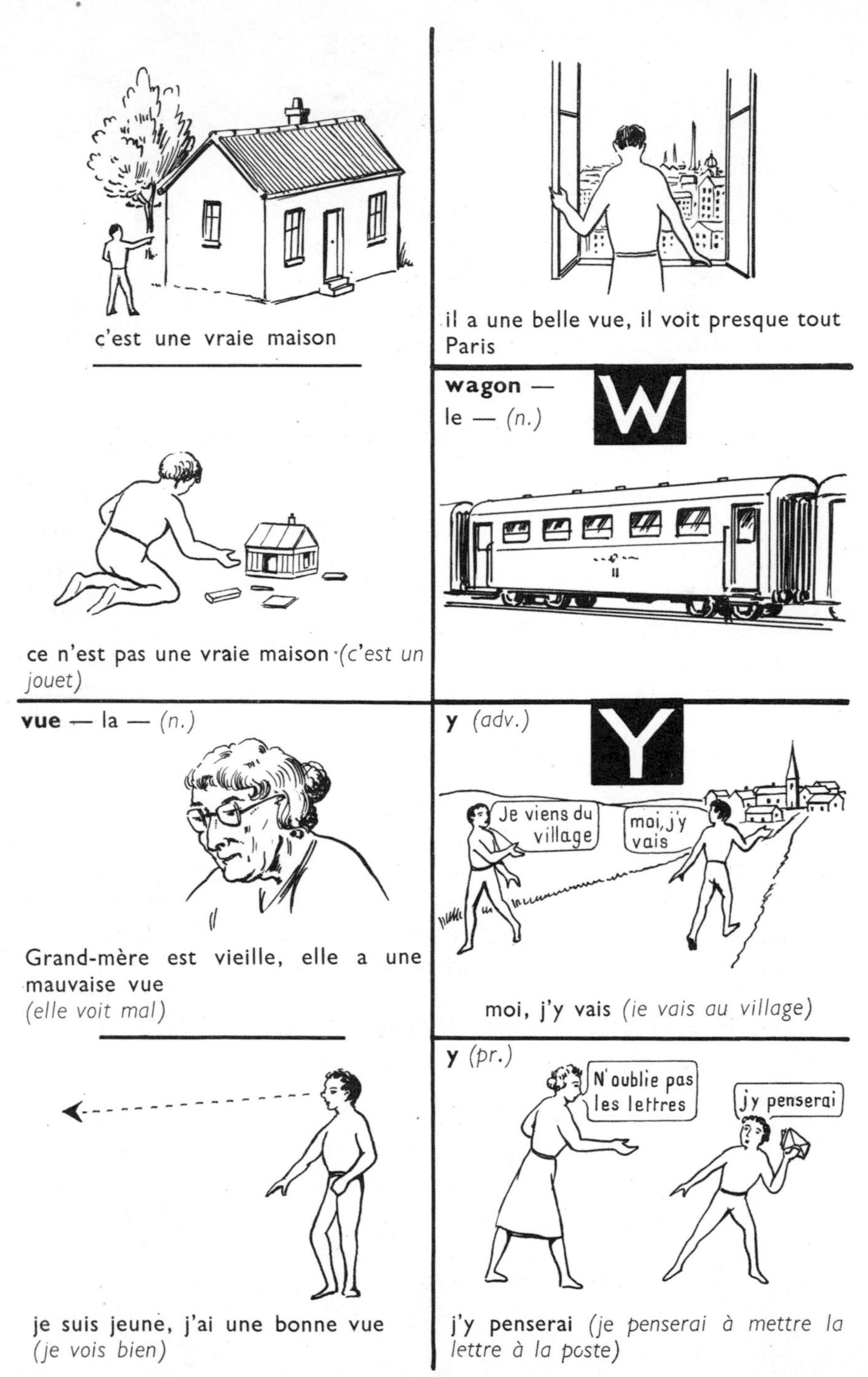

c'est une vraie maison

ce n'est pas une vraie maison *(c'est un jouet)*

vue — la — *(n.)*

Grand-mère est vieille, elle a une mauvaise vue *(elle voit mal)*

je suis jeune, j'ai une bonne vue *(je vois bien)*

il a une belle vue, il voit presque tout Paris

W

wagon — le — *(n.)*

Y

y *(adv.)*

moi, j'y vais *(je vais au village)*

y *(pr.)*

j'y penserai *(je penserai à mettre la lettre à la poste)*

VERBE ÊTRE

PRÉSENT (aujourd'hui)	*PLUS-QUE-PARFAIT*	*IMPÉRATIF*
je suis	j' avais été	sois
tu es	tu avais été	soyons
il est	il avait été	soyez
nous sommes	nous avions été	
vous êtes	vous aviez été	
ils sont	ils avaient été	

IMPARFAIT (hier)	*FUTUR ANTÉRIEUR*	*SUBJONCTIF*
j' étais	j' aurai été	que je sois
tu étais	tu auras été	que tu sois
il était	il aura été	qu' il soit
nous étions	nous aurons été	que nous soyons
vous étiez	vous aurez été	que vous soyez
ils étaient	ils auront été	qu' ils soient

FUTUR (demain)	*CONDITIONNEL*	*INFINITIF*
je serai	je serais	*présent :*
tu seras	tu serais	Être
il sera	il serait	
nous serons	nous serions	*passé :*
vous serez	vous seriez	Avoir été
ils seront	ils seraient	

PASSÉ COMPOSÉ (hier)	*CONDITIONNEL PASSÉ*	*PARTICIPE*
j' ai été	j' aurais été	*présent :*
tu as été	tu aurais été	étant
il a été	il aurait été	
nous avons été	nous aurions été	*passé :*
vous avez été	vous auriez été	été
ils ont été	ils auraient été	

VERBE AVOIR

3 *PRÉSENT (aujourd'hui)*	*PLUS-QUE-PARFAIT*	*IMPÉRATIF*
j' ai	j' avais eu	aie
tu as	tu avais eu	ayons
il a	il avait eu	ayez
nous avons	nous avions eu	
vous avez	vous aviez eu	
ils ont	ils avaient eu	

IMPARFAIT (hier)	*FUTUR ANTÉRIEUR*	*SUBJONCTIF*
j' avais	j' aurai eu	que j' aie
tu avais	tu auras eu	que tu aies
il avait	il aura eu	qu' il ait
nous avions	nous aurons eu	que nous ayons
vous aviez	vous aurez eu	que vous ayez
ils avaient	ils auront eu	qu' ils aient

FUTUR (demain)	*CONDITIONNEL*	*INFINITIF*
j' aurai	j' aurais	*présent :*
tu auras	tu aurais	Avoir
il aura	il aurait	
nous aurons	nous aurions	*passé :*
vous aurez	vous auriez	Avoir eu
ils auront	ils auraient	

PASSÉ COMPOSÉ (hier)	*CONDITIONNEL PASSÉ*	*PARTICIPE*
j' ai eu	j' aurais eu	*présent :*
tu as eu	tu aurais eu	ayant
il a eu	il aurait eu	
nous avons eu	nous aurions eu	*passé :*
vous avez eu	vous auriez eu	eu
ils ont eu	ils auraient eu	

VERBE PARLER

PRÉSENT *(aujourd'hui)*	*PLUS-QUE-PARFAIT*	*IMPÉRATIF*
je parl e	j' avais parl é	parl e
tu parl es	tu avais parl é	parl ons
il parl e	il avait parl é	parl ez
nous parl ons	nous avions parl é	
vous parl ez	vous aviez parl é	
ils parl ent	ils avaient parl é	

IMPARFAIT *(hier)*	*FUTUR ANTÉRIEUR*	*SUBJONCTIF*
je parl ais	j' aurai parl é	que je parl e
tu parl ais	tu auras parl é	que tu parl es
il parl ait	il aura parl é	qu' il parl e
nous parl ions	nous aurons parl é	que nous parl ions
vous parl iez	vous aurez parl é	que vous parl iez
ils parl aient	ils auront parl é	qu' ils parl ent

FUTUR (demain)	*CONDITIONNEL*	*INFINITIF*
je parl erai	je parl erais	*présent :*
tu parl eras	tu parl erais	parl er
il parl era	il parl erait	*passé :*
nous parl erons	nous parl erions	avoir parl é
vous parl erez	vous parl eriez	
ils parl eront	ils parl eraient	

PASSÉ COMPOSÉ *(hier)*	*CONDITIONNEL PASSÉ*	*PARTICIPE*
j' ai parl é	j' aurais parl é	*présent :*
tu as parl é	tu aurais parl é	parl ant
il a parl é	il aurait parl é	*passé :*
nous avons parl é	nous aurions parl é	parl é
vous avez parl é	vous auriez parl é	
ils ont parl é	ils auraient parl é	

VERBE PARLER

Forme négative.

PRÉSENT (*aujourd'hui*)	*PLUS-QUE-PARFAIT*	*IMPÉRATIF*
je ne parle pas	je n'avais pas parlé	ne parle pas
tu ne parles pas	tu n'avais pas parlé	ne parlons pas
il ne parle pas	il n'avait pas parlé	ne parlez pas
nous ne parlons pas	nous n'avions pas parlé	
vous ne parlez pas	vous n'aviez pas parlé	
ils ne parlent pas	ils n'avaient pas parlé	

IMPARFAIT (*hier*)	*FUTUR ANTÉRIEUR*	*SUBJONCTIF*
je ne parlais pas	je n'aurai pas parlé	que je ne parle pas
tu ne parlais pas	tu n'auras pas parlé	que tu ne parles pas
il ne parlait pas	il n'aura pas parlé	qu'il ne parle pas
nous ne parlions pas	nous n'aurons pas parlé	que nous ne parlions pas
vous ne parliez pas	vous n'aurez pas parlé	que vous ne parliez pas
ils ne parlaient pas	ils n'auront pas parlé	qu'ils ne parlent pas

FUTUR (*demain*)	*CONDITIONNEL*	*INFINITIF*
je ne parlerai pas	je ne parlerais pas	*présent :*
tu ne parleras pas	tu ne parlerais pas	ne pas parler
il ne parlera pas	il ne parlerait pas	
nous ne parlerons pas	nous ne parlerions pas	*passé :*
vous ne parlerez pas	vous ne parleriez pas	ne pas avoir parlé
ils ne parleront pas	ils ne parleraient pas	

PASSÉ COMPOSÉ (*hier*)	*CONDITIONNEL PASSÉ*	*PARTICIPE*
je n'ai pas parlé	je n'aurais pas parlé	*présent :*
tu n'as pas parlé	tu n'aurais pas parlé	ne parlant pas
il n'a pas parlé	il n'aurait pas parlé	
nous n'avons pas parlé	nous n'aurions pas parlé	
vous n'avez pas parlé	vous n'auriez pas parlé	
ils n'ont pas parlé	ils n'auraient pas parlé	

VERBE PARLER

Forme interrogative.

PRÉSENT

(*Aujourd'hui*)

est-ce que	je	parle ?
est-ce que	tu	parles ?
est-ce qu'	il	parle ?
est-ce que	nous	parlons ?
est-ce que	vous	parlez ?
est-ce qu'	ils	parlent ?

IMPARFAIT

(*hier*)

est-ce que	je	parlais ?
est-ce que	tu	parlais ?
est-ce qu'	il	parlait ?
est-ce que	nous	parlions ?
est-ce que	vous	parliez ?
est-ce qu'	ils	parlaient ?

FUTUR

(*demain*)

est-ce que	je	parlerai ?
est-ce que	tu	parleras ?
est-ce qu'	il	parlera ?
est-ce que	nous	parlerons ?
est-ce que	vous	parlerez ?
est-ce qu'	ils	parleront ?

PASSÉ COMPOSÉ

(*hier*)

est-ce que	j'	ai	parlé ?
est-ce que	tu	as	parlé ?
est-ce qu'	il	a	parlé ?
est-ce que	nous	avons	parlé ?
est-ce que	vous	avez	parlé ?
est-ce qu'	ils	ont	parlé ?

PLUS-QUE-PARFAIT

est-ce que	j'	avais	parlé ?
est-ce que	tu	avais	parlé ?
est-ce qu'	il	avait	parlé ?
est-ce que	nous	avions	parlé ?
est-ce que	vous	aviez	parlé ?
est-ce qu'	ils	avaient	parlé ?

FUTUR ANTÉRIEUR

est-ce que	j'	aurai	parlé ?
est-ce que	tu	auras	parlé ?
est-ce qu'	il	aura	parlé ?
est-ce que	nous	aurons	parlé ?
est-ce que	vous	aurez	parlé ?
est-ce qu'	ils	auront	parlé ?

CONDITIONNEL

est-ce que	je	parlerais ?
est-ce que	tu	parlerais ?
est-ce qu'	il	parlerait ?
est-ce que	nous	parlerions ?
est-ce que	vous	parleriez ?
est-ce qu'	ils	parleraient ?

CONDITIONNEL PASSÉ

est-ce que	j'	aurais	parlé ?
est-ce que	tu	aurais	parlé ?
est-ce qu'	il	aurait	parlé ?
est-ce que	nous	aurions	parlé ?
est-ce que	vous	auriez	parlé ?
est-ce qu'	ils	auraient	parlé ?

VERBE GRANDIR

PRÉSENT

(*aujourd'hui*)

je grandis
tu grandis
il grandit
nous grandissons
vous grandissez
ils grandissent

IMPARFAIT

(*hier*)

je grandissais
tu grandissais
il grandissait
nous grandissions
vous grandissiez
ils grandissaient

FUTUR (*demain*)

je grandirai
tu grandiras
il grandira
nous grandirons
vous grandirez
ils grandiront

PASSÉ COMPOSÉ

(*hier*)

j' ai grandi
tu as grandi
il a grandi
nous avons grandi
vous avez grandi
ils ont grandi

PLUS-QUE-PARFAIT

j' avais grandi
tu avais grandi
il avait grandi
nous avions grandi
vous aviez grandi
ils avaient grandi

FUTUR ANTÉRIEUR

j' aurai grandi
tu auras grandi
il aura grandi
nous aurons grandi
vous aurez grandi
ils auront grandi

CONDITIONNEL

je grandirais
tu grandirais
il grandirait
nous grandirions
vous grandiriez
ils grandiraient

CONDITIONNEL PASSÉ

j' aurais grandi
tu aurais grandi
il aurait grandi
nous aurions grandi
vous auriez grandi
ils auraient grandi

IMPÉRATIF

grandis
grandissons
grandissez

SUBJONCTIF

que je grandisse
que tu grandisses
qu' il grandisse
que nous grandissions
que vous grandissiez
qu' ils grandissent

INFINITIF

présent :
grandir

passé :
avoir grandi

PARTICIPE

présent :
grandissant

passé :
grandi

ACHEVÉ D'IMPRIMER
SUR LES PRESSES
OFFSET FIRMIN-DIDOT & Cie
56, RUE JACOB - PARIS (6e)

Imprimé en France.

No Imprimeur 460